Als je haar maar goed zit!

3036

Josie Lloyd

Als je haar maar goed zit!

Zwarte Beertjes
Amsterdam / Utrecht

Oorspronkelijke titel: It Could Be You (Orion Books Ltd)
Vertaling: Trudy Koelemeijer
Omslagontwerp: Hesseling Design, Ede
Omslagbeeld en typografie: Studio Marlies Visser, Haarlem

Derde druk 2003

ISBN 90 225 3407 3

© 1997 by Josie Lloyd
© 1999 voor de Nederlandse taal: De Boekerij bv, Amsterdam

Dit is een uitgave van De Boekerij bv in samenwerking met
Zwarte Beertjes

Voor mijn lieve moeder –
die me het zelfvertrouwen heeft gegeven om te gaan schrijven,
en de moed om het vol te houden.

Dankwoord

Dit boek zou nooit zijn geschreven zonder mijn vrienden en vriendinnen. Ze hebben het met me uitgehouden, hebben mijn hand vastgehouden en wilden er niets van horen als ik het bijltje erbij neer wilde gooien. Vooral mijn allerbeste vriendinnen Harriet, Laurel en Katy waren onovertroffen. Mijn speciale dank gaat uit naar Dawn omdat ze vertrouwen in me had en het manuscript aan de juiste mensen heeft voorgelegd; aan Sadie omdat ze me vanaf het begin heeft aangemoedigd, en aan Tom, die met de titel kwam aandragen. Ook wil ik Steb, Ruth, Jonny en Matt bedanken die me hebben geholpen bij de verwezenlijking van mijn droom, en alle mensen die zorgden dat ik brood op de plank had terwijl ik ermee bezig was – Ian, Claire bij Stop Gap Marketing, Mands en de hele meute van BBL. Dank ook aan Fraser, die me redde van de plakbriefjeshel toen de plot me niet meer duidelijk was, aan Chris Crosbie die me grappen vertelde, aan Victoria die de crises met de printer overwon, Anna en Ray, en Mark en Lizzie voor hun uitstekende yogalessen.

Oneindig veel dank gaat uit naar mijn briljante redactrice, Rosie Cheetham, die me bleef inspireren en me door het hele herschrijfproces heen is blijven steunen. Ook wil ik mijn fantastische agente, Vivienne Schuster bij Curtis Brown, mijn persklaarmaakster Jan Boxshall, Charlotte Hobson en iedereen bij Orion bedanken.

Maar mijn grootste dank gaat uit naar mijn familie, die een enorme steun voor me was, vooral mijn zus Catherine en mijn vader en moeder, omdat ze me lieten weten dat ik goed bezig was.

I

'Doe het!' zei Charlie Bright terwijl ze haar achterwerk weer in de stoel wurmde en haar gezicht in een brutale grijns plooide.

David keek naar het opengeslagen tijdschrift met de glanzende foto van een actrice die zich over een fluwelen leunstoel had gedrapeerd. 'Zo? Weet je het zeker?'

Charlies grote bruine ogen keken hem vanuit de spiegel aan. 'Ja, zo wil ik het... *Alsjeblieft.*'

David nam haar doorschijnend lichte huid, die op haar hoge jukbeenderen was bezaaid met sproetjes, taxerend in zich op. Haar bruine haar viel als een waterval van warrige krullen over haar schouders en met haar buitensporig lange wimpers zou ze naïef hebben geleken als ze niet zulke volle lippen had gehad die zich elk moment in een glimlach leken te kunnen gaan krullen.

David zoog zijn wangen in en liet zijn hand op zijn heup rusten, voor hij knikte. Zijn gepiercete tepels schenen door zijn latex T-shirt heen terwijl hij zich naar haar vooroverboog in haar stoel, zodat zijn gezicht op dezelfde hoogte was als het hare. 'Je hebt gelijk. Blond zal je schitterend staan.'

Charlies ogen begonnen te glimmen van opwinding. Als die actrice een nieuwe kerel aan de haak kon slaan door blond te worden, dan kon zij het ook.

Het was zes uur op de eerste warme dinsdag van de zomer. Buiten stond een rij bussen van lijn 52 in Kensington Church Street, hun uitlaatgassen uitstotend in de zwoele lucht. Charlie liet haar zweterige voeten uit haar platte sandalen glijden, boog haar hoofd achterover in de neksteun van de wasbak en liet Davids assistent de geurige shampoo tot een zacht schuim verwerken.

Ze wriemelde met haar tenen, opgewonden bij het vooruitzicht van een nieuw uiterlijk. Het enige probleem was dat ze in april weer aan haar gezondheid moest gaan werken. Ze was voortdurend van plan haar cellulitis weg te polijsten, ontgiftende kruidenthee te drinken en iedere dag honderd sit-ups te doen, maar op de een of andere manier slaagde ze er maar niet in om daar tussen kantoor, het kijken naar soaps en het in de kroeg zitten door tijd voor te maken.

Ze dacht aan de witte benen onder haar grijze broek en de bungelende triceps die aan het oog onttrokken werden door haar French Connection T-shirt, en verbeet zich. Ze was nog niet klaar om zich in zo'n piepklein zomerjurkje te vertonen, waarvan de meeste verfrommeld op de bodem van haar wasmand lagen te wachten op de dag dat ze eindelijk haar handwas zou gaan doen.

Zo kan het niet langer, dacht ze terwijl ze 'ja' zei tegen een schedelmassage. Vanaf morgen zou ze in elk geval stoppen met drinken en roken, groente tot haar hoofdvoedsel maken (terwijl dat nu geroosterd brood was) en de pizzalijn, spek op haar brood en chocolade voorgoed afzweren.

Van nu af aan zou ze om zes uur 's morgens opstaan, op een of ander gregoriaans muziekje gaan mediteren en vervolgens een kom verse fruitsalade verorberen. Nee, nee, nee. Nog beter: ze zou na het opstaan eerst zeven kilometer gaan hollen. Ze stelde zich voor hoe het zou voelen om slank te zijn en zonder hulp van twee wekkers plus de telefonische wekdienst op te staan. Ze zag zichzelf een schoon, glad dekbed van zich afwerpen en haar gebruinde, tintelende lijf uitrekken, haar tanden spierwit, haar gedachten positief. Witte mouseline gordijnen zouden wapperen in haar door Zen geïnspireerde, minimalistische slaapkamer en dan zou ze een stel flitsende gymschoenen aantrekken en wegspurten naar Battersea Park.

Daar stond tegenover dat hollen slecht was voor je benen. Ze had geen zin om voortijdig artritis te krijgen en trouwens, was niet onlangs een man die aan de marathon van Londen had meegedaan, overleden aan een hartaanval? Goed. Nieuw plan. Ze zou rechtstreeks naar de sportschool gaan en zo'n matineus aerobicklasje gaan volgen. Dan zou ze een stimulerende douche nemen met zo'n schrobhandschoen van The Body Shop en dan minstens een liter mineraalwater drinken.

Ze zuchtte tevreden over haar plannen en ging weer voor de spiegel zitten terwijl ze de handdoek vasthield die in een tulband om haar hoofd was gedrapeerd. Ze ging een stralende toekomst tegemoet. Ze zou een onafhankelijke vrouw worden die haar zaakjes op orde had. Ze zou niet langer hoeven bidden en smeken bij de flappentap, want ze had haar financiën op orde. Ze zou op tijd op haar werk komen, een keurig geordend archief gaan bijhouden en iedereen bij Bistram Huff, het verkooppromotiebedrijf waar ze werkte, laten zien hoe uiterst capabel ze was.

En als ze eenmaal haar langverwachte promotie tot account director had binnengesleept, haar billen had opgekrikt en bruin was gebakken, dan kon hij haar niet meer ontglippen. Het was al zo lang geleden sinds ze zo voor iemand was gevallen. De laatste was haar vriendje Phil geweest en met hem was het nu al een jaar uit. Ze stond zichzelf toe een poosje bij deze relatie en de snijdende pijn van haar gebroken hart te blijven stilstaan. Ze zuchtte diep bij de herinnering, maar het litteken moest zijn geheeld zonder dat ze er erg in had gehad. Eigenlijk zag ze, nu ze erop terugkeek, voor het eerst dat Kate, haar beste vriendin, gelijk had wat Phil betreft. Hij was egocentrisch, slap en, hoewel ze hem op een godgelijkend voetstuk had gezet, uiteindelijk toch gewoon een kerel. Wat had ze haar best gedaan het hem naar de zin te maken, wat had ze zich laten gebruiken. Ze moest gek zijn geweest.

Ze keek naar David, die haar haar knipte en er massa's paarse peroxide over verdeelde, waarna hij de geverfde plukken in reepjes folie wikkelde.

Ze voelde zich nu zo anders. Klaar om met een schone lei te beginnen, klaar om weer verliefd te worden, hoewel ze haar hart dit keer niet zou laten stelen door iemand die zo'n bindingsangst had als Phil. Maar ja, *hij* was dan ook heel anders dan Phil. Hij was sterk en capabel en...

Haar mobiele telefoon onderbrak haar gedachten en Charlie frommelde haar armen door de armsgaten van haar kapperscape om hem te pakken te krijgen. De foliepakketjes kraakten toen David ze zorgvuldig opzij deed om te zorgen dat ze de telefoon naast haar oor kon krijgen. Het was Rich.

'Wat ben je aan het doen? Je klinkt alsof er een orkaan om je heen raast.'

'Ik laat mijn haar doen.'

'Ga je het echt doen? Blond?'

'Uh-huh.'

'O.'

Charlie trok haar wenkbrauwen op en keek naar het plafond. 'Je klinkt niet enthousiast.'

'Ik vond het leuk zoals het was.'

'Hoe kun je dat nu zeggen? Het was net een vogelnest. In elk geval: het is er allemaal af.'

Rich wist dat het vergeefse moeite was haar tegen te spreken en hij verborg zijn teleurstelling goed. 'En hoe voel je je?'

Zijn verzoenende toon vertederde Charlie en ze gaf David een knipoogje. 'Zenuwachtig.'

'Jíj bent zenuwachtig? En ik dan? Ik moet er tegenaan kijken.'

'Jij kunt de pot op.'

Rich lachte. 'Luister, ik sta op het punt om weg te gaan. Zullen we ergens iets gaan drinken?'

'Ik drink niet.'

'En ik ben de Heilige Maagd.'

'Nee, echt waar. Ik stop ermee, ik heb mezelf een streng zomerdieet opgelegd.'

'Dan zie ik je dus in de 51.'

Charlie rolde met haar ogen en glimlachte. 'Oké. Eentje dan. Ik zie je om acht uur.'

'Vriendje?' vroeg David nieuwsgierig terwijl hij het rode knopje op de telefoon indrukte.

'Rich? God, nee! Hij is mijn huisgenoot.'

'Hij klonk alsof hij je vriendje was.'

'Geen sprake van. Ik ken hem al mijn hele leven. Hij is een soort grote broer voor me.' Ze legde de telefoon op de kaptafel en streek de zwarte cape op haar knieën glad. 'Ik ben zo single als het maar kan.'

'Daar geloof ik niks van.' David was altijd homo geweest maar terwijl Charlie haar schouders ophaalde, besefte hij dat ze er geen idee van had hoe haar aardse schoonheid, haar vrolijke manier van doen en de ondeugende blik in haar ogen mannen konden opwinden.

'Nou, met dit haar zal dat gauw zijn afgelopen,' waarschuwde hij.

'Dat mag ik hopen.'

David maakte een van de foliepakketjes open om te kijken hoe ver de peroxide was gevorderd. 'Had je iemand in gedachten?'

Charlie probeerde zijn beeld op te roepen en voelde zich alsof ze op een warmwaterkruik zat. Ze herinnerde zich hoe zijn mooie, sterke handen door de pagina's van het modellenboek hadden gebladerd. Hij zocht een model voor de autocampagne

waar ze mee bezig waren. Hij was gestopt bij de foto van een ver-
blindend mooie blondine en zijn gebruinde wijsvinger had even
over de bladzij gestreken voor hij zich tot Charlie wendde met
zijn rokerig bruine ogen. Ze had vlinders in haar buik gekregen.

'Misschien,' zei ze, en pakte toen het tijdschrift op om verdere
ondervragingen te voorkomen.

Charlie wierp een blik op zichzelf in het achteruitkijkspiegeltje
terwijl ze stilhield bij de stoplichten op King's Road. Haar warrige krullen waren vervangen door een sluike blonde krans haar die
volgens de laatste mode rond haar gezicht viel. Ze leek er ouder
en wereldwijzer door en ze voelde zich sexier dan ze zich ooit had
kunnen voorstellen. Ze zette het nieuwste bandje van Ministry of
Sound op en trommelde met haar hand op het afgetakelde stuur
van haar antieke Fiat Panda.

Nu ze een nieuw kapsel had, moest ze natuurlijk ook aan een
nieuwe auto en een nieuwe garderobe gaan denken. Terwijl de
Panda slingerde en de motor nu en dan afsloeg in de file op weg
naar Battersea Bridge, keek Charlie naar de etalages. Waarom
was alles ontworpen voor broodmagere meiden zonder taille en
heupen? Alleen vrouwen als Kate zagen er fantastisch uit in dat
soort kleren en Charlie vroeg zich af of ze ooit zo flitsend zou
worden als haar vriendin.

Al sinds ze samen Engels hadden gestudeerd aan de Londense
universiteit, keek Charlie tegen Kate op. Ze was geestig en sterk
en droeg sexy kleren met een 'mij belazer je niet'-houding waar
Charlie veel bewondering voor had. Kate kreeg altijd wat ze
wilde. Met haar zelfverzekerde houding was ze erin geslaagd een
schitterende baan als journaliste bij een tijdschrift te krijgen en
sterker nog – ze had verkering met Dillon. En laten we wel
wezen: Dillon was het helemaal.

Charlie, Kate en Rich waren Dillon drie jaar daarvoor tegen-
gekomen toen hij die rottige kroeg aan de overkant van Rich aan
het opknappen was. Tegen de tijd dat het smeedijzeren bord
waarop 'De 51' stond boven de glazen deuren was geplaatst, de
planken vloer was geschuurd en gelakt en de hoge plafondventi-
latoren verbonden waren met het controlepaneel achter de bar,
waren ze dikke vrienden geworden.

Het snelle succes dat Dillon met de 51 had, was gedeeltelijk te
danken aan de brede grijns en de relaxte houding die hij van zijn

Jamaicaanse moeder had geërfd en gedeeltelijk aan de fijne neus voor de moderne Engelse keuken die zijn vader hem had meegegeven. Elke avond zat de kroeg vol met mensen van Battersea die exotische bieren en Nieuwe Wereld-wijnen dronken, luisterden naar de door Dillon samengestelde reggae- en funkbandjes en zijn exquise kost aten.

Het was de stamkroeg geworden waar Rich, Charlie en Kate elkaar na het werk zagen en op zondagen lang en lui gingen brunchen. Nadat hij de bar sloot, zat Dillon altijd nog een poos met hen te praten bij een flesje wijn en soms, als Rich er niet was, rolde hij een joint en werden Kate en Charlie stoned met hem. Dat waren de momenten waarop Charlie merkte dat Kate en Dillon verliefd op elkaar werden.

En toch werd Kate woedend toen Charlie voorzichtig opperde dat ze iets voor Dillon voelde.

'Voor Dillon? Laat me niet lachen. Hij is lelijk, harig, koppig...' Ze stokte in haar pogingen nog meer scheldwoorden te verzinnen. 'Ik wil hem meestal het liefst een stomp verkopen.'

Charlie lachte. 'Wat ben jij er voor een? Dillon is ontzettend leuk.'

'Ga jij dan maar met hem uit, als je hem zo'n verdomd stuk vindt,' zei Kate.

'Je zult het nog wel zien,' voorspelde Charlie, verbaasd over het feit dat Kate dit keer niet zag wat zo helder als glas was.

Het was vorig jaar, op een hete zomeravond, dat ze eindelijk iets met elkaar kregen. De deuren van de 51 stonden wagenwijd open en de tafels op het terras waren allemaal bezet. Binnen stond Dillon bij hun tafel te treuzelen, zijn armen vol glazen, terwijl hij zich over hen heen boog en zijn weinig vleiende mening over Kates jongste artikel ten beste gaf.

'Wat weet jij er nu van?' vroeg Kate, haar kleine balletgestalte gespannen in de verdediging, haar donkere ogen, een erfenis van haar Chinese oma, vernauwd tot spleetjes.

'Het is geen kritiek. Ik zei alleen wat ik ervan dacht. Als je mijn mening niet wilt horen, moet je er ook niet om vragen.'

'Ik wil het niet horen, ik heb er geen behoefte aan,' snauwde ze terwijl ze het tijdschrift kwaad weer oppakte.

Dillon gooide zijn lange dreadlocks achterover over zijn brede schouders. 'Jij bent ook snel op je teentjes getrapt.'

'Maak je geen zorgen, ik zal niet op jouw kosten blijven hangen,' zei Kate, waarna ze zich op haar hielen omdraaide en zich langs de drukbezette tafeltjes een weg naar buiten baande. Dillon sperde zijn opvallend groene ogen open terwijl hij haar zag vertrekken en keek toen vragend naar Charlie.

'Wat heb ik misdaan?'

Charlie trok haar wenkbrauwen op en maakte een hoofdknikje in Kates richting. 'Ga achter haar aan,' zei ze toen. In een fractie van een seconde had Dillon zijn besluit genomen en zette zijn lange gestalte zich in beweging. Hij dumpte de glazen plompverloren op tafel en was in enkele grote stappen bij Kate, waarop hij haar bij de arm greep en haar omdraaide. Ze keken elkaar heel even aan en toen begon Dillon haar te zoenen. Charlie herinnerde zich dat ze in haar handen had geklapt en dat iedereen begon te juichen terwijl het stel elkaar bleef kussen in een zoen waarin zich maanden van seksuele spanning ontlaadde, tot Kate naar lucht begon te happen en giechelend in Dillons omarming begon te blozen. En dat was het begin van hun stormachtige relatie geweest.

Charlie was ervan overtuigd dat Kate, hoewel ze al een jaar met Dillon omging, haar gevoelens nog steeds ontkende, maar misschien was ze alleen maar gehaaid. In elk geval miste haar houding zijn uitwerking niet. Mannen vielen bij bosjes voor haar en Charlie wou vaak dat ze Kates vaardigheid bezat om mannen aan het lijntje te houden door hen wreed te behandelen. In Charlies ogen bezat haar vriendin alle eigenschappen waarover een vrouw van de jaren negentig moest beschikken: ze reisde alleen, was nooit bang haar krachten met anderen te meten en kon hele zondagen in haar eentje doorbrengen zonder ook maar een moment eenzaam te zijn.

Charlie was zo onder de indruk van Kate dat ze niet wilde toegeven wat haar eigen toekomstdromen behelsden: een idyllisch landhuisje met een grote keukentafel, een kwispelstaartende labrador en een stel Siamese katten. Ze zag zichzelf dromerig en met meel op haar wangen door het huis bewegen in een bloemetjesschort, waarbij ze af en toe etensresten gooide naar door haarzelf grootgebrachte ganzen in de tuin en ondertussen een stel prachtige kinderen opvoedde. Een veel te truttige fantasie. Trouwens, hij speelde zich in een zeer verre toekomst af. Voor die tijd wilde ze een beetje leven.

Nu viel Dillons mond open van verbazing terwijl Charlie naar de hoge chromen bar toe liep. Ze maakte een pirouette voor hem en zijn grote lippen verbreedden zich tot een glimlach.

'Ben jij dat echt?'

Ze giechelde en pootte haar elleboog op de bar. 'Yep, een verbeterde versie van mij.'

Dillon stopte een witte doek in de tailleband van zijn leren broek en zette zijn handen in zijn heupen, waarbij zijn gespierde borstkas zichtbaar werd onder zijn strakke T-shirt met V-hals. 'Ik herkende je nauwelijks.'

Charlie wierp een korte blik op zichzelf in de spiegel tussen de flessen achter de bar en haalde haar vingers door haar nieuwe kapsel. '*Ik* herken mezelf niet eens.'

'Wat heeft dit veroorzaakt?'

'Ik wilde gewoon iets anders. Het is zomer.'

'Vertel mij wat,' zei hij terwijl hij een fles Chardonnay ontkurkte en een kloek glas voor haar inschonk. 'Het is hier stervensdruk en ik heb nauwelijks tijd voor Kate.'

'O jee.' Charlie keek bedenkelijk. Kate zou wel woest zijn.

Dillon liet zijn bierflesje tegen haar glas klinken en zei: 'Ze komt straks nog. Proost.'

Charlie begon in haar tas te rommelen, op zoék naar geld.

'Laat maar. Ik trakteer. Zoals je er nu uitziet, trek je alleen maar klanten aan.'

Ze bloosde en keek om zich heen of ze Rich zag. 'Is zijne hoogheid ook aanwezig?' Dillon knikte naar een hoektafeltje onder een plafondventilator. Rich las de roze bladzijden van de *Evening Standard*, zijn pak verfomfaaid, zijn das losgeknoopt. Zijn anders zo onberispelijk witte overhemd zat nu gekreukt en zijn sluike bruine haar viel in zijn gezicht.

Charlie glimlachte naar Dillon en liep op haar tenen naar de tafel. Ze zette een Amerikaanse knauwstem op en vroeg: 'Mag ik hier zitten?'

Rich keek heel even op. 'Ga je gang,' mompelde hij terwijl hij doorging met lezen. Toen keek hij plotseling op.

'O, mijn god!' zei hij. Zijn schildpadbril gleed van zijn neus.

Charlie grijnsde. 'Leuk?' Ze zwaaide haar heupen in de stoel in de hoek en keek hem vragend aan.

'Je ziet er zo... zo anders uit.'

'Dat zal ik maar als een complimentje opvatten,' zei ze, terwijl haar ogen hem boven haar wijnglas uitdagend aankeken.

Rich ging rechtop zitten, weer op en top de beleefde Engelsman. 'Natuurlijk is het dat. Je ziet er fantastisch uit,' zei hij terwijl hij haar aanstaarde. 'Het is heel...' Hij zweeg even, zoekend naar het juiste woord. '... heel modern.'

Charlie trok een gezicht. 'Je lijkt mijn vader wel.'

Rich lachte niet en Charlie gaf hem speels een duwtje tegen zijn arm. 'Wat is er met je, stuk chagrijn?'

Rich vouwde de krant op en schudde zijn hoofd. 'Gewoon, een rotdag gehad.'

Ze hield meelevend haar hoofd schuin. 'Nog steeds hetzelfde gedonder?'

Hij zette zijn bril af en wreef in zijn ogen. 'Het is die zaak waar ik mee bezig ben. Ik weet dat we zullen winnen als het voor de rechter komt.' Hij legde zijn bril op tafel en keek haar met zijn gespikkelde blauwe ogen aan. Hij had rimpeltjes, maar die waren eerder te wijten aan spanningen dan aan zijn leeftijd. Rich was dertig.

'Ik dacht dat dat de bedoeling was. Je bent tenslotte advocaat,' zei Charlie. Ze deed haar schoenen uit om haar benen onder zich te kunnen trekken, maar vond toen dat haar voeten te veel stonken, en dus trok ze haar schoenen maar weer aan. Ze moest eraan denken voetenspray op haar boodschappenlijstje te zetten.

'Als mensen van begin af aan maar eerlijk waren, dan weet ik zeker dat ze uiteindelijk zouden krijgen wat ze wilden. Maar nee hoor: ze horen iets waarvan ze denken te kunnen profiteren, en gaan dan als een stoomwals over iedereen heen die toevallig in de weg staat. Ik word er misselijk van.'

'Maar daar ben je toch voor, om te zorgen dat de beste zal winnen,' zei Charlie.

'Welnee. Degene met het beste advocatenkantoor en het meeste geld wint,' corrigeerde Rich. Hij nam een slok van zijn biertje. 'In elk geval is het erg saai. Ik wil je die verhalen niet aandoen.'

Charlie boog zich naar hem toe. 'Maar ik wil ze wel horen. Ik vind het vreselijk om te moeten aanzien dat je je uit de naad werkt. Je moet je niet zo druk maken. Je bent zo'n ouwe softie.'

Rich lachte honend: 'Daar denken die rechtbankjongens wel anders over. Ik heb genoeg bewijs om ze voor eens en altijd de nek om te draaien. Die kerel die ik moet verdedigen deugt van geen kant, maar de tegenpartij heeft geen geld om het te bewijzen.'

'Je moet je scrupules eens laten varen.'

'Dat begin ik ook te geloven,' zei Rich. Hij nam nog een slok bier. 'Nou, hoe voelt het om blond te zijn?'

Charlie grijnsde en trommelde met haar handen op tafel. 'Goed. Ik ga van de zomer gezonder leven. Niet meer drinken, roken of wat dan ook.'

Rich keek fronsend naar haar wijn.

'Nou ja, in elk geval ga ik minderen. Binnenkort zie je een heel nieuwe Charlie voor je.'

'Ik zie al een heel nieuwe Charlie. Hoe was het vandaag?' vroeg hij om op iets anders over te stappen.

'Druk. Ik heb het profiel van de autocampagne klaar, er komt een bespreking voor een spaaractie van een sigarettenmerk, en dan moet de Up Beat-reclame nog helemaal geregeld worden. Ik weet niet hoe ik al dat werk af moet krijgen nu Philippa morgen op vakantie gaat.'

'Ik dacht dat je daar juist dolblij mee zou zijn.' Rich was eraan gewend een klankbord te zijn voor Charlies doodsangsten jegens haar strenge bazin, de gevreesde Philippa Bistram.

'Dat ben ik ook, maar ik heb het afgrijselijke gevoel dat er iets mis zal gaan.'

'Hoe kan er nu iets misgaan? Je zei het zelf al: verkooppromotie is nu niet bepaald een exacte wetenschap, en als Philippa niet om de paar seconden in je nek staat te hijgen, kun je helemaal lachen.'

Charlie zuchtte. 'Dat hoop ik, maar ze geeft me het gevoel dat ik een mislukkeling ben. Ze heeft overal iets op aan te merken en draait voortdurend mijn beslissingen terug. Alle anderen in mijn team zijn luie donders, behalve Bandit, maar die loopt alleen maar te marchanderen en gaat om de haverklap uit lunchen. Als het echt moeilijk wordt, kan ik op niemand rekenen. Misschien ben ik wel niet goed genoeg om account director te worden.'

Rich maakte een afkeurend geluidje. 'Onzin. Natuurlijk ben je daar goed genoeg voor. Je moet alleen de kans krijgen jezelf te bewijzen. En je moet een beetje vertrouwen hebben in jezelf.'

Charlie knikte, maar werd afgeleid door Kate, die bij de deur stond en haar blauwe zonnebril boven op haar hoofd schoof zodat haar lange ravenzwarte haar over haar rug gleed. Ze droeg een trendy broek en een kort lichtroze T-shirt dat haar strakke buik en haar navelpiercing goed liet uitkomen. Ze slaakte een gilletje toen ze Charlie zag en rende op haar gymschoenen met plateau-zolen naar haar toe. Ze gaf een goedkeurend klopje op Charlies haar. 'Prachtig!' zei ze ademloos. 'Je ziet er geweldig uit. Wie heeft het gedaan?'

'David.'

'Dat is te zien. Het is goed geknipt,' zei ze terwijl ze Rich op zijn wang zoende en met haar duim de pruimenrode lippenstift-vlek wegveegde die ze had gemaakt.

'Iets drinken?' Ze knikte naar hun vrijwel lege glazen.

'Ik een biertje, maar Blondie hier is aan de witte wijn. Ik loop wel even met je mee.' Rich wilde al opstaan, maar Kate hield hem tegen.

'Blijf maar zitten. Ik haal wel een fles.' Ze deed haar Prada-rugzakje af, legde hem op tafel en haalde er haar portemonnee en een pakje Marlboro Light uit. Ze keek op en grijnsde. 'Een goed begin is het halve werk, zeker als het een latertje gaat worden.'

'O, god,' zei Charlie terwijl Kate zich door de drukte heen naar de bar worstelde. 'Daar gaat mijn gezonde avond.'

Binnen een minuut was Kate terug met een ijsemmer en drie glazen. Rich grinnikte hoofdschuddend toen hij Kate een grote homp kauwgom in de asbak zag deponeren en een sigaret tussen haar lippen zag stoppen. Hij pakte de fles op en bekeek het etiket. 'Goeie wijn.'

Kate mummelde, door de wiebelende sigaret in haar mond heen: 'Goedmakertje van Dillon.' Toen hield ze Charlie het pakje sigaretten voor: 'Wil je er een?'

'Ik zou het eigenlijk niet moeten doen,' mompelde ze met een blik op Rich, terwijl ze er een uit het pakje haalde.

'Je zei dat je zou stoppen,' zei hij beschuldigend.

'Hou je mond, pietlut. Je moet ons niet onze pleziertjes afne-men,' zei Kate terwijl ze haar Cadillac-aansteker pakte. Ze gaf Charlie en zichzelf een vuurtje, nam een flinke trek en grijnsde tegen Rich.

'Hoe is het met onze brave Hendrik?' vroeg ze terwijl ze vriendschappelijk haar hand op zijn knie legde en zich naar hem toe boog. Ze keek bedenkelijk naar zijn gezicht. 'Je ziet er niet best uit, jongen.'

'Hij werkt te hard,' zei Charlie.

'Bedankt, moeder.'

'Vakantie en een goeie wip, dat heb je nodig. Wat koop je voor al dat geploeter? Je wordt er alleen maar een saaie Piet van, Rich.'

Rich schudde zijn hoofd. 'Is dat het soort adviezen dat je je lezeressen ook geeft?'

Kate pakte de wijnfles en vulde hun glazen bij. 'Nou en of. Ik heb net een artikel geschreven over flirten. Past precies in je straatje.'

'Bedankt, ik zal eraan denken de nieuwe *Tienerkrant* te kopen,' zei Rich. Hij nam een slokje wijn. 'Zo te horen is de journalistiek nog altijd een boeiend en uitdagend vak.'

Kate blies haar wangen leeg. 'Het is net zo saai als toekijken hoe verf opdroogt. Ik wil sappige verhalen, een pietsje scabreus, waar ik een beetje voor moet spitten. Ik zou wel eens iets serieuzers willen doen. Van de zomer wil ik absoluut een andere baan zien te vinden. Maar ja, als het weer zo blijft, zie ik mezelf nog niet zo gauw solliciteren. Ik heb liever een uitgebreide lunch dan een sollicitatiegesprek.'

'Ik hoop dat het zo blijft. Ik moet nodig bruin worden,' zei Charlie.

'Ga dan naar de zonnebank.'

'Heb ik gedaan.'

'Wanneer?' vroeg Rich.

'Tijdens lunchtijd.'

Rich zette zijn glas op het tafeltje. 'Je had je toch heilig voorgenomen nooit meer naar de zonnebank te gaan sinds die keer bij de Magnetronclub, of hoe het daar ook mag heten? Je was van top tot teen verbrand, en niet eens egaal, maar gestreept.'

Charlie nam een trek van haar sigaret. 'Dat weet ik, maar bij deze moest je rechtop staan, dat is veel beter voor je. En trouwens, ik hoef niet echt verschrikkelijk bruin te worden, ik wil alleen van die melkflessen af.'

Kate drukte haar peuk uit. 'Wat is er met jou gebeurd? Je lijkt wel zo'n ijdele ouwe del.'

Charlie leunde achterover in haar stoel en staarde naar buiten. 'Ach welnee. Ik heb toch gezegd dat ik eens iets anders met mezelf wilde, meer is het niet...' Ze haperde en begon te blozen.

Kate en Rich wierpen elkaar een veelbetekenende blik toe. 'Wie is het?' vroeg Kate indringend.

Ze keek hen wazig aan. 'Het gaat niet om een man.'

Kate zette de bril van Rich op en keek Charlie streng aan. 'Kom op. Voor de dag ermee.'

Charlie wachtte even en zuchtte toen theatraal. 'Het is Daniel.' Ze stak verdedigend haar handen omhoog. 'Ik weet het. Ik weet dat het belachelijk is en dat ik geen enkele kans bij hem maak maar...'

'Is dat niet die nieuwe creative director van jullie, over wie je het laatst had?' onderbrak Rich.

Charlie knikte. 'Daniel Goldsmith.' Ze zette haar ellebogen op tafel en drukte haar handen tegen haar gloeiende wangen. 'Het is zo'n verdomd bijzondere man en hij ziet me niet eens staan. En ik maar glimlachen, en proberen samen met hem in de lift te komen, en maar geestige verhaaltjes vertellen waar hij bij is, dat soort dingen. En uiteindelijk voel ik me alleen maar een belachelijke idioot. Ik weet bij god niet wat ik nog meer moet doen om zijn aandacht te trekken, behalve misschien een striptease doen op de vergadertafel.'

'Als hij er zo'n werk van maakt om je te ontwijken, wat op zich al een hele prestatie is, wat zie je dan nog in hem?' vroeg Kate, verbijsterd door de ongewone aanblik van een tot over haar oren verliefde Charlie.

'Alle meiden bij Bistram zijn weg van hem en ik wil niet dat hij me ziet als de eerste de beste kantoortrut. Ik wil dat hij me ziet als... o, ik weet het niet.'

Kate lachte. 'Je bent een stuk en hij kan je niet over het hoofd hebben gezien. Hij speelt gewoon de grote onbereikbare.'

'Nee. Ik ben hem niet waard.'

Kate keek haar vriendin verbijsterd aan. 'Charlie, het is maar een vent! Sorry, Rich.'

'Ja, ik weet wat je bedoelt. Maar dit is anders. Ik krijg klamme handen als hij binnenkomt. Hij heeft van die mysterieuze donkere ogen en zo'n gladde olijfkleurige huid waar je het liefst je wang tegenaan zou willen wrijven.' Charlie staarde in de verte. 'Hij heeft iets bijzonders over zich – alsof hij een vrije geest is en nobeler zaken aan zijn hoofd heeft, en dan opeens kan hij je aankijken en je de adem doen benemen. Net alsof de wereld om hem heen in elkaar kan storten en hij alleen maar oog voor jou heeft, en dan voel je je zo naakt – alsof hij je vunzigste fantasieën kent.'

Kate leek wanhopig te worden. 'Eerst zeg je dat je lucht voor hem bent en het volgende moment staat hij als aan de grond genageld door de gekreukte bladzijden van je Nancy Friday-boeken te bladeren!'

Rich stond versteld. 'Heb je daarom je haar geverfd?'

Charlie zuchtte en begon het bierviltje uit elkaar te plukken. 'Daar snap jij toch niets van. Hij is...'

'Charlie. Charlie. Aardbol aan Charlie, kom ik door? Charlie, meld je,' lachte Kate. Ze gaf Richard een duwtje. 'Volgens mij zijn we haar kwijt.'

Maar Rich zat Charlie aan te kijken, ernstig en strak.

'Rich?' zei Kate.

Hij schrok op en glimlachte flauwtjes. 'Ik geloof het ook. Laten we nog maar een fles wijn halen.'

Charlie keek met slaperige ogen naar haar digitale wekker in een poging de zwevende cijfers af te lezen. Zeven. Zeven vijf nul. Zeven vijftig. Tien voor acht. Tien voor acht. TIEN VOOR ACHT! Ze trapte het vlekkerige dekbed van zich af en ging met een ruk rechtop zitten, hoofd in haar handen en kreunend van de kater die zich op dat moment aandiende. Zoals gewoonlijk was het rustige glaasje in de 51 uitgelopen op een zuippartij en toen ze in de late uurtjes arm in arm met Rich naar huis was gewaggeld, was ze te dronken geweest om te bedenken dat ze water moest drinken.

Ze was wakker geworden op het tijdstip waarop ze eigenlijk op haar werk moest zijn. Waarom gebeurde dat nu altijd? Philippa zou woest zijn. Nooit meer. Geen drank meer, nam ze zich plechtig voor, terwijl ze zich in haar ogen wreef.

Kreunend keek ze haar kamer rond. Haar jasje en haar broek lagen in een verkreukelde hoop aan het voeteneind van haar bed, in het tapijt zat een opgedroogde theevlek en er lag een omgevallen mok op. De zondagskranten van de afgelopen week lagen verspreid op de grond, samen met verdwaalde schoenen en rondslingerende natte handdoeken. T-shirts en leggings hingen half uit de laden, waarvan er één volledig uit zijn voegen geschoten was en met een berg maillots en sokken vol gaten op een stapel rotzooi balanceerde.

Ze plofte uit bed en strompelde naar het raam, waar ze aan het touwtje van de jaloezieën trok tot die schuin omhoog hingen. Wankelend liep ze weg van het felle zonlicht, greep haar versleten badjas, die op z'n kop aan de achterkant van de deur hing, en stommelde de huiskamer in.

De ruime woning die ze samen met Rich huurde lag op de

tweede verdieping van een Victoriaans pand en had op het zuiden twee grote ramen, van de vloer tot het plafond. De gordijnen waren half dicht en het gefilterde zonlicht scheen op een brede baan dwarrelend stof die van het afgebladderde plafond tot het kale Habitat-tapijt reikte. Een sjofele bank die was bedekt met een grand foulard van Indiase katoen stond samen met twee doorgezakte leunstoelen rond een oude hutkoffer vol korsten ingedroogde lak. Langs een van de wanden hingen boekenplanken, en daaronder stond een tafel vol krassen waarop een hoop vergelende kranten en een paar zwarte bananen lagen. Tussen de ramen stond een enorme tv keihard aan op *Big Breakfast* van Channel Four.

In de hoek stond Rich tegelijkertijd zijn overhemd te strijken en een geroosterde boterham te eten.

'Ik ben te laat,' kreunde Charlie, terwijl ze over het versleten tapijt naar de badkamer holde.

'Ook goeiemorgen,' zei Rich. Hij zette de sissende strijkbout op het metalen plaatje en liep naar de keuken, waar hij Kevin, hun kat, onder de kin begon te kriebelen.

'Zullen we een kopje thee voor haar zetten?' vroeg hij aan Kev, die over de keukentafel liep te paraderen. Rich tilde Charlies lievelingsmok van het haakje boven het aanrecht en liet er een theezakje in glijden.

In de badkamer keek Charlie in de spiegel boven de wastafel. De mascara van de vorige dag was uitgelopen, waardoor ze eruitzag als een heavy metal-groupie. En ze had het kunnen weten: haar kapsel was een ramp. Aan de ene kant zat het plat tegen haar hoofd, aan de andere kant piekte het statisch rechtop. Ze stapte onder de douche, rillend van het eerst te hete en vervolgens te koude water. Ze schudde verwoed met de shampoofles, maar die was bijna leeg, dus hield ze hem onder het stromende water en kneep erin. De fles begon sputterend water op te zuigen. Met het kippenvel over haar lijf hield ze de fles op zijn kop boven haar hoofd, maar de tuit stond de verkeerde kant op en de shampoo spoot tegen het beschimmelde douchegordijn.

Ze pakte het flinterdunne restje zeep, nam zich voor om in de lunchpauze eens flink in te slaan bij de drogist, schoor haar oksels met het scheermesje van Rich en stapte druipend op de badmat. Met één handdoek om haar hoofd en één om haar lichaam sprintte ze naar haar kamer, waar ze uithaalde naar de snerpende wekker die nog steeds in de sluimerstand stond, in het voorbijgaan morsend met de thee die Rich voor haar had neergezet en een klokhuis van een appel onder het bed schoppend.

Vloekend begon ze met haar verbrande hand te wapperen en trapte op de stekker van de föhn. Met pijnlijke ogen hinkte ze door de kamer om een onderbroek te vinden.

Charlie was belachelijk bijgelovig waar het om ondergoed ging: of het nu om foute aankopen, mislukte relaties of geslaagde examens ging, altijd kreeg de onderbroek die ze op dat moment droeg de schuld. Na wat gerommel in de la vond ze een grijs katoenen exemplaar van Marks & Spencer. Praktisch en comfortabel, maar verbonden met de keer dat ze haar ex-vriend Phil, twee weken nadat het uit was, had gezien en ze al haar waardigheid uit het oog was verloren door hem te smeken terug te komen. Een onderbroek zonder trots, besloot ze. Slecht idee voor als ze Daniel zou tegenkomen. Ze haalde een wit kanten stretchslipje tevoorschijn. Het had vaag iets van doen met de dag dat haar Panda de apk-keuring niet had doorstaan, maar zeker wist ze het niet. Ze moest het er maar op wagen.

Ze luisterde naar het ontbijtprogramma op de radio en bedacht zoals gewoonlijk dat ze nodig een andere zender moest opzoeken omdat ze een pesthekel aan de reclamespotjes had. Toen ze hoorde dat het al kwart over acht was, rukte ze haar kleerkast open en keek wanhopig naar de overbelaste hangers. Als ze het niet dacht – ze had helemaal niets om aan te trekken! Ze zat in een lastig parket, want hoewel ze vandaag geen vergaderingen had, zou ze Daniel toch zien en zou ze er dus sexy maar intelligent uit moeten zien. Ze keek naar haar benen, streek over haar schenen en haalde toen haar favoriete Kookaï-pakje tevoorschijn met het korte A-lijn rokje en het getailleerde jasje. Nee, dat kon ze niet aan – ze had haar benen niet geschoren, dus moest ze een panty aan en ze wist dat ze geen schone meer had. Ze wurmde de hangertjes weer terug op de rails, liet haar andere kleren de revue passeren en smeet paniekerig een paar ongestreken en slecht bij elkaar passende kleren op haar bed.

Uiteindelijk besloot ze wanhopig om toch maar voor haar eerste optie te kiezen. Ze stapte in het rode rokje, draaide het rond en ritste het dicht. Toen trok ze een andere la open, haalde er een strak zwart T-shirt uit en trok het aan. Ze hoefde geen bh te dragen – haar volmaakt ronde borsten waren stevig genoeg, maar

graag zat. Maar ja, waar dan wel?

Rich was na zijn eindexamen naar de universiteit van Bristol gegaan, zonder precies te weten wat hij nu echt wilde gaan doen, maar rechten leek hem wel een veilige gok. Wat hij verder ook met zijn leven aan wilde, een rechtenstudie zou altijd van pas komen, was zijn redenering geweest. En voor hij het wist, was hij afgestudeerd.

Aanvankelijk was hij in de zevende hemel geweest toen hij was aangenomen bij Mathers Egerickx Lovitt, in juridische kringen bekend als een van de vijf topfirma's in bedrijfsrecht. Destijds had hij de complexe rechtszaken die hij moest voeren als een uitdaging gezien en zichzelf ten doel gesteld nog voor zijn dertigste vennoot te worden.

Zijn glanzende carrière was echter niet gegaan zoals hij zich dat had voorgesteld. De laatste twee jaar was hij bezig geweest met het saaie achtergrondonderzoek voor de zaak-PWL, waarvoor hij duizenden dossiers moest doorspitten om bewijsmateriaal te vinden tegen een grote multinational. Het was eentonig precisiewerk en zijn enthousiasme was danig geslonken, evenals zijn kans op promotie. Hij was een hark in machtsspelletjes en gekonkel en vond het walgelijk dat de vennoten de voorkeur gaven aan collega's die het hielen likken beter beheersten dan hij.

Hij raakte met de dag verder verstrikt in de netten van zijn werk en de bijbehorende conflicten. Hij had er een grondige hekel aan, maar wist ook dat het beneden zijn waardigheid was ermee te kappen. Steeds vaker begon hij zich af te vragen waar hij het allemaal voor deed. Ook al wonnen ze deze zaak, wie zou daar dan bij gebaat zijn? Misschien zou er een lovend stukje in de krant komen, en waarschijnlijk zou het een paar dagen onrustig zijn op de beurs, maar het zou niemand echt raken. En waar was zijn gevoel voor rechtvaardigheid nu hij kapitalen verdiende, louter door het napluizen van stapels paperassen?

Het werd steeds benauwder in de metro en hij voelde het zweet in zijn nek prikken. De forenzen begonnen nerveus te schuifelen en Rich keek op de nep-Rolex die Kate had meegebracht uit Thailand. Kon hij maar op een knopje drukken, zoals Captain Kirk, waardoor hij in één klap naar een paradijselijk eiland met een bloedmooie vrouw werd gestraald. Kate had gelijk, hij kon best een vakantie en een wip gebruiken, maar de enige vrouwen die op hem vielen waren van het type oudere, gescheiden nymfomane. Tijdens de kerstborrel op kantoor flirtten alleen de echtgenotes van de vennoten met hem. Hij begon te geloven dat er iets mis was met hem.

Misschien moest hij ander werk gaan zoeken. Maar wat? In zijn geheime fantasieën zag hij zichzelf als een popster en zweepte hij massa's mensen op met zijn heupbewegingen en ongeëvenaarde gitaarloopjes. Maar ja, dat was leuk voor de badkamerspiegel, waarvoor hij wel eens deed alsof. Op een echte gitaar kwam hij niet verder dan de eerste tonen van *The Pink Panther*.

Zo'n zeiljacht dat een wedstrijd rond de wereld aanging met andere zeilschepen, dat leek hem wel wat. Maar hij had niet genoeg ervaring om als bemanningslid te worden aangenomen en hij was te oud om onder aan de ladder te beginnen, als dekknecht. Misschien kon hij een restaurant beginnen? Nee, daar had hij niet genoeg geld voor, en bovendien gingen de meeste restaurants in Londen al binnen een jaar op de fles. Hij zou elke avond moeten werken, en hij hoefde alleen maar naar Dillon te kijken om te weten dat hij niet was opgewassen tegen de stress die zoiets met zich meebracht.

De metro schokte nog een keer en reed toen verder door de donkere tunnel naar Blackfriars. Rich schudde de krant verder open en las dat er een hittegolf werd voorspeld. Misschien was dit wel zijn levensbestemming, zijn lot – voorgoed vastgeroest zitten in Londen. Hij moest maar niet meer klagen en proberen zich erbij neer te leggen.

Hij dacht aan Charlie en haar eeuwige optimisme, en hij wou dat hij haar kon steunen in haar carrière in de verkooppromotie, maar hij werd kwaad bij de gedachte dat ook zij de verkeerde weg had gekozen. Ze had haar creativiteit en haar natuurlijke tekentalent volledig aan de kant geschoven. Al sinds ze oud genoeg was geweest om een handvol kleurpotloden vast te houden, had ze haar talent bewezen, en nu was ze zelfs nog met geen stok een galerie in te krijgen. Volgens Rich was ze haar zelfvertrouwen kwijtgeraakt in de zomer van haar eindexamen.

Hij werkte dat jaar achter de bar in Browns en hij en Charlie hadden de hele zomer in het huis van haar ouders in Brighton gezeten. Ze hadden de tijd van hun leven. Dat wil zeggen, tot die brief kwam.

'Ik ben afgewezen, ze willen me niet!' Charlie had hem de brief toegesmeten, haar hand trillend van verontwaardiging. Het was haar grote droom geweest de kunstopleiding van St. Martin's te gaan volgen. Ze had zich bij het tekenen op de middelbare school het vuur uit de sloffen gelopen en haar portfolio met militaire precisie voorbereid. Nu zag ze de glanzende kastelen van haar toekomst met een sneltreinvaart vervliegen tot een luchtspiegeling.

Rich gleed uit de ligstoel vandaan. 'Ze zijn gek! Dit kan niet waar zijn!'

Charlie griste de brief uit zijn handen, begon op de sierbestrating heen en weer te lopen en wreef vertwijfeld over haar hoofd. 'Dit moet een vergissing zijn. Dit kunnen ze niet menen,' zei ze terwijl ze de telefoon oppakte van de tuintafel.

'Wat ga je doen?'

'Ik ga ze bellen. Ik wil weten waarom.'

De administratie van de school liet haar een hele poos wachten voor ze haar met de hoofddocent doorverbonden. Op dat moment liet haar bravoure haar in de steek. Ze haalde diep adem toen de docent haar liet wachten om haar gegevens op te zoeken.

'Het spijt me. Je weet dat er altijd veel gegadigden zijn voor deze opleiding en vooral dit jaar heeft zich een aantal zeer goede mensen ingeschreven...'

Ze luisterde als verdoofd. Rich hoorde de docent nog steeds praten terwijl Charlie langzaam de telefoon weer neerlegde en de verbinding verbrak.

'Wat zei hij?' vroeg Rich.

'Ik ben niet goed genoeg.'

Charlie stond in de lift, op weg naar de zevende verdieping van het stijlvolle Bistram Huff-kantoor aan de Theems. Ze trok haar slipje tussen haar billen uit, rommelde voor de getinte spiegel wat met haar haar en perste haar lippen op elkaar om de lippenstift, die ze normaal nooit op had, egaal te krijgen. Ze was zenuwachtig – wat zouden haar collega's vinden van haar plotselinge gedaanteverwisseling? Net als bij reclamebureaus werd er bij bedrijven die aan verkooppromotie deden, heel wat afgeroddeld en ze wist dat er de hele dag over haar gepraat zou worden. Ze keek op haar horloge en trok een gezicht. Het was nog maar vijf voor negen, maar toch voelde ze zich niet erg op haar gemak toen ze nogmaals op het liftknopje drukte. In de spiegel ving ze een glimp op van haar bezorgde gezicht.

Charlie vond het vreselijk als mensen, vooral Philippa, in hun verwachtingen over haar werden teleurgesteld, maar hoe hard ze ook werkte en hoe lang ze 's avonds ook doorging, altijd hield ze het gevoel dat het niet genoeg was. Zelf liep ze de hele dag iedereen te prijzen en complimentjes uit te delen, maar ze kreeg nooit iets terug. Ze voelde zich de laatste tijd een soort sloof die door iedereen over het hoofd werd gezien.

Het was ooit anders geweest. Toen Simon Huff drie jaar geleden bij de mediagigant BKF vertrok, had hij hun beste account team meegenomen om een concurrerend bedrijf op te zetten. De marketingbladen hadden maandenlang volgestaan over de coup. Met de financiële steun van Philippa Bistram, die hoofd marketing was geweest bij een van hun voornaamste klanten, had Si in anderhalf jaar tijd Bistram Huff opgericht, dat was uitgegroeid tot een van de vijf grootste op de kleinschalige markt opererende bureaus van Londen.

Toen Si zijn plannen nog aan het uitbroeden was, had Charlie bij BKF als uitzendkracht gewerkt om het financiële gat te dichten dat na haar studie was ontstaan. Ze had zich gewarmd aan zijn ruwe Australische charme en hem geholpen zijn plannen te verwezenlijken, maar had nooit gedacht dat hij haar in zijn nieuwe bedrijf een baan als assistent account manager zou aanbieden. Ze was helemaal opgebloeid bij Bistram Huff en bleek een gretig leerlinge van Si, zodat hij al snel was gaan vertrouwen op haar oordeel en haar vermogen om een klus te klaren. Toen ze zich had waargemaakt, had hij haar bevorderd tot account manager en ze genoot van de verantwoordelijkheid, waardoor ze Pete en Toff, de nieuwe wervingsassistenten, zag opbloeien in hun baan.

Maar het afgelopen anderhalf jaar was dat allemaal veranderd. Si had besloten de zaak flink uit te breiden met de bedoeling van Bistram Huff een bedrijf te maken dat zich op de middenmoot van de markt richtte. Hij had grotere klanten binnengehaald en wilde zich richten op direct marketing en reclamecampagnes, naast de grote promotiecampagnes waarmee het bureau al een goede reputatie had opgebouwd. Omdat hij daar hulp bij nodig had, had hij Philippa Bistram overgehaald haar eigen geld tot de laatste cent in Bistram Huff te steken en een actieve rol in het bedrijf te gaan spelen.

Philippa had al de eerste dag dat ze kwam de functie van client services director opgeëist, zodat ze uiteindelijk het hele klantenbestand onder haar beheer kreeg. Si had er weinig tegen in kunnen brengen en Bistram Huff was vanaf dat moment compleet veranderd.

Charlie was heel vriendelijk geweest en wilde het haar nieuwe bazin graag naar de zin maken, maar Si liet zich steeds minder zien op kantoor en het werd al snel duidelijk dat Philippa niet alleen alle touwtjes in handen wilde houden, maar bovendien geen enkele waarde hechtte aan de mening van anderen. Het duurde dan ook niet lang voor de twee beste account directors opstapten en teruggingen naar BKF. Plichtsgetrouw als ze was werkte Charlie twee keer zo hard om aan Philippa's hoge eisen te voldoen, maar toen Philippa haar eigen accounts inbracht en eigen personeel aannam, liet ze Charlie maar wat aanrommelen.

Charlie had het gered – op het nippertje – maar nu bevond ze zich in een soort *Catch 22*-situatie. Ze kreeg steeds de beroerdste klanten toegewezen en haar team had nog steeds geen account director. Zo was er een man van Coca Cola die haar rustig vrijdagmiddag om vijf uur belde met de eis dat ze voor maandagmorgen een promotieplan voor een van zijn merken klaar zou hebben, maar haar vervolgens, nadat ze het hele weekeinde had doorgewerkt, terugbelde om te zeggen dat hij zich had bedacht. Er was de vrouw van de ontbijtproducten die voortdurend spaaracties op de achterkant van de verpakkingen wilde, maar het materiaal pas op het laatste moment goedkeurde. En die twee waren nog maar het topje van de ijsberg.

Charlie moest toegeven dat ze het hectische aspect van het werk op zich leuk vond. Het was altijd hollen of stilstaan en ze genoot van de druk die deadlines met zich meebrachten waardoor ze overspoeld werd door telefoontjes, stapels brieven moest schrijven, documenten moest samenstellen en faxen moest versturen. Alles stapelde zich op in haar 'nog te behandelen'-bakje en ze rende als een kip zonder kop rond terwijl ze in discussie ging met drukkers die hun plannen moesten wijzigen, klanten met zachte dwang tot beslissingen probeerde over te halen en onderhandelde met leveranciers die extra kosten wilden berekenen voor op korte termijn te verrichten wonderen. En daarna was het allemaal achter de rug en kon ze rustig met haar vrienden zitten praten en uit lunchen gaan, tot er weer een nieuwe klant werd binnengehaald en alles weer van voren af aan begon.

En toch was ze vastbesloten promotie te maken. Als ze eenmaal account director was, zou ze bevoegd zijn het team beter en efficiënter te laten functioneren en hoefde ze zich niet langer door Philippa op de kop te laten zitten.

De lift ging open met een 'ping' en Charlie stapte op het hoogpolige tapijt. Ze glimlachte tegen een klant die op de leren bank mobiel zat te telefoneren. Een in vuil leer gehulde brommerkoerier met een enorme helm op stopte een pakket in zijn zwarte tas terwijl zijn mobilofoon onverstaanbaar kraakte. Achter de vloeiende boog van de hoge receptiebalie zat Sadie, de blonde receptioniste, uit te kijken over de Theems terwijl ze haar lange nagels zat te vijlen. 'Goedemorgen, met Bistram Huff. Hebt u een ogenblikje? Goedemorgen, Bistram Huff,' riep ze zangerig in de microfoon van de telefooncentrale. Haar roodomrande pruillip bewoog nauwelijks in haar jonge, vlekkeloze gezicht.

Charlie haalde haar faxberichten uit het postbakje op de balie en glimlachte naar Sadie, die naar haar kapsel wees en goedkeurend haar duim opstak. Toen ze de dubbele deuren naar de chaotische kantoortuin opende, kwam haar een golf tegemoet van rinkelende telefoons, zoemende printers, plus de jubelkreet van Pete Martin die de laatste goal van Manchester United nog eens dunnetjes overdeed.

'Yo,' zei Charlie terwijl ze Petes opgestoken hand een klap gaf. Zijn dunnende haardos waaide even op door de luchtstroom. Hij droeg een jack met een rits, een T-shirt van Chemical Brothers, een spijkerbroek en blauwe basketbalschoenen. Charlie mocht Pete graag omdat ze wist dat zijn stoere, seksistische gedrag slechts een jongensachtig laagje was: in werkelijkheid was hij een watje dat onder de plak zat bij zijn zwangere vriendin Sharon.

'Kijk nou toch eens!' Hij floot goedkeurend toen ze langs hem liep. 'Kijk uit jongens, daar komt een lekker wijf!' schreeuwde hij terwijl de anderen opkeken. Charlie begon te blozen.

Ze liep door naar haar bureau en zag dat Tina met hangende schouders in haar stoel zat, naast de gigantische kartonnen Mr. Spock. Tina zat altijd wel ergens over in de put, maar vandaag leek ze wel erg somber.

'Wat is er?' vroeg Charlie terwijl ze meelevend haar hand op haar omvangrijke been legde.

Pete kwam bij haar staan. 'PMS. Het Bloedstollende Verhaal van een Monstermenstruatie. Vanaf vrijdag te zien op West End,' zei hij met de dreigende stem van een aankondiger in de bioscoop.

'Rot op!' snauwde Tina. Haar rauwe Schotse accent klonk nog barser dan gewoonlijk.

'Je weet toch wel wat PMS is, hè?' vroeg Pete. Hij knikte zelfvoldaan. 'Pesthumeur Met Stip.'

'Laat hem maar kletsen,' zei Charlie lachend, terwijl ze haar tas op het overvolle bureau smeet en een la opentrok om Nerofen voor Tina te zoeken. Ze moest nodig eens opruiming houden, besloot ze, terwijl ze begon te rommelen door de verdwaalde visitekaartjes, koelkastmagneten, zakjes verkreukelde Cup-a-Soup en pakjes Slim-Fast met verlopen datum, afgekloven pennen, slijpsel uit de kapotte puntenslijper, de maffe calculator met het elektronische muziekje, het halflege flesje parfum, uitgezette tampons, lege fineliners en gebroken nagelvijlen.

Ze haalde triomfantelijk de pijnstillers helemaal achter uit de la en gaf ze aan Tina. Die wist warempel een flauw glimlachje op haar vlekkerig bleke gezicht te toveren terwijl ze twee pillen uit de strip drukte. 'Wat zit je haar leuk,' zei ze toen tegen Charlie.

'Ik weet nog niet zo goed hoe ik het in model moet krijgen.'

'Nou, ik wou dat mijn haar zo gewillig was,' zei Tina terwijl ze een slappe lok van haar peper-en-zoutkleurige haar optilde.

Charlie glimlachte verontschuldigend en liep weer naar haar bureau. Kon ze maar iets doen om Tina wat op te beuren, dacht ze. Ze keek in de richting van Toff, die in de grijze dossierkast stond te rommelen. Het viel haar op dat de streepjesbroek die hij altijd en eeuwig droeg, tekenen van slijtage begon te vertonen.

'Heb je de dia's van die baseballpetjes gezien waar we laatst een serie van hebben geschoten?' vroeg hij.

Charlie trok het plastic mapje met de gezochte dia's tevoorschijn uit een stapel op haar bureau. 'Organisatie is het toverwoord, Toff,' zei ze terwijl ze hem het kleinood als een frisbee toewierp.

'Nog geen piswedstrijd in een brouwerij kan die organiseren.' Dat was Pete, die tussenbeide kwam en het mapje opving terwijl Toff met open mond naar Charlie stond te kijken.

Achter het glas van haar kantoor in de hoek stond Philippa Bistram keurig opgepoetst klaar voor haar vertrek naar de Britse Maagdeneilanden. Ze droeg een elegant crèmekleurig pakje en dure, laklederen naaldhakschoenen met slangenprint die de aandacht vestigden op de stevige kuiten die ze te danken had aan haar

31

dagelijkse trainingen in hetzelfde fitnesscentrum waar ook prinses Diana altijd kwam. Philippa stond gebogen over een stapel papieren op haar zwartgelakte bureau, haar spitse gezicht zoals gewoonlijk in een frons, en zelfs van de andere kant van het glas zag Charlie de diepe rimpel in de rijkelijk aangebrachte laag make-up op haar voorhoofd.

Alsof ze Charlies blik op zich gevestigd voelde keek Philippa op, waarbij haar messcherpe bobkapsel volmaakt meezwierde. Charlie zwaaide haar vriendelijk toe, maar een halfuur voor vertrek had Philippa kennelijk geen zin in beleefdheden. Ze keek op de binnenkant van haar pols, waar zich haar in diamanten gezette Tag Heuer-horloge bevond, en gebaarde Charlie toen naar haar kantoor te komen.

'Hai! Heb je zin in je vakantie?' vroeg Charlie ademloos toen ze zachtjes de deur achter zich sloot.

Philippa nam Charlie van top tot teen op en trok geringschattend haar wenkbrauwen op bij het zien van haar nieuwe kapsel. 'Nee. Ik ben hier al vanaf halfzeven om te zorgen dat de boel niet in het honderd loopt als ik weg ben,' zei ze.

Charlie kromp in elkaar onder dit hooghartige antwoord en met het overbekende schuldgevoel dat zich vanuit haar maagstreek begon te verspreiden, gaf ze zichzelf in stilte een uitbrander omdat ze zich had verslapen. Ze ging op het puntje van de zwartleren stoel zitten. Philippa torende aan de andere kant van haar bureau hoog boven haar uit. Ze nam een stapel papieren door alvorens haar Waterman-vulpen op te pakken. In de stilte keek de diamanten ring aan haar rechterhand Charlie als een boos oog aan.

Philippa krabbelde iets op het bovenste vel papier. 'Hier, maak dit in orde,' blafte ze en ze schoof haar het papier toe zonder haar aan te kijken. Philippa's botte gedrag deed Charlie het bloed naar het hoofd stijgen. Tien minuten later lag er een gigantische stapel paperassen op het bureau en duizelde het haar van alle instructies die ze moest onthouden.

'Oké, dat was het wel zo'n beetje,' zei Philippa terwijl ze de dop op de vulpen klikte en Charlie eindelijk met haar koude blauwe ogen aankeek. 'Weet je absoluut zeker dat je die presentatie voor Up Beat aankunt?' Ze tuitte waarschuwend haar dunne mond.

'Ja hoor,' zei Charlie, geërgerd omdat Philippa haar niet vertrouwde.

'Je weet dat het voornamelijk een kwestie van routine is, maar ik wil niet dat er iets misgaat.'

Charlie raapte de papieren bij elkaar en tikte ze op het bureau tot een nette stapel in een poging professioneel over te komen. 'Er gaat niets mis, althans niet zolang ik er iets over te zeggen heb.'

Ze kon haar baan wel vergeten als er iets fout zou gaan met de campagne voor Up Beat, Philippa's 'kindje'. Het was de grootste audio/videoverkoopketen van Engeland, en tevens grootste klant en voornaamste inkomstenbron van Bistram Huff.

'Als je maar zorgt dat Daniel geen missers maakt. Ik wil variaties op het thema waar we vorig jaar mee hebben gewerkt. Strak, simpel, veel beeldmateriaal,' vervolgde Philippa. Ze haalde een gemanicuurde hand door haar steile haar.

En een grote winstmarge, dacht Charlie. Philippa rekende Up Beat altijd kapitalen voor die goedkope campagnes. Ze wist Nigel Hawkes, de marketing director, met haar intimiderende gedrag altijd weer zo ver te krijgen dat hij de facturen tekende. Charlie wist dat Bistram Huff voor de campagnes van zo'n goede klant eigenlijk veel meer durf en fantasie in de strijd zou moeten werpen, maar Philippa wist Si er elke keer opnieuw van te overtuigen dat het voor een groeiend bedrijf als Bistram noodzakelijk was een basis te hebben.

'Maak je geen zorgen, het komt allemaal prima in orde. Geniet maar van je vakantie. Je hebt het verdiend,' zei Charlie geruststellend. Ondertussen kon ze zichzelf wel slaan. Waarom ging ze zo lankmoedig om met het diva-gedrag van haar bazin?

Philippa verwaardigde zich tot een uiterst flauw glimlachje en sloeg vervolgens aan het telefoneren.

Charlie ging terug naar haar bureau, logde in op haar computer en was juist bezig de ladder aan de binnenkant van haar dijbeen met Tipp-Ex te stoppen toen ze Bandit het kantoor binnen zag komen, die minireepjes begon uit te delen. Ze waren afkomstig van het direct marketing-team, dat ze als lokkertje in een campagne gebruikte.

David Delancey dankte zijn bijnaam, de Bandiet, aan veel dingen, maar vooral aan zijn talent om klanten weg te kapen bij concurrerende bedrijven. Terwijl Charlie hem zag paraderen in zijn ruitjespak met de psychedelische zijden stropdas, bedacht ze hoe jongensachtig knap hij eigenlijk was, ondanks zijn geringe lengte.

Philippa had hem een jaar geleden aangenomen als account manager, en in het begin was Charlie op haar hoede geweest. Hij was een geboren sjacheraar met een babbel waarmee hij waarschijnlijk zelfs aan eskimo's nog ijs kon verkopen. Maar ondanks zijn grote mond, die hij overigens meestal gebruikte om zijn luiheid te verdoezelen, mocht Charlie hem graag.

Bandit bleef abrupt en theatraal staan toen hij haar zag, waarop Charlie haar hoofd in haar nek wierp en een gezicht naar hem trok.

'Jongens!' riep hij, terwijl hij Toff en Peter een reepje toewierp. 'We hebben een godin in ons midden!'

Charlie lachte.

'Nee, echt. Het staat je prachtig. Je ziet er heel chic uit, op een, op een...' Hij zocht even naar de juiste woorden. 'Op een *zaadvragende* manier.' Hij ging op de rand van haar bureau zitten en scheurde met scheve tanden het papier van een reepje terwijl hij haar met zijn bruine ogen plagend aankeek.

'Hou dat gevlei maar voor je.' Charlie genoot van zijn aandacht.

'Wat zei Hare Majesteit?' Hij maakte een hoofdknikje in Philippa's richting.

Charlie haalde haar schouders op. 'Ach, je kent dat wel. Ze zei dat ik er chic uitzag, op een zaadvragende manier.'

Bandit lachte. 'Denk je echt dat ze haar op die Britse *Maagden*-eilanden zullen toelaten?' vroeg hij toen op namaak-fluistertoon, doelend op de reputatie die hij Philippa op dat gebied toedichtte maar die voornamelijk aan zijn eigen brein ontsproten was.

'En wat dan nog?' zei Charlie. 'Die weet zichzelf overal binnen te koeioneren, neem dat maar van mij aan.' Ze stond op en liep om haar bureau heen. 'Koffie?' vroeg ze aan Bandit.

'Pop, ik dacht dat je het nooit zou vragen,' antwoordde hij terwijl hij de knoop van zijn das wat losser maakte en het bovenste knoopje van zijn overhemd opendeed.

Terwijl Charlie naar de keuken liep, stak Bandit zijn hoofd bij Philippa om de deur. 'Heb je even?'

Philippa trok een gezicht toen hij de deur achter zich dichttrok. 'Ja, maar maak het kort.'

Bandit plofte in de stoel en zei: 'Staat je te gek, dat pakje.'

'David, wat kom je doen?' vroeg Philippa terwijl ze ongeduldig haar hand op haar heup zette.

Hij spreidde zijn handen uit op het bureau. 'Ik vroeg me af of je over mijn promotie wilt nadenken als je weg bent, meer niet.'

Philippa streek over haar door Estée Lauder opgekalefaterde wang en lachte kort. 'Het spijt me, David, maar ik heb in mijn vakantie wel iets beters te doen dan me zorgen maken over jouw carrière.' Ze klikte haar buffelederen aktetas open.

Bandit ging rechtop in de stoel zitten. 'Maar je weet toch dat het de hoogste tijd is dat ik account director word?'

Ze negeerde hem en hij keek haar even zwijgend aan. 'Moet je horen: ik zal zorgen dat we nieuwe klanten krijgen in de tijd dat je weg bent.' Hij krabde op zijn kortgeknipte achterhoofd.

'Nee maar!' Philippa klonk sarcastisch.

Bandit sprong overeind en ging tegen de rand van haar bureau aan staan. 'Wacht nou even. Je weet niet eens wat ik in mijn hoofd heb.'

'Nou, wat had je in je hoofd?'

'Ik denk dat ik wel iets bij de *Reporter* kan regelen,' zei hij uitdagend.

Philippa perste haar dunne lippen op elkaar en keek in de ruimte boven zijn hoofd. 'Niet gek. Het wordt zo langzamerhand tijd dat we een paar grote kranten als klant krijgen.'

Bandit keek haar stralend aan. 'Dus als ik een krant binnenhaal, zorg jij dat ik promotie maak als je terugkomt?' Als een geboren zakenman vatte hij de conclusie van de deal kort samen.

'We zullen wel zien.' Philippa klikte haar tas weer dicht.

Bandit balde triomfantelijk zijn vuist in de lucht. Haar antwoord hield zo goed als zeker 'ja' in.

Philippa pakte haar Louis Vuitton-handtas op en drapeerde die zorgvuldig over haar schoudervulling. Ze keek Bandit in zijn verrukte gezicht terwijl ze langs hem heen naar de deur liep. 'Pas goed op de tent terwijl ik weg ben,' zei ze half glimlachend.

'Reken maar!' Bandit tikte tegen de zijkant van zijn neus en moest zich inhouden om niet te gaan juichen terwijl zij zich de deur uit haastte.

In de keuken stond het koffiezetapparaat te sputteren in de hoek terwijl Charlie, nog niet helemaal helder, gedachteloos naar het prikbord keek. Het hing vol omgekrulde foto's van de kerstborrel met opgeplakte tekstballonnetjes, het schema van de softbalwedstrijden van die zomer en veel te vaak gekopieerde moppen.

Ze schonk net koffie in Bandits lievelingsmok met de tekst 'Een nieuwe dag, hetzelfde gezeik', toen Lisa van het promotieteam in de deur verscheen en haar met nauwverholen bewondering opnam.

'Staat je geweldig,' zei Lisa terwijl ze Charlie door haar metalen brilletje bekeek. Lisa had rode krulletjes die als kurkentrekkers alle kanten uit stonden. 'Heb je een nieuw vriendje of zo?'

Charlie glimlachte. 'Nog niet.' Ze stak uitnodigend de koffiepot uit en Lisa hield Charlie haar beker voor. 'Over vriendjes gesproken, hoe gaat het tussen jou en Gavin? Hebben jullie nog steeds iets met elkaar?' Lisa wond zich voortdurend op over de gladde Gavin van de boekhouding, die maar niet bij zijn vrouw wegging.

Lisa's kleine gezicht vertrok. 'Mannen! Hufters zijn het.'

'Niks veranderd dus,' lachte Charlie.

Lisa ging in de kast op zoek naar de koektrommel, waar een groot stuk papier op was geplakt met: 'Afblijven, koekjes alleen voor klanten', en haalde er een geglazuurd koekje uit.

'Zoek toch eens een ander vriendje,' zei Charlie terwijl ze toekeek hoe Lisa de trommel zorgvuldig terugzette.

Lisa brak een stuk van het koekje af en begon het glazuur er met haar tanden af te schrapen. 'Zal ik je eens wat vertellen? Die Daniel lijkt me wel wat. Heb je hem vandaag al gezien?'

Charlie begon te blozen en deed nog wat suiker in haar koffie. 'Ik heb vanmiddag een brainstormsessie met hem.'

Lisa glimlachte. 'Gemene trut. Hij heeft me toch een lekker spijkerbroekie aan. Jezus, wat een kontje.'

'Lisa!'

'En dan die ogen van hem. Slaapkamerogen. En dat haar. Alsof hij net uit bed is gestapt. Maar ja, hij zal toch wel nooit vallen voor iemand van hier. Hij gaat vast uit met modellen en actrices.'

Charlie trok haar neus in rimpels. 'Ja, dat zal best,' zei ze. Ze stak haar vingers door de oren van de twee bekers en liep naar de deur. 'Doei.'

'Ik ga toast halen,' zei Pete terwijl Charlie in haar stoel neerzeeg en haar vingers tegen haar gloeiende wangen drukte. Hij zat met zijn potlood in de aanslag boven zijn gele memoblokje. 'Wil jij hetzelfde als altijd?'

Haar maag, geactiveerd door de gedachte aan toast met Marmite, begon te knorren. Misschien moest ze toch maar liever morgen aan haar dieet beginnen, als haar kater over was.

De creatieve afdeling van Bistram Huff was gevestigd op de eerste verdieping en Charlie hoorde, terwijl ze zenuwachtig op de deur klopte, het gedreun van een house-zender uit de gigantische stereotoren komen. Poppy Raid, de creative assistant, liep waggelend rond op een stel lakschoenen met plateauzolen terwijl ze ondertussen een van haar vlechten om haar wijsvinger bond en luidruchtig op een stuk kauwgom kauwde. Ze droeg veelkleurige kousen tot boven de knie en zag er erg verveeld uit. Bijna iedereen ging ervan uit dat ze lesbisch was, maar Charlie zag dat ze alsmaar naar Daniels achterste staarde, die over zijn bureau gebogen stond.

'Hai,' zei Charlie bij binnenkomst.

Daniel draaide zich om. 'Kom binnen, kom binnen,' zei hij en dirigeerde haar naar de grote ronde tafel in het midden. Achter in de ruimte zat Will Wilmot achter een enorm Apple Macintosh scherm.

'Zet dat ding eens wat zachter, Will,' schreeuwde Daniel. Will liet zich van zijn hoge kruk glijden, drukte een knopje op de stereotoren in en opeens was het stil in de felverlichte ruimte, op het gedempte toeteren na van een sloep die over de Theems gleed.

'Je hebt iets met je haar gedaan,' zei Daniel zachtjes. Hij glimlachte toen ze zijn indringende blik beantwoordde. 'Leuk, hoor.'

Bedankt, God, dacht Charlie. Hij vindt het leuk! Ze had de cancan wel kunnen dansen, midden op het bureau. 'Dank je,' mompelde ze, en ging zitten. Ze snoof Daniels opwindende geur op en probeerde haar bonkende hart tot bedaren te brengen.

Daniel, zich niet bewust van haar innerlijke onrust, keerde terug naar de geopende werkmap op zijn bureau, waar hij het promotiemateriaal voor Up Beat van de afgelopen twee jaar begon door te bladeren.

'Bandit komt zo,' flapte Charlie eruit, terwijl ze haar notitieblok opensloeg en de woorden 'Brainstorm voor Up Beat' dik onderstreepte.

Daniel knikte. 'Wil je koffie?'

'Ik wel,' zei Bandit, die juist de deur openduwde. 'Zwart, zonder suiker.' Hij knipoogde naar Poppy, die richting keuken slofte.

Bandit plofte tegenover Charlie op een stoel en wreef in zijn handen. 'Wat denk je ervan, Daniel?'

Daniel bladerde door de geplastificeerde vellen en bekeek de posters voor in de winkel en de staande borden. 'Dit is niks,' zei hij. 'Die "korting" en "twee voor de prijs van één"-acties zijn zo uit de tijd. Het is verdomme een platenzaak, geen supermarkt.' Hij duwde het werk vol afschuw van zich af.

'Nou, Philippa wil iets dat in dezelfde lijn ligt,' zei Charlie. 'En het liefst gisteren nog.'

'Hoe zit het trouwens met Up Beat, vertel me er eens wat meer over,' zei Daniel. Zijn indringende blik bracht een hele zwerm vlinders in Charlies buik teweeg. Ze sloeg haar ogen neer en deed tot in de puntjes uit de doeken hoe het zat met de klant en hoeveel Philippa rekende voor het promotiemateriaal.

'Jij bent hier de creative director, kunnen we niet met iets fantasievollers komen?' onderbrak Bandit haar.

Daniel beende naar het raam en haalde een hand door zijn haar. Poppy zette met een klap Bandits koffie op tafel. Daniel draaide zich met een jongensachtige grijns om en zei: 'Je hebt gelijk. Ik denk dat we iets anders moeten bedenken. Wat vind jij, Charlie?'

Hij zag er zo knap uit dat Charlies maag een sprongetje maakte, en snel schraapte ze haar keel. 'Als we Philippa's wensen nu eens even opzijzetten en teruggaan naar de oorspronkelijke opdracht,' zei ze terwijl ze een stapel papieren onder haar map vandaan trok. 'We moeten proberen mensen de winkels in te krijgen en iets bedenken waardoor het voor de klanten aantrekkelijk wordt hun cd's bij Up Beat te kopen in plaats van bij de concurrent.'

Poppy liet een bel kauwgom klappen. 'Volgens mij kun je dat niet. Mensen hebben tegenwoordig zoveel keus. Uiteindelijk draait het allemaal om het gemak.'

'Je hebt gelijk. We moeten de naam Up Beat promoten. Zorgen dat erover gepraat wordt,' zei Bandit.

Charlie streek haar haar achter haar oor. 'Dan moeten we misschien met een heel andere benadering komen. Tot nu toe waren onze acties altijd gericht op het belonen van degenen die toch al bij Up Beat kwamen.'

'Ja?'

'Daarmee gaan we voorbij aan een enorm potentieel. Volgens mij moeten we de promotie richten op het contact met mensen buiten de directe omgeving van de winkel.'

'Ja, maar dit is geen advertentieopdracht,' zei Daniel.

'Dat weet ik,' vervolgde Charlie, 'maar het uiteindelijke doel van Up Beat is toch meer cd's verkopen, dus moeten we mensen naar de winkel trekken die normaal gesproken niet bij Up Beat komen.'

'Dat bereik je het beste door een derde partij in te schakelen,' zei Bandit. 'Zoiets als die campagne met die vakantiebonnen.'

Met samengeknepen mond dacht Charlie na. 'Goed idee, maar volgens mij moeten we iets doen dat de consument direct aanspreekt, iets waaraan een onmiddellijke beloning vastzit.'

'Je bedoelt spaarpunten voor gratis cd's bij theezakjes of waspoeder?' Daniel leek niet overtuigd.

'Nee, ik dacht aan iets groters.'

'Ga door.'

Ze zat nu louter te improviseren en keek Daniel en Bandit schouderophalend aan. 'Waarom voegen we er geen wedstrijdelement aan toe?'

Daniel leunde achterover op zijn bureau terwijl er allerlei suggesties over de ronde tafel vlogen. Charlie dwong zichzelf niet naar zijn strakke billen te kijken. Ze maakte tekeningetjes in haar notitieblok terwijl ze haar vingers het liefst langs de slanke dijen van Daniel had laten glijden.

'Volgens mij zat Charlie daarnet op het goede spoor,' zei hij na een poosje. 'We draaien nu in kringetjes rond. Het moet een veel speelsere campagne worden.'

'Iets met kraskaartjes of zo,' mompelde Charlie.

Daniel stak zijn hand op om de anderen het zwijgen op te leggen en keek Charlie aan. 'Wat zei je daar?'

Zijn intense reactie verraste haar en ze bloosde toen ze zag dat iedereen haar aanstaarde. 'Ik zei: waarom geen kraskaartjes? Daar staan mensen al voor open vanwege de krasloterijen. We zouden een landelijke actie kunnen houden: drie dezelfde opengekraste vakjes levert een gratis cd op.'

'Ga door.'

Ze keek verlegen toe hoe hij opstond. 'Het lijkt me een goed idee om het budget aan te besteden,' zei hij. 'Als het lukt.'

Daniel zette één voet op zijn stoel en boog zich voorover naar de tafel. 'Dat beeldmateriaal kunnen we gewoon handhaven, maar daarnaast zouden we een afspraak kunnen maken met een of andere mediagigant. Het zou Up Beat een hoop bekendheid opleveren. Ik denk dat ze het prachtig zouden vinden.'

Charlie voelde zich warm worden van trots.

'Wat vind jij ervan, Will?' vroeg Daniel.

'Het idee staat me wel aan, maar welke tijdschriften zou je dan willen benaderen?'

Charlie dacht even na. 'Volgens mij kunnen we beter op een krant mikken,' zei ze. 'Misschien een landelijke actie in de zaterdag- en zondagedities van een van de sensatiebladen?'

Bandit sprong op uit zijn stoel. 'Ja! Ja!' riep hij uit. 'Tom Johnson van de *Reporter*!'

'Wie?' vroeg Charlie.

'Tom Johnson, een vriend van me. Hij staat daar aan het hoofd van de afdeling Promotie en Reclame. Snap je het niet? Zo'n actie is net iets voor hem.'

Daniel streek langs zijn gladgeschoren gezicht terwijl hij die laatste suggestie overpeinsde. 'De *Reporter* zou te gek zijn. Ik begin er wel iets voor te voelen. Elke lezer krijgt zo'n kraskaart en laten we zeggen één procent wint een cd. Heel simpel. We noemen het *Up Beat's Groove on Down* of zoiets. Ik weiger nog langer om ook maar één actie *Music Mania* te noemen!'

Charlie schudde haar hoofd. 'Het zou een geweldige actie zijn, maar Philippa is er vast niet blij mee. Ze gaat door het lint als ze het hoort!'

Bandit sloeg zelfgenoegzaam zijn armen over elkaar. 'Nee hoor.'

'Dat kun jij makkelijk zeggen, jij krijgt het niet op je boterham.'

'Bangeschijter.'

'Ik ben niet bang, ik denk aan de consequenties.'

'Charlie heeft gelijk,' zei Poppy. 'Ik heb Philippa vaak genoeg woedend zien worden als we de plannen voor Up Beat wijzigden. Dat was ook min of meer de reden dat de vorige creative director eruit vloog.'

'Wie doet de presentatie aan Up Beat?' vroeg Daniel.

'Si, over twee weken.'

'Goed.' Daniel wendde zich tot Poppy. 'Kun jij samen met Will het beeldmateriaal verzorgen zoals Philippa dat graag wil? Dan werk ik het nieuwe concept uit. We hebben weinig tijd, dus laten we maar meteen aan de slag gaan.' Hij haakte zijn duim in de kontzak van zijn spijkerbroek en glimlachte, waardoor er kuiltjes in zijn wangen verschenen.

Charlie stond op, met de stille wens zijn hemd open te scheuren en haar gezicht in zijn donkere borsthaar te begraven.

Het zou haar de grootst mogelijke moeite kosten Si over te halen zijn goedkeuring aan hun plannen te geven, maar ze kon nu niet meer terug. 'Ik praat wel met Si,' zei ze ongemakkelijk.

Daniel gaf haar een knipoogje. 'Ik weet zeker dat je hem over de streep kunt trekken. Je hebt wel wat meer in huis dan alleen een knap smoeltje.'

De banaliteit van die opmerking deed Charlie met haar ogen rollen, maar toen ze de deur uit liep, merkte ze dat het compliment haar deed stralen.

Rich zat in een café in South Kensington en spoelde zijn eenzame zondag weg met een uitgebreid Engels ontbijt en een grote pot thee, mokkend over het feit dat Charlie de afgelopen twee weekeinden had moeten werken. Bovendien was ze volledig opgeslorpt door de voorbereiding van die campagne voor Up Beat, en als hij haar al zag in de huiskamer, liep ze uitentreuren te zwijmelen over alle kwaliteiten van dat stúk van een creative director. Rich had zijn twijfels. Als je het hem vroeg was Daniel gewoon een arrogante kwal.

Hij duwde zijn lege bord van zich af en leunde achterover in de groene plastic stoel. Zijn ontbijt had hem niet van zijn chagrijnige bui kunnen verlossen. Rich werd nooit, nooit kwaad, maar vandaag was hij behoorlijk geïrriteerd. Drie van zijn voornaamste ergernissen hadden zijn dag al behoorlijk verpest: alle bijlagen van de zondagskrant waren, zodra hij de winkel uit liep, op het natte trottoir gevallen, een van zijn eierdooiers was niet zacht geweest en het stel dat aan het tafeltje naast hem zat, brabbelde in een soort babytaaltje met elkaar. Hij vouwde de reisbijlage open, maar al die flitsende bestemmingen maakten hem alleen maar nog somberder. Er moest nodig iets gebeuren om de sleur te doorbreken. Iets spannends.

Hij zette zijn ellebogen op de tafel, begon mee te neuriën met de Crowded House-cd die werd gedraaid en staarde met zijn kin op zijn vuist naar buiten. Het regende nog steeds, maar hopelijk zou die plensbui de smerige straten schoonspoelen en een einde maken aan het drukkende, benauwde weer van de afgelopen dagen.

Aan het tafeltje naast hem was het meisje weer op haar babytoontje aan het zeuren en hij bedacht juist dat hij blij was geen relatie te hebben toen er een meisje gehaast in de deuropening verscheen. Ze schudde zich uit en veegde het plastic tasje af dat ze als paraplu had gebruikt. Ze keek het drukke café rond en liep op het tafeltje van Rich af, waar nog drie lege stoelen stonden.

'Mag ik hier komen zitten?' vroeg ze terwijl ze haar leren jack uittrok.

Als Rich zichzelf in gedachten met een vrouw zag, was dat ofwel iemand die op Charlie leek, of het was een degelijk plattelandsmeisje dat waarschijnlijk Fiona heette, goed kon koken en een heleboel Alice-in-Wonderland haarbanden had. Maar nu keek hij gefascineerd naar dit jongensachtige meisje met de groene ogen dat op de stoel tegenover hem ging zitten en krabbels maakte in een zwart schetsboek. Hij observeerde haar van achter de *Observer* en toen ze aan de onderkant van haar pen begon te ⁻⁻ᴸᴸelen, stelde Rich vast dat ze iets sexy's had.

Hij wilde net een praatje met haar maken toen hij opeens een aanval van verlegenheid kreeg. Hij pakte de boekenbijlage en verschool zich erachter. Rich was een hark in het benaderen van vrouwen. Charlie zei altijd dat hij 'Ik ben aardig, aan mij kun je je problemen toevertrouwen' op zijn voorhoofd had staan. Normaal gesproken kon je er donder op zeggen dat mensen die een gesprek hadden in de trant van: 'Wat is het toch heerlijk dat we goede vrienden zijn en geen minnaars' binnen twee uur als bronstige konijnen tekeergingen. Bij Rich lag dat anders: als meisjes tegen hem zeiden: 'Wat is het toch heerlijk dat we goede vrienden zijn en geen minnaars', dan meenden ze dat ook. Hij kreeg altijd alleen maar Valentijnskaarten waar de afzender op vermeld stond.

Hij waagde nog een blik op het meisje. Ze keek zijn kant op en probeerde de krantenkoppen te lezen, die hij ondersteboven hield. Met een rood hoofd draaide Rich zijn krant om. Hij kon zich wel voor zijn kop slaan vanwege zijn onhandigheid. Ze moest lachen.

'Ik kan het niet laten,' zei ze met een zangerig Iers accent.

De serveerster kwam naar hun tafel en haalde het lege bord van Rich weg. 'Wat mag het zijn?' vroeg ze aan het meisje. Dat pakte de geplastificeerde menumap en begon door de pagina's te bladeren. De serveerster wachtte ongeduldig tot ze zou bestellen.

Het meisje maakte een hoofdknikje naar het bord van Rich.
'Wat heb jij gegeten?'
'Het uitgebreide ontbijt.'
'Lekker?'
'Veel.'
'Mooi, ik rammel. Ik wil graag de vegetarische versie,' zei ze.
Rich keek naar haar. Ze was zo tenger dat hij zich afvroeg waar ze het allemaal zou laten.

'Ik heet Maria, maar iedereen noemt me Pix,' zei ze terwijl ze een zin in haar schetsboek met een ferme stip afrondde. Ze lachte naar hem en ontblootte een stel witte, scheefstaande tanden.

'Ik heet Richard, maar mijn vrienden noemen me Rich,' zei hij. 'Niet dat ik dat ben, rijk,' voegde hij eraan toe om de ongemakkelijke stilte te overbruggen die door haar onafgebroken blik werd geschapen. Hij keek naar haar frisse gezicht en egale huid en bedacht dat ze zonder dat knopje in haar neus en met lang haar het type meisje zou zijn dat zou worden uitgekozen om zeep aan te prijzen.

Rich hield haar blik vast en besefte dat ze het gesprek aan het tafeltje naast hen afluisterde, en hij moest lachen toen ze een gezicht vol afgrijzen trok toen 'Scheetje' en 'Poeleke' opstonden om af te rekenen.

'Wat is dat?' vroeg hij om hun gestaar te doorbreken, en hij wees naar de onbegrijpelijke krabbels en tekeningen in haar schetsboek.

'O, niets, ik ben mijn afstudeerscriptie aan het voorbereiden,' zei ze met een blik op het papier.

'Waarover?'

'Fotografie,' zei Pix. 'Eerlijk gezegd is het een ouwe truc. Ik noem het "Schijn en werkelijkheid, zoals onderzocht door de ogen van het fotografische beeld".' Met vingers vol inktvlekken maakte ze twee aanhalingstekens in de lucht terwijl ze de titel uitsprak. 'Het klinkt nogal gewichtig, maar ze doen allemaal van die pretentieuze dingen over post-modernisme of media-exploitatie, dus misschien is dit wel verfrissend.'

'Ja, ga door?'

Pix keek hem aan alsof ze wilde doorgronden of ze hem een geheim kon toevertrouwen, en begon toen aan een betoog over haar scriptie.

Terwijl Rich naar haar zat te luisteren, maakte hij zich zorgen over zijn stoppelbaardje en probeerde zo onopvallend mogelijk te kijken of er geen vochtplekken onder zijn oksels zaten, en beantwoordde ondertussen af en toe haar serieuze blik met een aanmoedigend knikje.

'Hoe vind je het klinken?' vroeg ze toen de serveerster terugkwam met een volgeladen bord.

'Ik ben er niet zo in thuis, maar in grote lijnen begrijp ik het wel. Het gaat om *To be or not to be* en dat soort dingen?' zei hij voorzichtig.

'Precies!' Pix begon te stralen en streek door haar kortgeknipte koppie. 'Vind je niet dat ik te veel uitweid, vind je het niet erg saai?'

'Absoluut niet,' loog Rich.

'Nou ja, het moet maar goed zijn. Ik heb nog zo veel andere dingen te doen.' Ze trok het bord met eten naar zich toe.

Rich nam een slokje van zijn thee. 'Wat dan bijvoorbeeld?'

Pix knikte en probeerde haar eten door te slikken voor ze sprak. 'Ik ontwerp flyers voor clubs.'

'Dat klinkt trendy. Ga je zelf ook veel uit?'

Pix schudde haar hoofd terwijl ze haar vork vollaadde met gebakken brood en, zoals Rich meteen zag, verrukkelijk zachtgekookt ei. 'Soms, maar meestal vind ik het te lawaaierig. Ik ben meer iemand voor Van Morrison en lekker vroeg naar bed.'

Rich lachte. 'Een vrouw naar mijn hart.'

Tegen de tijd dat Pix haar ontbijt had weggewerkt en Rich stijf stond van de cafeïne, was het opgehouden met regenen en vroeg Rich zonder erbij na te denken of ze zin had om een eindje te gaan wandelen. Tot zijn verbazing zei ze 'ja'.

In Hyde Park was het gras nog nat, maar het was helder en warm weer en de lucht was gevuld met de scherpzoete geur van asfalt na een regenbui. Ze slenterden langs Kensington Palace en moesten af en toe opzijspringen voor de skaters die als gekken over de opdrogende paden scheurden.

Pix verschoof haar rugzak enigszins. 'Laten we een spelletje doen. Jij vraagt mij iets, het mag van alles zijn, en daarna ben ik aan de beurt. Jij begint. Vraag maar wat!'

Rich haalde diep adem en keek naar het meer waar de kinderen met zeilbootjes aan het spelen waren. 'Oké. Wat is het ergste dat je ooit hebt gedaan?'

'O, da's een makkie,' zei ze, en Richard kwam niet meer bij van het lachen toen ze vertelde over haar brute scheiding van het katholieke geloof door haar toenmalige vriendje te pijpen in de biechtstoel in de kerk van pastoor Ryan.

Pix draaide zich om en begon achteruit te huppelen, terwijl ze hem ondertussen aankeek. 'Goed, nu ik. Waar woon je?' vroeg ze.

'In Battersea. Het is niet veel soeps, maar ik voel me er thuis. En jij?'

Pix haalde adem en keek om zich heen naar de groene bomen waarvan de bladeren glinsterden in het zonlicht. 'Ook niet veel soeps. Ik zit in een woongroep in Vauxhall.'

'Zo'n groep waarin je met z'n allen om een kom met linzen zit?'

Pix trok een gezicht bij zijn vriendelijke geplaag, maar toen begon ze geleidelijk aan te vertellen over haar leven en vervolgens over haar dromen over een toekomst als fotografe, een toekomst waarin ze op haar buik door oorlogsgebieden kroop om foto's van menselijk leed te maken die de wereld zouden schokken.

Toen Rich naar haar relaties vroeg, reageerde Pix nuchter en zakelijk. Hij verwachtte half en half dat ze zich tot de damesliefde had bekeerd, maar tot zijn verbazing somde ze een hele lijst rampzalige relaties met new age-mannen op.

'Ach, mannen zijn mannen.' Ze haalde haar schouders op. 'Daar kan niets verandering in brengen. Huwelijken, de tijd, geld, vrouwen...'

'We zijn niet allemaal zo erg!'

'Misschien niet. Misschien kom ik op den duur wel iemand tegen die me voor een verrassing stelt.'

Ze waren bij de muziektent aangekomen en Pix ging in een ligstoel in de zon liggen. 'Vertel nog eens wat over jezelf. Ik wil meer weten.' Ze had haar trui uitgetrokken, stopte die achter haar nek en leunde met haar magere lijf achterover.

Rich keek naar de welving van haar kleine borsten onder haar kakikleurige hemdje en stelde vast dat hij, hoewel hij eigenlijk op wat rondere vrouwen viel, haar niet gauw zijn bed uit zou schoppen.

Ze vouwde haar armen boven haar hoofd en genoot van de zon terwijl Rich naar haar behaarde oksels keek. In gedachten nam hij zijn verhalenrepertoire door, maar niets leek ermee door te kunnen. Hij overwoog een serie verhalen te verzinnen waarin hij was verdwaald in Tibet en de geheimen van het universum had geleerd van een wijze oude monnik, maar hij wist dat Pix daar toch niet in zou trappen.

'Nou? Ik wacht.' Ze deed één oog open.

Het was niet voor het eerst dat Rich besefte dat zijn leven maar een saaie bedoening was, dus sloeg hij de middelbare school en zijn weinig opzienbarende burgermansjeugd in Brighton over, maar ook zijn voorraad verhalen over reizen die hij had gemaakt en 'vrouwen die waren opgestapt' was al snel uitgeput. Toen viel hij stil.

'Nou? Waar heb je verstand van?' vroeg Pix met haar hoofd wat schuin.

Hij haalde zijn schouders op. 'Ik zou het niet weten.'

'Kul. Mannen weten altijd van alles. Van die typische mannendingen waar vrouwen geen benul van hebben.'

'Zoals?'

'Jullie weten bijvoorbeeld in de wieg al wat de spelregels van cricket zijn, hoe je een fietsketting om moet leggen, wie er in de eredivisie spelen...'

Rich lachte.

'En jullie weten alles over huishoudelijke apparaten. Alle mannen weten wel zo'n beetje hoe een wasmachine werkt. Voor mij is dat soort dingen net zo griezelig als het knoeien met het ontstekingsmechanisme van een raket.'

'Ja, ik ben inderdaad nogal goed met auto's, maar jullie weten weer meer van vrouwendingen, en die zijn veel interessanter en geheimzinniger.'

'Je bedoelt dat we meer van haken, breien en borduren weten?'

Rich liet zijn hand boven zijn hoofd glijden en maakte een vliegtuiggeluid. 'Jullie komen van een andere planeet.'

Pix glimlachte. 'Je liefdesleven?'

'Hopeloos.'

'Je wilt dus eigenlijk zeggen dat je vrijgezel bent, vlees eet, burgerlijk en conservatief bent,' zei Pix, zijn vier eigenschappen aftellend op haar vingers.

'Dat klinkt afgrijselijk!'

'Het is de harde waarheid. Eén ding is zeker: we hebben niets met elkaar gemeen.' Ze keek naar de lege muziektent. 'Desondanks: jij moet een beetje worden opgepept en ik kan wel wat beschaving gebruiken, dus ik vind dat we maar een poosje met elkaar moeten optrekken.'

'Dat is dan geregeld,' zei Rich met een gevoel of hij onbewust in de Generatie Nix was opgenomen.

'Ik moet er eens vandoor,' zei Pix later, toen ze bijna bij het hek van het park waren. Ze graaide in de zakken van haar legerbroek, op zoek naar een pen, en leegde uiteindelijk al haar zakken op het pad.

Rich raapte een steen op. 'Wat is dit?' vroeg hij.

'Mijn maansteen. Hij werkt echt.'

Rich draaide de steen om in zijn hand. 'Wat zou hij dan moeten doen?'

'Maanstenen zijn fantastisch. Ze trekken mensen en goede dingen aan.' Ze sloot zijn hand eromheen. 'Hou hem maar, en vraag of hij je geluk brengt.'

'Wil je hem echt kwijt?'

'Absoluut. Geluksstenen mogen niet op de grond komen, dus ik zou hem toch moeten schoonmaken. Hou jij hem maar.'

'Bedankt,' zei Rich. Hij klemde de steen in zijn hand alsof het een amulet was. 'Weet je wat?' zei hij toen in een opwelling, 'ik neem je een keer mee uit als je wilt. Wat vind je van een concert?'

'Afgesproken, maar alleen als ik jou ook een keer mee uit mag nemen. Dan laat ik je míjn Londen zien, een Pix O'Reilly Mystery Tour. Ik weet zeker dat je dat leuk zult vinden!' Rich glimlachte onwillekeurig terug.

'Je moet eens wat vaker lachen. Je hebt een mooie mond,' zei ze en Rich voelde zich overspoeld door een golf van warmte. Hij besteedde zo vaak aandacht aan andere mensen dat hij was vergeten hoe heerlijk het was om complimentjes te krijgen.

Pix schreef zijn telefoonnummers op de rug van haar hand voor ze uit elkaar gingen en terwijl zij op haar zwarte boots wegstevende, bleef Rich haar over zijn schouder nakijken. Hij klemde zijn vingers stevig om de maansteen heen en merkte dat hij zich in weken niet zo gelukkig had gevoeld.

De sfeer bij Bistram Huff was altijd luchtiger als Philippa op vakantie was, maar dit keer wenste Charlie bijna dat ze weer terug was. Haar collega's gebruikten de afwezigheid van de dictator om de bloemetjes buiten te zetten en toen Charlie maandagmorgen binnenkwam, trof ze Bandit aan die op een stoel met het telefoonsysteem stond te knoeien.

'Wat doe je?' vroeg ze.

'We hebben besloten het wachtmuziekje te veranderen,' legde

hij uit terwijl hij een andere cd in het apparaat stopte en van de stoel af sprong. 'Oké, klaar,' schreeuwde hij door het hele kantoor heen. Een van de anderen pakte de telefoon van de haak. Binnen een paar seconden zat de hele club bij elkaar, te ginnegappen rond de hoorn.

Charlie ging achter haar bureau zitten en begon te glimlachen toen Bandit naar zijn bewonderaars struinde, de hoorn naar zijn oor bracht en bulderend begon te lachen. Ze pakte haar eigen telefoon op.

'Sadie, kun je me even in de wacht zetten?' vroeg ze, nieuwsgierig naar het geintje van de mannen. De opwindende stem van een controversiële Amerikaanse soulzanger klonk met een luguber soort seksualiteit door de hoorn. Charlie lachte hoofdschuddend naar Bandit, die nu met zijn heupen draaiend om haar bureau heen danste.

Ze sloeg de telefoonlijst van Bistram Huff op, zocht het doorkiesnummer van Daniel, dat ze allang vanbuiten kende, en vlijde de hoorn tegen haar oor. Zou ze hem bellen en hem met een vriendelijk 'Hallo' begroeten, of zou ze een smoes verzinnen voor een tête à tête met hem?

Sadie kwam terug aan de lijn en de muziek stopte, waardoor er een abrupt einde aan Charlies dagdroom kwam.

'Over vijf minuten MMM,' kondigde Sadie aan.

'Bedankt,' mompelde Charlie, terwijl ze zich in gedachten schrap zette en een lijstje maakte van de brainstormsessies die ze voor de diverse teams moest voorbereiden. Ze voelde een golf van paniek en schuldgevoel – eigenlijk had ze zich gisteravond al op de MaandagMorgenMeeting moeten voorbereiden. Godzijdank was Philippa er niet.

In de vergaderkamer was de verbrande neus van Pete het onderwerp van gesprek. Zijn zwangere vriendin Sharon had hem op straat gezet en hij was het hele weekeinde met zijn vrienden op stap geweest. Hij was net flink aan het opscheppen toen Charlie binnenkwam, maar hij had nog tijd over om zijn laatste seksistische mop te ventileren.

'Wat is de overeenkomst tussen een vrouw en een betegelde vloer?' vroeg hij.

'Geen idee,' zei Toff.

'Als je de eerste keer flink aanstampt, laten ze de rest van je leven over zich lopen!'

'Ouwe mop,' knikte Bandit terwijl hij een toffee uit de kom midden op tafel graaide en in zijn mond propte.

Charlie riep de vergadering tot de orde. 'Goed, jongens, dit wordt een hels drukke week. We moeten precies van elkaar weten wat we doen. Toff, jij begint,' zei ze terwijl ze met haar pen in haar koffie roerde.

Marcus Deyton-Smith begon aan zijn gehavende notitieblok te frunniken. Hij werd Toff – 't Heertje – genoemd vanwege zijn kostschoolaccent, maar helaas waren de financiën net niet toereikend geweest om hem paardenjockey te laten worden en zijn intelligentie om het tot sportjournalist te schoppen. Hij was min of meer bij toeval in de verkooppromotie terechtgekomen en had met zijn gestreepte maatpakken en rode bretels een ouderwets snobistische toets aan het bureau toegevoegd. Charlie werd gek van zijn ongelooflijke gebrek aan gezond verstand.

Zoals gewoonlijk verloor Toff al snel de hoofdlijnen uit het oog en verzandde hij in een hakkelend betoog over rampzalige leveranciers en onbenullige probleempjes. Charlie probeerde bij de les te blijven en met hem mee te leven, maar toen zijn relaas na een kwartier nog niet was beëindigd, begon ze in het wilde weg tekeningetjes te maken. Eerst krabbelde ze 'Charlie Goldsmith' en 'Mrs. Daniel Goldsmith', en vervolgens tekende ze een kader waarin ze schreef: 'De heer en mevrouw Bright nodigen u uit voor het huwelijk van hun dochter Charlotte met Daniel...'

'Charlie?' Bandit sloeg met een opgerolde *Campaign* op haar knie. Ze schrok op, beschaamd omdat ze niet had opgelet.

'Jouw beurt,' zei Pete, die haast had omdat hij de voetbalwedstrijden van het weekeinde wilde bespreken. Charlie keek naar de verwachtingsvolle gezichten om haar heen. 'Si heeft vanmorgen die bespreking met Up Beat, dus straks weten we wat ons de komende maanden te doen staat,' lichtte ze haar collega's in.

'Hoe waren de visuals van dat stuk op de creatieve afdeling?' vroeg Bandit.

'Prima.' Charlie streek een haarlok achter haar oor. 'Daniel heeft uitstekend werk verricht.'

'Aha! Zagen we daar niet een lichte opvlamming van de aloude hormonen? Jij bent toch niet ook ten prooi gevallen aan zijn charmes, hè, net als iedereen in dit gebouw?' plaagde Bandit met zijn armen over elkaar.

Laat je niet van de wijs brengen, hield Charlie zichzelf voor, gestoken door zijn woorden.

'Hij is mijn type niet,' zei ze terwijl ze Bandits voeten van tafel veegde.

'Ja, ja.'

Simon Huff was minstens zestig centimeter te klein voor zijn gewicht. Zijn kalende hoofd baadde voortdurend in het zweet, vooral omdat zijn kantoor, beter bekend als 'De Jungle', tot krankzinnige temperaturen werd opgestookt. Het stond vol met varens en ficussen omdat, zoals hij altijd zei, die hem aan zijn geboorteland Australië deden denken.

Achter het dichte gebladerte kwam een maffe koekoeksklok, een van Simons lievelingsspeeltjes, tot leven. 'Drie uur, bozo,' piepte het elektronische vogeltje in de klok toen Si Charlie en Daniel binnenriep in zijn hol om te verkondigen dat de vergadering met Up Beat een eclatant succes was geweest. 'Nigel Hawkes liet zoals gewoonlijk weer een slijmerig spoor na, maar gelukkig was het hoofd van de Europese sectie er ook bij. Die vond het idee van die kraskaarten geweldig. Jij en Daniel zijn een prachtteam,' ratelde hij.

'Alles goed en wel, maar zal Philippa niet woedend worden?' vroeg Charlie in een poging Si met beide voeten op de grond te houden. 'Je weet hoe conservatief ze over Up Beat denkt.'

'Dat hoofd van de Europese sectie is de baas en als de goeroe ja zegt – dan is het ook ja!' Si's buik drilde onder zijn roze overhemd terwijl hij zich grinnikend in de mollige handen wreef. 'We gaan kapitalen verdienen, daar kan Philippa toch niets op tegen hebben. Of wel soms?' Hij grijnsde en knikte tegen Daniel. 'Met jouw visuals en Charlies hersens...,' hij stak zijn handen uit alsof hij de Messias zelf was, '... ligt de wereld aan onze voeten.'

Daniel liet zijn blik brutaal op Charlie vallen. 'Ons succes is uitsluitend te danken aan het feit dat Charlie op haar intuïtie vertrouwt.'

Charlie sloeg haar ogen neer om zijn intieme blik te ontwijken, bang dat ze in het gat tussen hen in zou springen en hem net zolang in vervoering zou brengen tot hij om genade zou smeken.

'En ik heb daar ook het volste vertrouwen in,' zei Si. 'Ik heb hoge verwachtingen van je, jongedame.'

'Helemaal mee eens,' zei Daniel.

Charlie bloosde.

'Ik verheug me er bijzonder op om vaker met je samen te werken,' zei Daniel. Hij keek naar haar borsten.

'O, wees daar maar niet bang voor,' zei Si terwijl hij zich uit zijn stoel omhoog hees. 'Jullie zullen nog vaak met elkaar te maken krijgen.' Hij legde zijn handen op hun schouders en onthulde daarbij één stel donkere zweetkringen onder zijn armen. 'En begin maar meteen. Er is werk aan de winkel.'

'Charlie?' Daniel pakte haar voorzichtig bij de arm terwijl Si zich naar een vergadering spoedde. Ze draaide zich naar hem om en zag dat Daniel zich in zijn nek wreef. 'Ik ben blij dat het goed gegaan is.'

Ze schudde het hoofd. 'Jij hebt al het echte werk gedaan, zonder jou was deze campagne nooit zo goed geworden.' Ze hield snel haar mond toen ze merkte dat ze maar wat doorratelde terwijl Daniel zijn ogen over haar lippen liet glijden, over haar neus en vervolgens over haar wenkbrauwen, alsof hij haar in gedachten kuste.

'Maar we hebben nog steeds geen krant die bereid is de actie te ondersteunen,' stamelde ze.

Daniel keek haar aan, zijn ogen plagerig en uitdagend. 'Dat lukt je wel,' zei hij. 'Ik heb zo'n gevoel dat jij altijd krijgt wat je wilt.'

Hij weet het! Hij beseft dat ik hem leuk vind, dacht Charlie. Ze had het liefst zo hard mogelijk weg willen hollen, maar Daniel liet haar nog niet los en ze voelde zich door zijn blik naar hem toegetrokken. Ze keek hem aan. 'Niet altijd.'

Hij streelde haar even over haar wang. 'Waar een wil is, is een weg.'

Nog geen twee tellen later zat Charlie met Kate aan de telefoon. 'Hij vindt me leuk, ik weet zeker dat hij met me flirtte,' piepte ze nadat ze het gesprek fluisterend en opgewonden had herhaald. 'En dat zou hij toch niet doen als hij niets in me zag?'

Kate lachte. 'Doe niet zo belachelijk en kalmeer een beetje.'

Charlie liet een jammerkreetje horen.

'Het kan best zijn dat hij je leuk vindt, maar weet je zeker dat je het niet opblaast?'

Charlie ademde uit en leunde achterover. 'Je hebt gelijk, het is allemaal projectie. Ik heb *Women Who Love Too Much* ook gelezen.'

Ze hoorde Kate 'tut-tut'-geluidjes maken en zag haar in gedachten haar hoofd schudden. 'Ho, ho. Je hoeft niet meteen te gaan psychologiseren. Als je zeker weet dat er vonken overvliegen, dan vraag je hem toch gewoon of hij vanavond met je uitgaat? Het ijzer smeden als het heet is, weet je wel?'

'Dat kan ik niet,' siste Charlie, voorovergebogen in haar stoel. 'Dan weet iedereen het meteen. En trouwens, vanavond is de softbalwedstrijd van het bedrijf.'

'Dan probeer je hem daar toch te versieren?'

Charlie tikte met haar vingers tegen haar lippen. 'Ik weet niet zeker of hij wel komt. Hij staat een beetje boven dat soort dingen, maar misschien kan ik Bandit zover krijgen de teams samen te stellen, dan moet hij wel komen.'

'Charlie?'

'Hmm?'

'Wind je niet te veel op, hè?'

Charlie lachte terwijl ze onder haar jasje dook om aan haar zweterige oksels te voelen. 'Ik? Me opwinden? Ik ben verdomme net een ijsberg!'

'Zo ken ik je weer.'

Charlie kneep in haar rubberen stressballetje terwijl ze het team op de hoogte bracht van de jongste ontwikkelingen rond Up Beat.

'Ik dacht dat kranten nooit krasloten opnamen,' zei Toff alsof hij een hete aardappel in zijn keel had.

'Nu wel,' zei Bandit. 'Ik geloof dat het tijd wordt dat ik Tom Johnson eens bel.'

Pete, die nog een paperclip toevoegde aan de lange sliert die al over zijn lamp vol voetbalplaatjes hing, was verbaasd. 'Je hebt nooit gezegd dat je die kende!'

'Ik heb gewoon het juiste moment afgewacht,' zei Bandit, terwijl hij door zijn kaartenbakje bladerde.

'Denk je echt dat je het zomaar voor elkaar krijgt?' vroeg Charlie.

Bandit haalde het witte kaartje eruit en keek naar het nummer. 'Je kent me toch?' zei hij.

Charlie zag hem in de telefoon kletsen, zijn voeten op de rand van het bureau. 'Oké, vrijdag om tien uur. Klinkt geweldig. Ja, we gaan lunchen, een tafeltje bij het raam. Op onze kosten.

Uiteraard. Zo'n uitgebreide lunch dat hij vanuit een satelliet nog te zien is. Ja, te gek. Tot dan, hè? De ballen!' Hij liet speels de hoorn op de haak vallen en begon te grijnzen, zijn handen achter zijn hoofd.

Charlie keek het team rond. Iedereen keek geïmponeerd naar Bandit.

'Goed. Wie zullen we eens in het softbalteam zetten?' vroeg Bandit, terwijl hij hardnekkig hun gestaar negeerde. 'Ik stuur de dames wel even een e-mailtje, oké?' Hij ging rechtop zitten en begon op zijn toetsenbord te ratelen. 'Jongens?'

Charlie lachte tegen hem. 'Vergeet de creatievelingen niet, je weet hoe irritant ze kunnen doen als ze worden buitengesloten,' zei ze zo luchtig mogelijk terwijl ze zich een weg baande naar haar bureau, blij dat Bandit haar gloeiende wangen niet kon zien.

Bob Grafton was de voornaamste tussenpersoon voor drukopdrachten van de meeste verkooppromotiebureaus in Londen en hij kende iedereen. Hij was niet alleen joviaal en vriendelijk, maar hij was ook een uitstekende bron van allerlei roddels en liet zich altijd overhalen om mee te spelen in het softbalteam van Bistram Huff. Meestal kwam hij te laat aanrijden in zijn gammele, roestige Mercedes, de kofferbak vol bier. Als je hem zo op het thuishonk zag staan, met afgezakte schouders, een belachelijke korte broek en een blikje bier in zijn hand, leek hij net een kerstman in zijn vrije tijd.

'Kom op. Dat blonde haar moet je concentratie niet in de weg zitten,' plaagde hij Charlie, die voor hem stond.

'Hou je kop, Bobby, of je krijgt een dreun met dit ding,' zei ze lachend, verwijzend naar de houten honkbalknuppel in haar hand.

'Hebben ze je wel eens verteld dat je er fantastisch uitziet in een korte broek?' vroeg hij toen de pitcher de harde witte bal in de leren handschoen wierp.

'Dat kan ik van jou niet zeggen!' Ze giechelde en bereidde zich voor op de worp. Boven haar strekte zich een strakblauwe lucht uit boven Regent's Park. Deze beurt was beslissend: als ze missloeg of als het een vangbal werd, zou het team door haar schuld uit zijn. Kijk naar de bal, dacht ze. Concentreer je...

Opeens had ze geslagen en zoefde de bal op de oranje zon af, hoog boven de boomtoppen. Ze gooide de knuppel neer en hoorde Lisa schreeuwen dat ze moest rennen.

Op het tweede honk probeerde Paul van het direct marketing-team haar te blokkeren, maar ze wist hem te ontwijken. Ze zag hoe Will in het uitveld de bal bovenhands het veld in slingerde, maar ze rende door. Haar teamleden schreeuwden nu vanaf de zijlijn. 'Hup, hup, hup!' Ze sprintte naar het honk, precies toen de bal door de lucht naar Bob vloog, die de andere kant op keek.

'Bob!' schreeuwde Bandit.

Bob liet zijn bier vallen en zwaaide met zijn armen en benen toen Charlie hem omverliep zonder dat hij de bal had kunnen vangen. Het was haar gelukt. Haar team had gewonnen. Buiten adem stond ze op en lachte naar Bob, die juist weer opkrabbelde.

'Ik krijg je wel, de volgende keer,' grinnikte hij toen het team juichte om haar homerun. Ze stak speels haar tong naar hem uit.

Charlie sloeg Lisa tegen haar hand en plofte naast haar neer. Verderop in het droge gras speelden nog andere teams en Charlie ging met gesloten ogen liggen luisteren naar de gedempte juich-kreten die in de lichte bries naar haar toe kwamen en probeerde met haar gezicht in de zon wat op adem te komen. Toen hoorde ze het kraken, gevolgd door het gesis, van een blikje dat werd geopend vlak bij haar gezicht. Ze deed haar ogen open en zag Daniel, die haar een biertje gaf.

'Ik wist niet dat jij er ook was,' zei ze, terwijl ze haastig ging zit-ten en haar T-shirt rechttrok.

'Dacht je dat ik die homerun wilde missen? Mooi niet.'

'Heb je hem gezien?'

'Natuurlijk.'

Charlie grijnsde terwijl hij naast haar kwam zitten.

Daniel zette zijn honkbalpetje af en streek zijn haar glad. Hij zag er adembenemend knap uit in zijn wijde blauwe short en ver-sleten sportschoenen, terwijl hij zijn lange, gespierde benen strekte op het droge gras. 'Ik wist niet dat je zo sportief was.'

'Gewoon mazzel.' Ze nam een slokje bier. 'Mijn oog-hand-coördinatie is hopeloos. Maar er mankeert niks aan mijn hand-mondcoördinatie.'

'Dat klinkt veelbelovend,' zei Daniel suggestief.

'Volgende spel, volgende spel,' schreeuwde Bandit. 'Charlie, kom je?'

Ze stond op en vroeg aan Daniel: 'Doe jij ook mee?'

'Het is niet echt iets voor mij, maar het zal wel zijn voordelen hebben,' zei hij met een blik op haar benen.

Charlie glimlachte en veegde het droge gras van haar achterste. 'Kom op, dan.' Ze stak haar hand uit om hem omhoog te trekken en ze keken elkaar aan, zijn knappe gezicht gevangen in de ondergaande zon.

Bandit nam de softbalcompetitie erg serieus en dit was een belangrijke oefenwedstrijd waaruit hij de beste spelers zou selecteren voor de wedstrijd tegen Rectangle Marketing.

'Oké, Daniel, jij mag in het team van Charlie, maar dan moet iemand anders eruit.'

'Dat is niet eerlijk,' zei Charlie.

'Ik ga wel,' bood Tina aan. Ze stond bij het provisorische buffet en schudde net tomatenketchup op een hot dog.

'Bedankt, Tina. Oké, Bill, jij bent als eerste aan slag. Zet 'm op!'

Daniel keek naar Tina. 'Misschien kan ik beter aan de kant blijven zitten, dan krijgt zij óók eens wat beweging,' zei hij.

Charlie sloeg een hand voor haar mond. 'Doe niet zo onbeschoft.'

'Ik ben niet onbeschoft. Het is toch walgelijk dat zo'n kind niets aan haar overgewicht doet? Heeft ze dan helemaal geen zelfrespect? Ik bedoel, er is toch geen kerel die naar zoiets kijkt?'

Charlie gaf hem een por in zijn ribben. 'Doe niet zo onaardig. Er is vast wel iemand die op haar valt. Ieder zijn meug. Trouwens, misschien vindt ze het wel prettig in haar eentje.'

'Niemand vindt het prettig in zijn eentje.'

Charlie wilde zeggen dat zij het wel fijn vond om alleen te zijn, maar ze hield haar mond. Het was niet waar. Ze keek naar haar handen.

'Heb ik een teer punt geraakt?'

'Nee, hoor.'

'Je bent dus alleen?'

Ze knikte, met het gevoel een vreselijke misdaad op te biechten, maar ze kreeg niet de tijd om het uit te leggen want Daniel was aan slag.

'Deze is voor jou,' zei hij terwijl hij langs haar liep en de bal een zwieperd gaf alsof hij hem naar een ander melkwegstelsel wilde slaan.

Hoofdschuddend zei Charlie: 'Opschepper,' maar ondertussen kon ze haar ogen niet van hem afhouden.

Charlie keek vanuit de glazen lift naar de palmbomen in het atrium onder haar. Het hoofdkantoor van de *Reporter* was gevestigd in een enorme glazen kolos in Canary Wharf. Bandit bood Charlie een kauwgompje aan terwijl de lift geruisloos naar de tiende verdieping zoefde.

'Tom Johnson is een goeie gast, echt waar. Je zult hem vast heel graag mogen. Ik heb hier een goed gevoel over,' zei hij.

Maar toen Charlie oog in oog stond met Tom Johnson, had ze zo haar twijfels. Hij was slechts ietsje groter dan Bandit, droeg een opzichtig linnen pak en er zat veel te veel Brylcreem in zijn zwarte haar. Hij was zonnebankbruin en zat onder de puberale acnelittekens. Charlie zag dat hij zijn spiegelbeeld in het glas bekeek toen hij naar hen toe kwam lopen.

'Hé, maatje,' zei Tom, schaduwboksend met Bandit.

'Je ziet er goed uit,' zei Bandit. Hij gaf Tom een mep op zijn rug en liep met hem mee naar een grote vergaderruimte. Charlie werd door beiden volledig genegeerd en slenterde gemelijk achter hen aan.

Pas toen ze aan tafel zaten en Tom en Bandit al hun roddels hadden uitgewisseld, begon eindelijk de bespreking waarvoor ze waren gekomen. Tom leunde achterover in zijn stoel en keek Bandit en Charlie vragend aan.

'En? Waar gaat het over?' vroeg hij.

Charlie begon inwendig te koken toen Bandit haar het heft meteen uit handen nam en begon uit te leggen dat ze de *Reporter* de kraskaartcampagne voor Up Beat wilden laten voeren. Hij vijzelde zijn eigen bijdrage aan het geheel flink op en deed alsof het van het begin af aan zijn idee was geweest.

Tom knikte en haalde een calculator tevoorschijn. 'Dat zijn dus vijf miljoen kraskaarten. Niet slecht. Het zou waarschijnlijk wel iets voor ons zijn. Jullie zullen uiteraard zelf de kaarten moeten laten drukken en moeten zorgen voor stipte levering.' Hij liet zijn pols met de dikke zilveren armband rinkelen.

'Wie heeft hier de eindverantwoordelijkheid voor het contract?' wilde Charlie weten.

Tom keek haar als met stomheid geslagen aan, alsof hij verbaasd was dat er geluid uit haar mond kwam. 'Kijk, schatje, ik kijk even wat er mogelijk is en dan bespreek ik het met een paar mensen,' zei hij. 'Ik moet even zien of ik hier een gaatje voor kan vinden. Er staan nogal wat andere acties aan te komen.'

'Ik bedoel eigenlijk of jij bevoegd bent om ons toestemming te geven,' zei Charlie, scherper nu. Ze was woest om zijn neerbuigende manier van doen.

Tom Johnson maakte een wegwuivende handbeweging. 'Uiteraard.'

'Dan laten we het verder maar aan jou over,' zei Bandit met een woedende blik op Charlie.

'En Teddy Longfellow?' ging Charlie plompverloren door. Ze kende de reputatie van de krantenmagnaat die scherp in de gaten hield wat er bij zijn troetelkindjes gebeurde. Bandit stond snel op, maar Charlie bleef zitten waar ze zat, haar handen verstrengeld op de tafel.

'Ja, die moet het ook goedvinden, maar Teddy en ik zijn twee handen op één buik,' zei Tom.

Ja, ja, dacht Charlie, en als je hem niet aanstaat kun je je baan wel op je eigen buik schrijven. Knarsetandend vroeg ze: 'Hoe lang gaat dat duren?'

'Hij is nogal moeilijk te pakken te krijgen, maar dat moet lukken binnen... laten we zeggen een week. Nee, wacht even, hij is er de komende week niet, dus dat wordt de week daarna.'

Bandit stond onrustig met zijn voeten te schuifelen, maar Charlie wierp hem slechts een waarschuwende blik toe. 'Dan is het te laat, vrees ik. We hebben eerder toestemming nodig.'

Tom Johnson stond op en stak zijn hand omhoog. 'Hé, schat, ga nou niet moeilijk doen. Als ik zeg dat het in orde komt, dan is dat zo.'

Charlie kon hem wel slaan. Neerbuigend ettertje.

'En, waar gaan we lunchen?' vroeg hij, de blik op Bandit gericht.

Bandit glimlachte innemend. 'Ik heb een tafeltje in de OXO Tower gereserveerd.'

'Ik ben bang dat ik moet afhaken,' zei Charlie. Ze raapte de spullen van de presentatie bij elkaar en vervolgde: 'Ik moet weer naar kantoor, herinner ik me opeens.'

Bandit noch Tom leek erg teleurgesteld.

'Geen punt,' zei Tom. 'Wij vermaken ons wel.'

Ziedend van woede stapte Charlie de lift in. Bandit had gezworen dat Tom de bevoegdheid had om toestemming voor de actie te geven, maar dat was duidelijk niet het geval. Up Beat had zijn goedkeuring gegeven en zij moest het op de rails zetten, en snel ook, maar zo te horen zou Tom weken nodig hebben om het er bij de *Reporter* doorheen te krijgen. De liftdeur ging dicht en Charlie hield de presentatiemap tegen haar benen gedrukt.

Ze kon niet terug naar kantoor. Ze wilde Daniel niet teleurstellen en ze was evenmin van plan de vernedering die Bandit haar had aangedaan zomaar op te biechten. Het zou een eeuwigheid kosten om met een andere krant in onderhandeling te gaan en ze vervloekte zichzelf voor haar vertrouwen in Bandit. Waarom was zíj altijd degene die het puin van anderen moest opruimen? Ze kon deze kans niet laten schieten. Er was geen betere krant voor de Up Beat-campagne dan de *Reporter* en ze moest een manier vinden om hun toestemming te krijgen. Ze dacht aan Si. Hoe zou hij dit aanpakken? Ze had hem ontelbare keren horen zeggen: 'In deze business is er maar één manier om dingen voor elkaar te krijgen: ga naar de top.'

Dat kan ik niet, dacht ze. Ze kon niet zomaar het kantoor van Teddy Longfellow binnenstappen. Hij zou haar nooit ontvangen. Maar toen dacht ze weer aan Si. 'Waar ik vandaan kom, bestaat er niet zoiets als "Dat kan ik niet." Dat zou je zo langzamerhand toch moeten weten.'

Zou Si het haar kwalijk nemen als ze nu een risico nam? Stel dat het plannetje dat ze nu aan het bekokstoven was, verkeerd uitpakte. Dan zou ze nog meer voor gek staan. Maar ja: als ze zo graag promotie wilde maken, dan moest ze ook laten zien dat ze initiatief kon tonen. Misschien was dit precies wat ze nodig had om te zorgen dat ze opviel. Het zweet brak haar uit en ze probeerde haar zenuwen in bedwang te krijgen toen ze op het bovenste knopje van de lift drukte voor de verdieping waar de leiding van de *Reporter* zetelde.

Toen Charlie zich eenmaal langs zijn secretaresse had gebluft en zijn eikenhouten kantoor was binnengelaten, zat Teddy Longfellow te telefoneren. Charlie stond bij de deur en spande haar knieën, in de hoop dat ze dan zouden ophouden met trillen. Kalm blijven, hield ze zichzelf voor. Ze dacht aan Kate, die in dit soort situaties nooit bang was. Ze wist wat Kate zou zeggen: 'Stel je maar voor dat hij spiernaakt is.'

Als ze het zo bekeek, leek Teddy Longfellow een stuk minder angstaanjagend, maar ze voelde nog steeds een lichte paniek toen ze hem zo zag zitten. Hij was alles wat zijn naam deed vermoeden. Hij was lang, had korte bruine krullen en had zich zo te zien een dag niet geschoren. Hij kromde zijn enorme vingers terwijl hij de telefoon neerlegde en haar van top tot teen bekeek. Charlie zette haar vriendelijkste glimlach op.

'Meneer Longfellow, ik ben Charlie Bright,' zei ze met een brok in haar keel. Ze moest nu sterk zijn. Dit was haar enige kans. 'Het spijt me dat ik zomaar bij u binnen kom stappen, maar ik zal u niet te lang ophouden.'

Teddy Longfellows wenkbrauwen gingen geamuseerd en verbaasd omhoog toen ze hem de hand schudde. Hij bood haar een stoel aan tegenover hem aan zijn glazen bureau. 'Waaraan heb ik dit onverwachte genoegen te danken?' vroeg hij.

Charlie haalde diep adem. Niet denken, dacht ze, gewoon doen. 'Ik heb een voorstel dat u waarschijnlijk wel zal interesseren,' zei ze terwijl ze hem glimlachend aankeek en de map openritste om de presentatie tevoorschijn te halen.

'Ik ben een en al oor,' zei hij, achterovergeleund in zijn stoel.

Charlie stond op en legde het materiaal op zijn bureau, terwijl ze zo beknopt en professioneel mogelijk over de actie voor Up Beat vertelde.

Teddy Longfellow knikte en bleef zo lang zwijgen dat het wel een eeuwigheid leek. 'Het klinkt goed,' zei hij. 'Maar wat ik me afvraag is waarom u niet naar onze reclame- en promotieafdeling bent gegaan.'

Charlie legde haar handen op het randje van zijn bureau. 'Dat heb ik gedaan.'

'En? Ze hebben zeker nee gezegd?'

'Niets daarvan. Tom Johnson was erg enthousiast, maar... Ik wil niet onbeleefd zijn, maar ik weet hoe lang het kan duren voordat het contract wordt getekend bij dit soort zaken, en zoveel tijd heb ik niet.'

Teddy Longfellow tikte met zijn vingertoppen tegen elkaar. 'Aha.'

'Ik wilde vragen of u geïnteresseerd bent voor ik met het materiaal naar de *Mail* ga. Daar willen ze deze actie graag hebben, maar uiteraard geniet de *Reporter* onze voorkeur.'

Even keek hij haar scherp aan. Toen schoof hij zijn stoel naar voren en vroeg: 'O ja?'

Ze kruiste haar wijsvingers achter haar rug. Alsjeblieft, alsjeblieft, geef me nou een kans.

Teddy Longfellow begon haar presentatiemap door te bladeren terwijl zij aan de andere kant van zijn bureau stond te wachten en haar adem inhield.

'Nou, ik zie geen reden waarom we het niet zouden doen. Ik zal zorgen dat de juiste mensen jullie het groene licht geven.'

Yes! Ze probeerde een grijns te onderdrukken. 'Bedankt, daar ben ik erg blij mee. Ik weet zeker dat het een zeer succesvolle actie voor de *Reporter*, en natuurlijk ook voor Up Beat, zal worden.'

'Dat geloof ik ook,' zei Teddy Longfellow terwijl zij het promotiemateriaal weer inpakte en naar de deur liep, haar voeten bijna zwevend boven het hoogpolige tapijt.

'O, mevrouw Bright,' zei hij.

Ze draaide zich om en keek hem aan.

'Even voor alle duidelijkheid: ik ben ook eigenaar van de *Mail* en ik weet zeker dat ze nooit met deze actie in zee zouden gaan.'

Charlie bloosde en haar hart begon te bonzen. Ze had het verknald! Hoe had ze zo stom kunnen zijn?

Hij moest lachen toen hij haar verwarring zag. 'Maak u geen zorgen,' zei hij. 'Die promotie gaat gewoon door. Eigenlijk zou u voor mij moeten komen werken. Ik hou van vrouwen met ballen.'

Bandit kwam om halfvijf het kantoor binnen gewankeld, stinkend naar rode wijn en sigarettenrook.

'Tom is te gek,' zei hij met dubbele tong. 'Hij vroeg of ik een goed woordje bij je wilde doen.' Hij knipoogde theatraal tegen Charlie. 'Hij zou geen slechte vangst zijn.'

'Ho even!'

'Je moet zelf weten wat je ermee doet, ik geef het alleen maar door.' Hij wapperde dronken met zijn hand. 'Ik heb hem verteld dat je een ijzig type bent, maar hoe dan ook: hij wil als speciale gunst aan ons wel zorgen dat dat contract er komt, geen probleem.' Hij liet een boer en zakte als een vaatdoek in zijn stoel.

Charlie beet op haar lip. Ze moest hem vertellen wat ze had gedaan. 'Bandit?' begon ze nerveus.

Ze kreeg niet de kans haar zin af te maken omdat Pete langskwam en de rugleuning van Bandits stoel een por gaf. 'Kom op. Si wil dat we allemaal naar de vergaderkamer komen.'

'Ik kom al, ik kom al,' zei Bandit, steun zoekend aan zijn bureau.

'Wil je alsjeblieft een beetje ontnuchteren?' vroeg Charlie. 'Si wordt woest als hij je in zo'n toestand ziet.'

Bandit glimlachte met bloeddoorlopen ogen tegen haar en sloeg zijn arm om haar schouder. 'Dan is het maar goed dat jij een beetje op me let.'

In de vergaderkamer veegde Si het zweet van zijn voorhoofd met een uit de kluiten gewassen zakdoek. Toen iedereen zat, liet hij zijn vingers knakken en keek uit het raam. 'Ik veronderstel dat Charlie jullie het een en ander over de Up Beat-campagne heeft verteld,' begon hij.

Er werd bevestigend gebromd. Charlie hield zich gedeisd en wachtte met gebogen hoofd af wat Si ging zeggen. Even deed ze haar ogen dicht, in de wetenschap van wat er ging komen en wat het zou betekenen.

'Het zal jullie genoegen doen om te horen dat Teddy Longfellow van de *Reporter* de campagne heeft geaccordeerd, en dat de actie de komende maand zal plaatsvinden.'

Bandit ging met een ruk rechtop zitten. 'Watte? Hoe...'

Si negeerde zijn uitbarsting en ging verder: 'Onze Charlie heeft vanmorgen een uitzonderlijk initiatief genomen.'

Charlies hart begon te bonzen. Ze had dit tegen Bandit moeten zeggen. Ze ontweek zijn blik terwijl Si uitlegde wat ze had gedaan.

'*Wat* heb je gedaan?' siste Bandit woedend. 'Ben je gek geworden om Tom zomaar te passeren?'

Si liep nog even om iedereen heen en bleef toen achter de stoel van Charlie staan. 'Zoals jullie weten, heeft deze dame een hectische tijd achter de rug, en ik weet ook dat we het allemaal druk hebben gehad.' Hij keek naar de gezichten van iedereen in het team en legde zijn hand op haar rugleuning. Charlie kromp in elkaar van de zenuwen.

'Daarom lijkt me dit een geschikte tijd om aan te kondigen dat we hebben besloten wat meer structuur in het team te brengen,' zei Si, terwijl hij weer naar het hoofd van de tafel liep. 'Ik ben blij jullie ons besluit te kunnen mededelen om Charlie tot account director te benoemen.' Hij zwaaide zijn hand in Charlies richting alsof hij een nieuwe ster aankondigde.

Charlie sloeg haar hand voor haar mond. Happend naar lucht zei ze: 'O, mijn god.' Toen begon het team spontaan te applaudisseren.

'Fantastisch,' riep Pete enthousiast.

Toff zei glimlachend: 'Gefeliciteerd, Charlie.'

Met grote, geschrokken ogen keek ze in Si's richting.

Bandit stond op, zijn gezicht verwrongen tot een woedende grimas terwijl hij zich staande hield aan de rand van zijn stoel. 'Sjonge. Sjonge, jonge,' zei hij smalend.

Charlie keek hem aan. 'Toe nou, Bandit,' smeekte ze. 'Ik wist hier niets van. Het is niet wat je denkt.'

Si keek hem streng aan en Bandit hield zichzelf met moeite in. 'Leuk,' zei hij. 'En wat zal Philippa hiervan zeggen, denk je?'

Charlie keek naar Si om zich te laten geruststellen.

'Zij weet hier alles van,' loog hij.

Charlie legde net de hoorn neer na haar gesprek met Rich, toen er een nieuwe e-mail op haar scherm verscheen. 'Gefeliciteerd', stond er. 'Dit moeten we vieren. Liefs, D.'

Liefs D. Liefs? Liefs! Ze maakte een nieuw bericht aan. 'Wat had je in gedachten?' tikte ze in, en ze klikte op 'send'. Ze stelde zich voor hoe Daniel achter zijn computer zat en werd overspoeld door een golf van hoop.

'Kun je morgenavond?' luidde het simpele antwoord. Ze raakte het beeldscherm aan alsof ze de letters kon strelen van de uitnodiging waarvan ze had gedroomd.

'Misschien,' tikte ze. Ze zou er haar vaste vrijdagavond in de 51 met Rich voor moeten afzeggen, maar dit was wel zo spannend! Ze staarde naar haar computerscherm in afwachting van zijn reactie.

'Dan ga je met mij de clubs onveilig maken. Geen smoesjes. Ik kom je om tien uur halen.'

Charlie toetste op haar telefoon het voorgeprogrammeerde nummer van Kate in.

'Bingo!' zei ze, nog voor Kate hallo kon zeggen.

'Laat me even raden. Hmm...'

Charlie begon ongeduldig te kreunen. 'Duhhh... Daniel.'

'Heeft hij je mee uitgevraagd?'

'Zeker!'

'O, mijn god. Wat zei-d-ie?'

'Niks.'

'Hoezo?'

'Het was een e-mailtje!'

Kate moest lachen.

'Je moet me helpen. Ik ga met hem op stap, dus we moeten kleren gaan kopen. O, en ik heb promotie gemaakt,' liet ze er in één adem op volgen, terwijl ze opstond omdat Si haar stond te wenken.

'Wacht 's,' zei Kate. 'Niet zo snel.'

'Ik moet ophangen. Tot straks.' Ze gooide de hoorn op de haak en zoog haar wangen in, die pijn deden van de grimas die op haar gezicht had gestaan.

'Kom je even mee?' vroeg Si terwijl hij haar voorging naar de lift.

'Ik heb het allemaal heel snel kunnen regelen,' fluisterde hij toen ze de lift uitstapten en de ondergrondse parkeergarage voor het personeel binnenliepen. Hij wees naar een groene Mazda MX5.

Charlie hapte naar lucht, liet de beroepsetiquette voor wat hij was en vloog hem om de hals. Hij klopte haar op de arm terwijl zij zich uitputte in bedankjes.

'Je hebt het verdiend,' zei hij terwijl hij haar de sleuteltjes overhandigde. 'Ga er maar even een blokje mee om en kijk of hij je bevalt!'

Charlie liet haar vingers over het notenhouten dashboard glijden en pakte het stuur beet alsof ze een formule I-coureur was.

Si lachte hoofdschuddend, en bulderde toen door de holle parkeergarage: 'Veel plezier.'

Ze reed in volle vaart de felle zon tegemoet. Tijd voor wat cabrio-geflirt. Ze schortte haar rok op, pakte haar zonnebril uit haar tas, zette de radio aan en draaide de volumeknop harder bij de Spice Girls.

Vrolijk lachend reed ze langs de Embankment en sneed een zwarte taxichauffeur die haar woedend aankeek, tot hij naar haar blote dijen keek en bewonderend begon te fluiten.

'Boadicea, wat zeg je van mijn karretje?' schreeuwde ze naar het bronzen standbeeld voor ze met gierende banden wegscheurde voor de stoplichten bij de Big Ben.

Ze maakte een rondje om Parliament Square en wierp Winston Churchill een kushandje toe. 'Kijk 's wat vrolijker, Winnie!' lachte ze zonder te merken dat de in neonkleuren gestoken fietser in haar kielzog bijna van zijn racefiets viel.

Ze schakelde in een hogere versnelling, reed langs Buckingham Palace en zag dat de vlag uithing.

'Hallo, Liz.' Ze zwaaide en snoof de geur van pasgemaaid gras in Green Park op. Op twee wielen reed ze de hoek om naar Trafalgar Square, zwaaide naar Nelson op zijn zuil en zoefde de Strand op, knipogend naar een typisch Engelse zakenman die de weg overstak naar Simpson's.

Wat is er toch veel veranderd, dacht ze terwijl ze vaart minderde om Waterloo Bridge over te steken. Dit was de plek in Londen waar ze het mooiste uitzicht had. De zon scheen fel op de Theems, die fonkelde als haar eigen ogen. Ze keek naar de torentjes van het gerechtsgebouw en dacht aan Rich. Hij was zo blij geweest over haar promotie en ze kon haast niet wachten om hem haar nieuwe auto te laten zien en hem over Daniel te vertellen. Dit slipje moet geluk brengen, dacht ze terwijl ze naar het grijze koepeldak van St. Paul's keek dat zich aftekende tegen de blauwe lucht.

Ze haalde diep adem, bedwelmd door de geur van de hoofdstad waaraan ze haar hart had verpand. 'Ik hou van Londen,' zei ze hardop. 'Ik ga hier nooit meer weg.'

Rich herschikte de kaarsen op de keukentafel en vroeg zich af of het niet te vroeg was om ze aan te steken.

'Ik kan beter wachten,' zei hij tegen Kev, die doelbewust over het linoleum stapte, richting de oven waarin de citroenkip van Rich aan het gaarstoven was. Rich nam een olijf uit de kom die op tafel stond en liep door naar de huiskamer, zijn oren gespitst om te horen of Charlie haar sleutel al in het slot stak.

Hij was vroeg naar huis gegaan om, als verrassing voor haar, iets lekkers te koken om te vieren dat ze promotie had gekregen, want hij wist dat ze daarover in de wolken was. In de koelkast lag de champagne koud, samen met de oesters die hij op de vismarkt had gekocht, en hij had zelfs de knoflookaardappeltjes klaargemaakt waar ze zo van hield. Ze zou ervan genieten. Hij glimlachte in zichzelf en keek op zijn horloge. Waar bleef ze nu? Zelfs als ze na haar werk nog iets was gaan drinken, had ze nu toch wel thuis moeten zijn.

Hij stopte een band in de videorecorder om *Brookside* op te nemen en ging weer naar de keuken om een fles dure witte wijn uit Nieuw-Zeeland open te trekken. Hij stond voor zichzelf juist een glas in te schenken toen de telefoon ging. 'Daar zul je haar hebben,' zei hij tegen Kev.

Maar het was Charlie niet, het was Pix.

'Ik wilde net in bad gaan,' legde ze uit. 'En ik had jouw nummer met veegvaste inkt op mijn hand geschreven, maar als ik in bad ben geweest is het niet meer te lezen, dus ik dacht: ik bel maar even om te vragen of je nog steeds met me uit wilt.'

Rich was enigszins van zijn stuk gebracht door haar openhartigheid. 'Ja. Ik...' stamelde hij.

'Ik zat gewoon aan je te denken. Ik weet wel dat je allerlei regeltjes hebt, bijvoorbeeld dat je een poosje moet wachten en dan heel afstandelijk moet doen, maar ik ben zo ongeduldig.'

Rich smolt onwillekeurig door haar verfrissende eerlijkheid. 'Ik heb ook aan jou gedacht.' Hij legde zijn been over de rugleuning van de bank en gleed omlaag in de kussens.

'Ik dring me niet op, hoor, ik weet alleen hoe Engelse mannen zijn: heel gevoelig.'

Rich lachte. 'Maak je geen zorgen, ik ben niet van suiker.'

'Ik vond het zo gezellig, laatst, en ik wil je graag nog eens zien, dus laat ik je even weten dat ik dinsdag nog niks heb.'

'Dat is dan afgesproken, lijkt me. Ik haal wel kaartjes voor het een of ander.'

'Dat hoeft niet.'

'Ik doe het graag. Waar wil je naartoe?'

'Doe maar iets. Iets waar je zelf zin in hebt, waar jij van houdt.'

'Oké.'

'Mooi. Mijn kwartjes zijn bijna op, maar ik moet je nog iets vragen.'

'Ga je gang.'

'Het gaat om mijn ego.'

Rich moest lachen. 'Heb je dat dan?'

'Natuurlijk.'

'Ga door.'

'Ik wil alleen weten of jij mij gebeld zou hebben.'

'Waarom?'

'Omdat ik anders dwangmatig zou blijven denken dat ik me aan je heb opgedrongen.'

Rich schudde zijn hoofd en lachte. 'Ik zou je hebben gebeld, goed?'

'En nu denk je dat ik gek ben.'

'Ja, maar dat ben je ook.'

Er klonk een glimlach door in de stem van Pix. 'Mooi zo. Dat wilde ik horen.'

Charlie kwam uit het pashokje van Hype DF geschuifeld met haar spijkerbroek op haar enkels. Het strakke zwarte jurkje dat ze droeg bezorgde haar een wulps decolleté, haar taille werd erdoor ingesnoerd en haar welgevormde benen kwamen er prachtig in uit.

'Dat lijkt er meer op,' zei Kate toen ze samen naar Charlies spiegelbeeld stonden te kijken.

Charlie blies haar adem uit en draaide een kwartslag terwijl ze haar handen over de gladde stof liet glijden. 'Dit kan ik toch niet aan. Moet je mijn buik zien! Ik lijk wel vijftien maanden zwanger.'

Met een geërgerd gezicht zei Kate: 'Welnee.'

'En deze spiegels maken je ook nog eens dunner dan je bent. Kun je nagaan hoe ik er straks in de club uit zal zien. Daniel vindt het vast maar niks.'

'In die club is het donker. In elk geval heb je er prachtige tieten in.'

Charlie graaide in de lage, ronde hals van de jurk en duwde haar borsten omhoog. Kate had gelijk, met een push-upbeha kreeg de jurk een adembenemend decolleté. Ze zoog haar wangen in en bekeek zichzelf nog eens kritisch.

'En, hoe zit dat nou met Daniel?'

Charlie trok aan de zoom van de jurk. 'Hoe bedoel je?'

'Achtergrond, vriendinnen, familiegeschiedenis?'

Charlie ging op haar tenen staan en keek over haar schouder hoe ze er van achteren uitzag. 'Geen idee.'

'Maar je hebt tijdens die softbalwedstrijd toch uitgebreid met hem gepraat?'

'Klopt. Vind je mijn kont niet te dik?'

Kate begon te kreunen. 'Moddervet. Ik snap niet dat je nog door een deuropening kunt.'

Charlie wurmde zich uit haar schoenen en trapte haar spijkerbroek uit om haar benen in hun volle lengte te kunnen bekijken.

'Waar hebben jullie het dan over gehad?'

'Werk en zo. Maak je geen zorgen, ik kom er gauw genoeg achter hoe het met dat soort dingen zit,' zei Charlie, die besefte dat Kate gelijk had en dat ze met Daniel alleen had gesproken over zijn leven op Bistram Huff.

'Wat voor schoenen draag je erbij?'

Charlie keek haar schuins aan. 'Dat kan ik beter aan jou vragen. Jij bent de Imelda Marcos hier.'

'Die sandaaltjes die je net hebt gepast, misschien?'

'Maar die waren peperduur.'

'En wat dan nog? Ten eerste heb je promotie gemaakt, en ten tweede: je wilt hem toch versieren?'

Charlie keek weer in de spiegel. 'Staat het echt niet te hoerig?' Ze keek Kate in de spiegel aan.

Kate haalde haar schouders op. 'Da's toch precies je bedoeling?'

Charlie lachte. 'Zeker.' Ze begon aan de knoopjes op de rug van het jurkje te friemelen. 'Een wip is een wip, maar dit zal hem nog heel wat moeite kosten.'

'Geduld is een schone zaak,' zei Kate, terwijl ze de hoop plastic tasjes van de grond raapte. 'En over geduld gesproken: waar blijft die fles Château Migraine die je me beloofd had?'

'Oké, oké,' zei Charlie terwijl ze weer naar de paskamer terugschuifelde. 'We gaan. O, en ik zou Rich nog ophalen.' Ze worstelde zich uit het minuscule jurkje en keek in de spiegel naar haar buik. Ze moest nog zoveel doen voor morgen, de dag waarop ze met Daniel uitging. Ze moest nieuw ondergoed kopen, haar bikinilijn ontharen, haar teennagels lakken en nieuwe oorbellen voor bij de jurk zien te vinden. Ze werd al moe als ze eraan dacht. Toen ze achter het gordijn vandaan kwam, hield ze de jurk omhoog.

'Zeker weten? Kort genoeg?'

'Absoluut.' Kate greep haar bij de elleboog en sleurde haar naar de kassa.

Charlie haalde het Visa-pasje uit haar portemonnee en drukte er een kus op. 'Kom op, schat, nog één piepklein jurkje.'

Kate moest lachen. 'Maak je geen zorgen, je hebt nu het heft in handen. Je kunt het je veroorloven.'

'*Famous last words*,' zei Charlie terwijl ze haar creditcard aan de caissière overhandigde.

Het was de volgende avond tien uur, en Charlie was in paniek. 'Ik stink naar knoflook,' kreunde ze terwijl ze haar hand als een kommetje voor haar mond hield en bezorgd haar wenkbrauwen optrok. Nadat ze de vorige avond eindelijk was uitgewinkeld, was ze niet bestand geweest tegen de verleiding van de verrukkelijke knoflookaardappeltjes die Rich had klaargemaakt.

'Welnee. Je hebt een hele fles mondwater weggegorgeld,' zei Rich.

'Hoe zie ik eruit?'

'Geweldig.'

'Belachelijk dat Kate me deze jurk heeft laten kopen,' mompelde ze terwijl ze zichzelf voor de zoveelste keer in de spiegel bekeek. Rich wilde net zeggen dat hij dat helemaal niet zo belachelijk vond, toen de zoemer van de voordeur ging.

'Daar is-ie!' gilde Charlie. Ze dook de slaapkamer in op zoek naar haar jasje, dat ze echter al op de leuning van de bank had gelegd en dat Rich nu geduldig voor haar omhooghield. Ze griste het uit zijn handen. 'Duim je voor me?'

'Wees voorzichtig, hè? Denk erom: gewoon nee zeggen.'

'Nee komt niet in mijn woordenboek voor,' zei ze plagend. Ze wierp hem een kus toe en holde naar de deur.

Ze had gehoord dat Orgasm *de* tent was in Londen, maar ze had nooit durven dromen dat ze er zelf nog eens zou komen, gezien het feit dat het een besloten club was voor rijke, beroemde mensen. En toch ging ze nu, begeleid door Daniel, door de hemelpoort terwijl kolossale uitsmijters hem op de rug klopten en hen vervolgens als echte vips langs de rij wachtende bezoekers voerden. Charlie voelde zich nerveus en slecht op haar gemak toen de meesmuilend lachende blondine in het kassahokje gebaarde dat zij mochten doorlopen.

Die verlegenheid schud ik wel van me af, dacht Charlie terwijl ze door de kauwgomroze zijden ingang liep en het verleidelijk dreunen van dansmuziek harder werd. Ze had tenslotte al heel wat clubs in Londen afgewerkt. En toch moest ze die gedachten laten varen toen de deuren van de eerste zaal van Orgasm opengleden.

In gouden kooien die waren opgehangen aan het plafond stonden meisjes met boa's en glimmende hoge laarzen te kronkelen op de bonkende muziek, en overal stonden enorme cherubijnen met laserprojectoren in de ogen die alle kleuren van de regenboog op de wanden wierpen. Daniel keek naar Charlie, die gehuld was in het bizarre licht, terwijl vlak voor hen groene wolken droogijs omhoog werden gestoten. 'Kom.' Hij glimlachte en pakte haar hand. 'Dit is nog niets. Laten we even een drankje halen.'

Het Innerlijk Heiligdom van Orgasm was uitsluitend toegankelijk voor leden en bereikbaar met een lift van doorzichtig plastic. Toen ze er aankwamen, kreeg Daniel een zoen van een meisje met een ruig, kort donker koppie, waardoor er een donkere lippenstiftvlek op zijn wang achterbleef. Charlie verdedigde haar territorium door een kort kuchje te laten horen, en Daniel wimpelde het meisje af. 'Maak je geen zorgen, schat,' zei hij. 'Als je bij mij in de buurt blijft, kan het nog erg gezellig worden.' Hij sloeg zijn arm om haar heen en voerde haar de met roze kunstbont beklede trap af.

Maar de geruststellende arm van Daniel werd al snel teruggetrokken toen hij werd omringd door gretige clubbezoekers. Charlie voelde zich in de steek gelaten en het duizelde haar toen ze de 'moi, moi'-geluiden van theatrale kussen en flarden conversatie opving: 'Ja, lunchen bij Quag's... Vicki is in de Met bar... modellenklus in West-Indië... met Kerstmis naar Zanzibar... Bambi heeft het contract gekregen... Troy gaat in D'Arblay Street beginnen...'

Ze duwde net zolang tot ze weer bij Daniel was, juist op het moment dat twee gebodypainte mannen met handboeien om, naakt op een gouden lendendoek na, naar hen toe kwamen.

'Hai, Dan,' zei de ene met een lijzig Amerikaans accent, 'wie is het vrouwtje?' Hij knikte naar Charlie.

'Dit,' zei Daniel terwijl hij Charlies hand pakte, 'is mijn handlangster.'

'Alweer een pijl op je boog, lieve jongen?' zei de andere gebodypainte Amerikaan op een hoog, aanstellerig toontje.

'Niet zo vals, Manolo. Vooruit, jongens, wegwezen,' zei Daniel alsof hij een stel stoute kinderen een standje gaf. 'Charlie is vanavond mijn speciale gaste en ik zou haar graag een drankje aanbieden.' Hij keek Charlie aan alsof ze de boeiendste persoon was die er op de aardbol rondliep.

De bar en alle krukken eromheen hadden de vorm van een enorm stel volle, rode lippen en Charlie hees zich met een onhandig gevoel op een ervan. Giles, de barkeeper, schudde Daniel de hand. 'Leuk je te zien, Daniel,' zei hij toen, en terwijl hij met zijn grote, zwarte hand op de rijen gekleurde flessen achter hem wees, vroeg hij: 'Welk gif zal het zijn, vanavond?'

'Hetzelfde als altijd, graag.'

Giles wendde zich tot Charlie. 'En je gast?'

'Misschien een kopje thee, tussen al dit fraais?'

Daniel moest lachen. 'Hier, probeer dit eens.' Hij gaf haar zijn glas en zij nam een slokje. Haar ogen werden groot van waardering terwijl ze de champagnecocktail op haar tong liet bruisen. 'Nog eentje, Giles,' zei Daniel. Giles knikte goedkeurend.

Ze hingen over de bar, hun hoofden dicht bijeen om elkaar boven de dreunende muziek uit te kunnen verstaan. 'En,' vroeg Charlie op haar beste versiertoon, 'kom je hier vaak?'

'Tja, eerlijk gezegd wel. Het is een gruwelijke toer om lid te worden, maar ik ben een beetje geholpen door mensen die bij me in het krijt stonden.'

Charlie was onder de indruk. 'Ik heb er vaak over gehoord. Kennelijk komt de halve wereld hier.'

Daniel glimlachte en begon over een aantal leden te roddelen, waarbij hij nonchalant een serie bekende namen liet vallen alsof hij met hen bevriend was, maar Charlie lette niet erg op. Alleen al de aanblik van zijn gelaatstrekken en zijn soepele lichaam onder zijn openstaande overhemd maakten haar gek van verlangen.

Daniel leegde zijn tweede glas en zei: 'Kom op, we gaan boven feesten.'

Met een ruk kwam Charlie weer bij haar positieven en dronk de rest van haar cocktail op. Daniel nam haar bij haar middel toen ze zich van de kruk liet glijden. Even bleef ze in zijn omhelzing naar hem opkijken met het gevoel of ze zojuist de afsprong voor een bungee jump had gedaan. Haar mond was zo dicht bij de zijne. Hij ging haar toch zeker wel zoenen?

'Mooie tieten!' zei hij, terwijl hij een stapje achteruit deed.

Charlie keek omlaag naar de voorwerpen van zijn bewondering, opgelucht dat, ook al kuste hij haar nog niet, haar jurk in elk geval het beoogde effect had. In het gleufje tussen haar borsten rustte een klein, gevouwen papieren vierkantje.

'Cadeautje voor mijn Charlie,' zei hij.

Heel even keek ze hem stomverbaasd aan, tot ze besefte wat hij bedoelde. Rich las haar altijd de verschrikkelijkste statistieken over drugs voor. Dankzij hem wist ze alles over neuro-fibrillaire verwarring en beroerten op jonge leeftijd. Ze gaf hem altijd op zijn kop omdat hij zo tuttig deed en zei dan plagend dat hij wel wat recreatieve drugs kon gebruiken, maar hij bleef onvermurwbaar en zei dat hij de risico's veel te groot vond om het te proberen. En hoewel Charlie het niet toegaf, was ze het diep in haar hart met hem eens.

Ze had ooit een keer xtc gebruikt en was daar erg ziek van geworden, maar toch kon ze nu niet weigeren wat Daniel haar had aangeboden. Hij zou haar vast een stijve trut vinden. De champagne had haar licht in het hoofd gemaakt en opeens bedacht ze dat een beetje cocaïne geen kwaad kon. Zo gevaarlijk kon het toch niet zijn? Ze vond het wel geinig, en als straf zou ze de hele week bessensap drinken.

Rich kon de pot op met zijn ouderwetse gedoe. Ze was maar één keer jong en ze kon maar beter wat lol maken nu het nog kon. Ze glimlachte tegen Daniel. 'Uitstekend,' zei ze.

'Het lijkt wel het begin van *Doctor Who* op tv.' Charlie kon haar verbazing niet verbergen toen ze hem door de kronkelende, zwarte en door sterretjes verlichte tunnel volgde naar de dansvloer boven. Aan het eind ervan kwamen ze op een podium uit en Charlie hield haar adem in toen ze naar beneden keek en werd begroet door een massa uitgestoken armen en opgeheven gezichten. De muur van geluid, de hitte en de rook sloegen haar vol in het gezicht.

'Die kijken niet naar ons,' schreeuwde Daniel alsof hij een toeristengids was die boven het lawaai van een hoogovenfabriek moest uitkomen. 'Het podium van de deejay ligt hier vlak onder. Kom mee.'

Hij voerde Charlie omlaag over de steiger die als trap diende en toen door een verborgen deur naar de achterkant van het deejay-verblijf.

Charlie staarde naar de dansende kolommen van groene lampen in het hokje van de deejay. OJ, de deejay, had een enorme joint in zijn mond en tussen zijn rechteroor en zijn schouder hobbelde een dop van een grote koptelefoon. Hij stampte met één voet en bewoog zijn vingers over een van de draaiende grammofoonplaten voor hem. Charlie zag hem zijn ogen sluiten terwijl hij een van de knoppen op het paneel omhoog begon te schuiven en de plaat losliet. Zijn timing was perfect. Er explodeerde een knallend, bonkend nieuw geluid in de mix en vanuit de menigte beneden brak een enorm gejuich los.

OJ stak een vuist in de lucht om de bewieroking van de dansers in ontvangst te nemen. Op de vloer stonden gigantische gotische pilaren terwijl aan het plafond podia hingen waarop de danselite poseerde. Meisjes in met lovertjes bezaaide bh's wervelden naast een troep zwarte acrobaten. Lasers, lichtshows en geprojecteerde fantasieën verlichtten de golvende achtergrond.

Daniel legde ter begroeting zijn hand op OJ's schouder en

voerde Charlie toen naar de bank tegen de muur. Met zijn gouden Amex-card hakte hij lange, gelijke lijntjes cocaïne op een platenhoes. Charlie drukte haar knieën bij elkaar omdat ze zo trilden, en Daniel gaf haar een opgerold biljet van vijftig pond waarmee ze het lijntje poeder opsnoof. Ze gaf het biljet weer aan Daniel, snoof en veegde haar neus af. De coke sloeg onmiddellijk op haar keel. Ze knipperde met haar ogen en keek hoe hij zijn lijntje opsnoof.

'Dit spul is een absolute knaller, dus we kunnen maar beter gaan dansen!'

Hij had gelijk. Op de dansvloer verloor Charlie alle gevoel voor tijd en werd met hoofd en lichaam opgeslokt door de muziek. Door het droogijs heen verschenen mensen die naar Daniel knikten, knipoogden en hem omhelsden. Charlie kreeg het zo warm dat ze riviertjes van tintelend zweet over haar rug voelde stromen terwijl ze in de menigte haar armen in de lucht zwaaide op het ritme van de muziek.

'Hier,' zei Daniel terwijl hij een half pilletje in haar mond liet vallen en haar een fles warm water gaf. 'Deze X is de beste!'

Charlie knikte en wentelde het pilletje rond in haar mond. Inslikken of niet inslikken, dat is altijd de vraag, dacht ze. Ze nam een slok warm water en sloeg het achterover, terwijl ze zich Kates woorden herinnerde dat slikken de beste manier was om het hart van een man te veroveren. Misschien zou ze het loodje leggen, maar dan was ze tenminste gelukkig gestorven.

Later wees Daniel naar de toiletten en ze schreed de trap op, haar blikveld dat van een steadicam. In de volle toiletruimte zat een mooi meisje bij een tafeltje vol make-up. Euforisch en duizelig glimlachte Charlie naar haar en pakte een grote poederkwast waarmee ze haar zweterige gezicht begon te deppen.

Ze strompelde een wc binnen en ging op de toiletpot zitten, terwijl ze met schuin hoofd probeerde de graffiti op de deur te lezen, maar haar gezichtsvermogen was erg vaag. Haar hart bonkte van de drugs die door haar aderen stroomden. Ze stond op en hield zich staande tegen de closetrolhouder. 'Ho, rustig aan, Tijger,' mompelde ze. Ze keek omlaag naar haar slipje, dat gedraaid om haar enkels zat, te duizelig om zich te bukken en hem op te trekken, dus trapte ze hem uit en smeet hem achter de toiletpot. 'Onderbroeken, nergens voor nodig,' zei ze terwijl ze zwaar op de doorspoelknop ging hangen.

Haar huid begon te tintelen toen ze haar handen waste. Ze glimlachte naar het meisje naast haar en streek haar rok glad voor ze met haar vingers onder haar ogen wreef om de uitgelopen eyeliner te verwijderen. Ze wilde gezellig haar voeten op de vloer laten kletteren en giechelen van plezier omdat ze met Daniel was. Ze bekeek zichzelf weer even. Het was echt een uitstekend besluit geweest om blond te worden. Ze voelde zich volledig anders. Haar kaak verstijfde en ze besefte dat ze knarsetandde. Het meisje naast haar gaf haar een stukje kauwgom.

'Vind je het leuk hier?' vroeg ze.

'On-verrekte-gelooflijk,' zei Charlie tegen haar spiegelbeeld.

Terwijl ze naar de dansvloer terugwankelde, keek ze over de balustrade en zag Daniel. Nu zij niet in de buurt was, was hij duidelijk het middelpunt van de belangstelling. Glimlachend en genietend van haar voyeursrol bleef ze staan om hem te zien dansen. Op het ritme van de muziek liet ze haar voeten tikken en verheugde zich er ondertussen op dat ze weer vlak voor zijn neus zou dansen. Toen zag ze een man met zilverblond haar en een zwarte cape om op Daniel af komen lopen. Terwijl hij door de menigte liep met de gratie van een ballerina, gingen de dansers voor hem opzij en sloegen hem glimlachend op de rug.

Charlie liep de trap af, want ze wilde weer terug naar Daniel. Toen ze weer opkeek zag ze hoe de blonde man zijn armen opende en hem omhelsde. Ze huiverde toen hij Daniel op de mond kuste. Daniel trok zich terug en keek om zich heen, terwijl de man zich snel omdraaide en wegbeende. Daniel volgde hem en greep hem bij de arm, maar de man duwde hem zachtjes van zich af en verliet de dansvloer.

Charlie liep snel de trap af en baande zich een weg door de glanzend blote middenriffen die swingend en dansend op haar weg kwamen. Haar angsten werden echter al snel tot bedaren gebracht toen Daniel haar zag. Hij trok haar naar zich toe en zij viel tegen hem aan. Hij ving haar op en duwde haar zachtjes weg, waarna hij weer begon te dansen.

'Alles goed?' vroeg hij en Charlie knikte, waarbij ze de man die ze een paar ogenblikken daarvoor had gezien snel vergat omdat de muziek haar opslokte en ze haar dansende lichaam niet in bedwang kon houden.

'Ga je mee naar boven?' vroeg Daniel. Ze grijnsde en knikte. Hij knipoogde naar haar en glimlachte terug, terwijl hij haar bij haar vochtige handen nam en die drukte terwijl haar hoofd begon te draaien van de xtc. Ze kauwde op haar kauwgom, haar borst bonkend van verrukking terwijl ze danste. Na een poosje nam Daniel haar in zijn armen en omhelsde haar terwijl zij kreunde van plezier. Misschien vond hij haar toch nog leuk!

Ze klemde zich aan hem vast, maar hij maakte zich los, nam haar hand in de zijne en begon zachtjes haar vingers te masseren. Ze verlangde zo naar hem! Hij was zo sensueel en hoewel zijn gezicht glom in het gekleurde licht, vond ze hem de prachtigste man die ze ooit had gezien. Ze stond net op het punt hem naar zich toe te trekken toen een van de meisjes in de buurt tegen hem aan botste en haar armen om Daniel heen sloeg. Ze bracht haar mond naar zijn oor en Charlie kromp in elkaar van ellende.

Charlies benevelde brein werd door twijfels bevangen. Waar ging hij naartoe? Was dat meisje zijn vriendin? En als hij haar nu eens in de steek liet? Ze ging door met dansen, bang om van de dansvloer af te gaan voor het geval Daniel terugkwam om haar te zoeken. Zag hij dan niet dat ze iets voor hem voelde? Ze had al haar versierkunsten in de strijd gegooid, waarom ging hij er dan niet op in? Was ze te klein? Te dik? Bezat ze niet genoeg glamour? Maar misschien hield hij haar gewoon aan het lijntje en wachtte hij het juiste moment af om op haar verleidingskunsten in te gaan.

Nou, wat hij kan, kan ik ook, dacht ze. Misschien moest ze de kouwe kikker spelen en de einduitslag aan het lot overlaten. Een van de jongens naast haar slaagde erin haar te kalmeren.

'Alles goed met je?' schreeuwde hij.

Ze knikte afwezig en gaf zich over aan de muziek, terwijl ze zich voegde bij de groep die vlak naast haar danste, en ze zich er met moeite van weerhield de menigte af te zoeken naar Daniel.

Het leek uren te duren voor hij weer terug was. Hij snoof en veegde met zijn hand zijn neus af.

'Wil je gaan zitten?' vroeg hij terwijl hij de blik kruiste van de jongen die met Charlie had staan praten.

Ze pakte Daniels hand terwijl hij haar door de mensenmassa naar een gigantische afkoelruimte leidde. Overal op de vloer zaten mensen op lage zitzakken te roken en naar een enorm scherm te kijken waarop blikkerende scènes uit cultfilms werden vertoond. Charlie trilde van opwinding terwijl hij haar naar een kussen in de hoek leidde.

'Vermaak je je?' vroeg Daniel terwijl ze zich naast hem op het kussen wurmde.

Ze knikte, gehypnotiseerd door zijn ogen. Hij legde zijn hand op haar wang en staarde haar aan.

Kus me, kus me, schreeuwde het in haar hoofd, terwijl ze haar lippen tuitte en haar ogen sloot, maar Daniel lachte en wendde zich van haar af. Hij stak zijn hand in zijn zak, haalde er een paar vloeitjes uit en begon met de behendigheid van een Cubaanse sigarenmaakster een joint te rollen.

'We moesten maar een beetje uitrusten,' zei hij met plagende ogen terwijl hij de vloeitjes bedekte met tabak en weed, eraan likte en het geheel oprolde. Charlie pijnigde haar hersens af om iets te kunnen zeggen. Waarover moesten ze het hebben – over Bistram Huff? Over de Up Beat-campagne? Haar gespreksvaardigheden leken haar volledig in de steek te laten.

'OJ is goddelijk,' bracht ze uiteindelijk met moeite uit, haar mond plakkerig en droog.

Daniel klopte haar op haar knie en stak de joint aan. 'Ssjt. Ontspan je maar, nog even en alles is weer in orde.'

Hij draaide zich om en tikte een van de mannen op het kussen naast hem op de schouder. Die draaide zijn hoofd om en zijn gezicht lichtte op toen hij Daniel zag. Hij vindt me saai, dacht Charlie terwijl ze beleefd knikte toen Daniel haar aan de man voorstelde. In een mum van tijd was ze omringd door mensen die het over de afgelopen zondagavond in The End hadden, de club die tot maandagochtend doorging. Charlie drukte haar klamme handen tussen haar knieën. Afgelopen zondag had ze om tien uur in bed gelegen, lekker met de laatste Jilly Cooper.

Een meisje zonk neer in het kussen naast Daniel en vouwde pruilend haar lange benen onder zich. Ze had een geraffineerd gebruinde huid en droeg een minuscule beha die nauwelijks haar pronte borsten bedekte. Charlie had op het eerste gezicht al een hekel aan haar. Ze zag eruit of ze een zuignap op haar lippen had waarmee je haar tegen een raam kon plakken. Ze kuste Daniel op beide wangen.

'Heb je wat coke, Dan?' vroeg ze.

'Heb ik aan Marissa gegeven,' zei hij terwijl hij het verfrommelde uiteinde van de joint heen en weer zwaaide. Hij gaf een hoofdknikje in de richting van een meisje dat aan de overkant van de ruimte zat. Door de rook heen herkende Charlie het meisje dat Daniel daarvoor had weggekaapt. 'Je zult het haar afhandig moeten maken.'

'Hoe gaat het trouwens met Angelica?' vroeg ze.

'Uitstekend. Ze zit in St. Tropez.'

Charlie verstijfde. Daniel had dus echt een vriendin.

'Waarom ben je niet meegegaan?'

Daniel stak de joint aan. 'Nieuwe baan,' legde hij uit.

Het meisje zwaaide hem met haar vingers na en liep op Marissa toe, haar nagels bedekt met glitterlak. Een ander meisje nam haar plaats in en begon met Daniel te praten terwijl ze de joint deelden. Charlie boog zich naar hen over en wenste dat ze zich niet zo dizzy voelde.

'Kom op, deze mix bevalt me wel,' zei hij plotseling. Hij stond op en liep weer op de dansvloer af. 'Gaat-ie?' vroeg hij aan Charlie.

'Ja hoor, uitstekend,' zei ze flauwtjes en ze volgde hem weer naar de dansvloer, met een gevoel van teleurstelling in haar zoemende hoofd.

Het was zes uur 's morgens toen ze Orgasm verlieten. Huiverend strompelde Charlie de heldere zaterdagochtendzon in – haar lichaam moest zich nog aanpassen aan het achterlaten van de dichte, rokerige lucht van de club die haar als een dekbed had omhuld. Ze had gedacht dat de drugs hun uitwerking wel zouden verliezen en haar hoofd wat zou opklaren, maar in het koude daglicht voelde ze zich gedesoriënteerder dan ooit.

'Kom mee, we gaan koffiedrinken,' mompelde Daniel. Iets aan het daglicht maakte dat hij het noodzakelijk vond om te fluisteren. Op benen die wel van kauwgom leken liepen ze door de flauw verlichte straten naar Soho, langs de straatvegers in hun groene jassen, die op de lege trottoirs bezig waren hun werk te doen. Een stel duiven zat in een kringetje te koeren in de ochtendmist. Charlie keek omhoog naar de neonverlichting in Piccadilly Circus, die een ongewoon fel schijnsel te zien gaf.

'God, wat fel,' zei ze terwijl ze haar verwijde pupillen afschermde. Daniel voerde haar naar het standbeeld van Eros en liet haar plaatsnemen op de zwarte trap.

'Hier blijven zitten.' Hij boog zich voorover tot dicht bij haar gezicht. 'Ik ben zo terug.'

Charlie voelde zich te duizelig om hem tegen te spreken en huiverde toen ze hem zag weglopen.

Een rode bus en een zwarte taxi reden voorbij en ze klonken zo schel in haar oren dat ze beschermend haar armen om zichzelf heen sloeg. Ze keek op naar Eros, die al een straaltje zon op zijn pijl kreeg, en probeerde enige orde aan te brengen in de voorbije nacht. De logische kant van haar hersenen kwam eindelijk op gang toen ze Daniel op zich af zag komen en de duiven verjoeg die zijn pad kruisten. Haar hart maakte een sprongetje.

Met rode wangen van zijn frisse ochtendwandeling bleef hij voor haar staan en stak zijn hand uit om haar van de trap omhoog te trekken. 'Kijk niet zo ongelukkig. Ik heb een cadeautje voor je!'

Hij stopte zijn hand in zijn jaszak en haalde er een goedkope zonnebril uit met een montuur dat het patroon van een metrokaart had.

'Ta da!' zei hij terwijl hij de bril op Charlies neus plaatste. 'De Raybans waren helaas op, maar deze staat je ook prachtig!'

Charlie begon te giechelen. 'Geweldig!' riep ze uit. De Coca Cola-neonreclame zag er opeens heel anders uit. 'Waar heb je die in godsnaam vandaan?'

'Een oude makker van me heeft een kiosk daar bij de metro. Ik heb de sleutel van hem gekregen.'

Daniel haalde zijn Armani-zonnebril tevoorschijn en zette die op.

Op het terras van Bar Italia dronken Charlie en Daniel cappuccino terwijl ze Soho zagen ontwaken. Onder het zoete genot van koffie en verse gebakjes zagen ze een joviale Italiaan met een wit schort om sigarettenpeukjes in de goot vegen. Een paar oude zwervers met groezelige gezichten schuifelden naar hun vaste stek met een ingewikkelde bundel plastic tasjes, touw en blikjes bier bij zich, een drietal musici stond met elkaar te praten, de stropdassen los, het plakkerige haar in de war.

'Hoe gaat het nu met je?' Charlie keek over de rand van haar kopje naar Daniel.

'Goed. Misschien nog een beetje van de wereld, maar ja. En jij?'

'Superb.'

Daniel keek naar een marktkoopman die een kar vol kleurige bloemen voor zich uit duwde langs een rij glimmende Harley Davidsons, en snoof de geur van de bloemen in zich op.

Charlie keek in haar koffiekopje, blies een gat in de geklopte melk om de bruine vloeistof eronder te kunnen zien, en vroeg zich af wat ze moest zeggen. Ze wilde bij Daniel blijven, maar kennelijk was hij niet geïnteresseerd.

'Ik geloof dat ik maar eens naar huis moest gaan,' zei ze in de hoop dat hij zou tegensputteren.

'Als je wilt, kan ik je wel een lift geven. De auto staat om de hoek.'

'Jezus, ik snap niet dat je nog kunt rijden. Ik kan niet eens meer wat zien!'

Daniel lachte. 'Je was inderdaad nogal ver heen.'

'Sorry.'

'Doe niet zo raar. Als je je maar vermaakt hebt.'

'Dat heb ik ook, maar ik snak naar een lekker warm bad.'

'Ik ook,' zei Daniel. 'Het is prettig dat ik de badkamer nu eens helemaal voor mezelf heb.'

Charlie keek hem niet-begrijpend aan.

'Angelica,' zei hij. 'Ze is zo'n sloddervos.'

Charlie kon wel janken. 'Wonen jullie al lang samen?' vroeg ze zo luchtig mogelijk.

'Al mijn hele leven.' Hij dronk zijn kopje leeg en haalde zijn Porsche-sleuteltjes tevoorschijn. 'We hebben een soort haat-lief-deverhouding met elkaar.'

'Ik begrijp het.'

'Maar dat heb je nu eenmaal met zussen.'

Zussen? Angelica was dus zijn zús?

'Kom, ik breng je naar huis,' zei hij.

Rich leegde juist een melkfles vol water in de kwijnende vijgen-plant toen Charlie binnen kwam hobbelen.

'Wat is dit voor tijd om thuis te komen?' vroeg hij terwijl hij op de videoklok keek en Charlie in elkaar zakte op de bank. 'En hoe kom je in godsnaam aan die rare bril?'

Charlie bracht langzaam haar hand omhoog en hield haar zon-nebril beschermend vast. 'Ik heb het verknald.'

Rich begon de rotzooi op te ruimen van de avond die hij in zijn eentje had doorgebracht. Hij vouwde de lege pizzadoos in elkaar, verkreukelde de bierblikjes en smeet een kussen naar Charlie toe. 'Wat is er gebeurd?'

Ze klemde het kussen tegen zich aan. 'Hij vindt me een hork.'

'Zo erg kan het toch niet geweest zijn?'

Charlie sloeg haar handen om haar kloppende hoofd. Ze

geneerde zich vreselijk, en ze kon Rich onmogelijk vertellen dat ze veel te veel drugs had gebruikt. 'De club was te gek, maar ik heb me zo idioot gedragen. Ik was helemaal paranoïde over Angelica, die uiteindelijk zijn zus bleek te zijn, en ik had niets te zeggen tegen zijn vriendinnen. Ze maakten me allemaal bang en het waren ook nog eens graatmagere modellen. Het was afgrijselijk.'

'Maar je zag er geweldig uit.'

Charlie spreidde wanhopig haar armen. 'Helemaal niet.'

'Je bent veel sexier dan die wandelende takken. Onthoud goed dat Marilyn Monroe maat veertig had.'

'Je wordt bedankt. Daar knap ik nou echt van op.'

Rich grinnikte. 'Je bent net een kunstwerk.'

'Ja hoor. Straks ga je nog zeggen dat ik een Rubensvrouw ben.' Charlie bevrijdde haar voeten van haar schoenen. 'En dankzij deze beulen liggen mijn voeten nu aan flarden.' Ze stak een teen met een blaar uit naar Rich.

Rich raapte haar schoen op. 'Al die pijn terwijl hij *je nog niet eens heeft gezoend*?'

'Hou op!' zei Charlie, die tegen wil en dank begon te lachen terwijl ze hem met het kussen op het hoofd begon te meppen. Maar de inspanning was haar te veel en ze zonk weer terug in de kussens onder de verzuchting: 'Hij wordt nooit verliefd op me en nu zal ik het maandag moeten bezuren.'

Rich ging aan de andere kant van de bank zitten en legde haar voeten op zijn schoot. Zachtjes begon hij de bal van haar voet te masseren en zei: 'Je moet niet overal zo'n drama van maken.'

Charlie zuchtte terwijl haar oogleden steeds zwaarder begonnen te worden. 'Is er iets mis met me wat niemand me durft te vertellen?'

'Je bent bespottelijk.' Hij drukte zijn duim in haar voetboog.

'Jij zou het me toch wel vertellen, hè?' vroeg ze slaperig.

Rich schudde zijn hoofd, een grijns op zijn gezicht. Ze glimlachte en deed haar ogen dicht. 'Sssjt,' zei hij troostend. Zachtjes ging hij door met het masseren van haar voeten, net zolang tot ze sliep.

Philippa was weer terug. De walgelijke lucht van Poison hing in de lucht, samen met een ondefinieerbare sfeer van beklemming.

In het kantoor van Si stond Philippa met haar handen op haar heupen. Si hing achterover in zijn grote stoel en streelde een van de varens in het plantenbed achter hem. Zijn voet ging op en neer als de achterpoot van een hond die wordt gekieteld.

'Ach, Pips, laat dat meisje toch,' zei hij.

Philippa keek hem woedend aan, haar ogen vernauwd tot spinachtige spleetjes. 'Je hebt haar dus zomaar promotie gegeven! Vind je niet dat je zo beleefd had moeten zijn dat eerst aan mij te vragen?'

'Ach, als je hier was geweest, had ik dat waarschijnlijk wel gedaan.'

Philippa kreeg een boosaardige blik in haar ogen. 'Dit is niet eerlijk en dat weet je,' kaatste ze de bal terug. 'Ik kan je nog geen vijf minuten alleen laten. De laatste keer dat ik weg was heb je voor veel geld Daniel binnengehaald, en nu dit weer.' Ze begon voor zijn bureau heen en weer te lopen. Philippa was woest geweest toen Daniel op het kantoor was gekomen en Si had haar een paar weken in de watten moeten leggen om haar tot bedaren te brengen.

'Het is maar een kleine promotie,' argumenteerde Si. Hij ging met zijn hoofd in zijn handen zitten. 'Ik dacht dat je wel blij zou zijn. Charlie is heel toegewijd, ze werkt hard en ze zou best eens wat druk van jouw schouders kunnen halen.' Hij wist dat hij op de juiste weg was. 'Wat Daniel betreft, die blijkt het heel goed te doen. De Up Beat-presentatie was voortreffelijk. En Charlie?' Hij glimlachte tegen Philippa en stak zijn zweterige handpalmen naar haar uit. 'Die is zo gelukkig als een klein kind. Ik heb haar een van onze nieuwe auto's gegeven en heb de vrijheid genomen voor jou een Mercedes te bestellen, als welkomstcadeautje.'

Hij kende haar als zijn broekzak. Philippa ontspande en haar woede zakte enigszins door zijn omkoperij. Ze glimlachte en schudde langzaam haar hoofd. 'Jij weet zelfs met een moord nog weg te komen, ik zweer het je.'

'Dat is mijn werk, schattebout.'

Charlie doopte net een theezakje in haar mok toen Philippa de keuken binnenkwam.

'Goed idee,' zei Philippa. 'Ik snak naar een kop koffie.' Ze maakte geen aanstalten om naar het koffiezetapparaat te lopen en Charlie voelde hoe er automatisch een glimlach op haar lippen verscheen. Ze haalde een van de sjieke porseleinen kopjes tevoorschijn.

'Hoe was je vakantie?' vroeg ze.

Philippa's nieuwe kapsel – permanentje, coupe soleil, haarlak – bleef keurig zitten toen ze even op haar bekende, zelfgenoegzame manier haar hoofd schudde. Haar huid had de kleur van mahonie gekregen.

'Nou, een vakantie kun je het niet bepaald noemen,' zei ze. 'Ik had zo veel te doen dat ik werk heb moeten meenemen. Ik ben over Parijs teruggevlogen omdat ik daar nog wat mensen moest spreken.'

'O ja?'

Philippa schudde gefrustreerd haar hoofd. 'Parijs was bloedheet en het stikte er van de toeristen,' zei ze, met een walging in haar stem alsof ze er zelf woonde.

'Maar hoe was het op de Maagdeneilanden? Heerlijk, zeker?'

Philippa kon het niet laten zich te verkneukelen. 'Ach, het is er wel aardig, maar tien jaar geleden was het nog heel anders. Toen ben ik er een paar maanden met een kunstenaar geweest en was het nog veel afgelegener, romantischer,' zei ze. 'Maar in elk geval heb ik een kleurtje gekregen.'

Ze liepen naar het kantoor van Philippa, die het zich meteen gemakkelijk maakte en zowaar even glimlachte. Charlie hield haar hete mok stevig vast, want ze wilde geen kringen maken op het onberispelijke bureau.

'Si zei dat de vergadering met Up Beat heel goed is verlopen,' zei Philippa.

Charlie keek haar aan. Wist Philippa van de *Reporter*-actie?

'Ja, iedereen was in de wolken,' zei ze voorzichtig.

Philippa knikte en keek in haar agenda. Ze begon iets op te schrijven. 'Hij zei ook dat hij heeft meegedeeld dat we hebben besloten je te promoveren. Gefeliciteerd.' Het ongenoegen in haar stem werd gemaskeerd door de koude glimlach die ze Charlie nu toewierp. Ze keek als een arts die een recept voor een hypochonder uitschrijft.

'Bedankt, Philippa. Ik waardeer mijn promotie zeer. Het is een hele eer.' Charlie kon zichzelf wel voor het hoofd slaan om de zielige toon waarop ze het zei.

'Die eer kan me gestolen worden. Je weet zeker wel dat er heel wat werk aan verbonden is en daarom wil ik maar meteen beginnen.'

De gestroomlijnde telefoon op Philippa's bureau zoemde en

verbrak de spanning, en zij zette de hoorn zo tegen haar oor dat haar onopvallend peperdure oorbellen niet verschoven.

'Philippa Bistram,' snauwde ze. Een van de gewoontes waar het meest over werd geklaagd, was dat ze Sadie nooit groette, de enige in het bedrijf die telefoontjes aan haar doorverbond. 'Oké, zet hem maar even in de wacht.' Ze legde haar hand over de hoorn en gebaarde met haar gebleekte, gelakte nagels als een stel injectiespuiten naar Charlie.

'Ik neem dit telefoontje even aan en dan wil ik dat je me volledig bijpraat over Up Beat,' zei ze in de wetenschap dat Charlie hierdoor slechts een paar minuten had om haar gedachten bij elkaar te rapen.

'Verbind maar door,' snauwde ze weer in de telefoon. Charlie knikte en stond op. Toen ze zich omdraaide, onderging Philippa een totale gedaanteverandering.

'Hai!' koerde Philippa. 'Wat heerlijk om weer eens van je te horen!' Haar stem werd licht en vol vrouwelijke charme, terwijl haar mond zich plooide in een filmsterrenlach. Vast een klant.

'Ja, het was heerlijk. Prettig om even de boel de boel te laten,' giechelde ze.

Charlie liep stilletjes het kantoor uit. Achter zich hoorde ze de schrille lach van Philippa. 'O, god, ja, ik weet het. Het lanceren van een campagne is een náchtmerrie. Toen ik de lancering van Sligo leidde, hadden we tegelijkertijd een tv- en een perscampagne over heel Europa. Ik heb weken niet geslapen...'

Charlie keek naar Pete, die zijn jas uitdeed en Philippa ook kon horen praten. 'Je zou een bommenwerper op die schoudervullingen kunnen laten landen,' zei hij.

'Hoe staat het met de ontwerpen?' vroeg ze aan Bandit.

Hij haalde zijn schouders op. 'Ik wou net naar de creatieve afdeling om Will aan te schieten.'

'Kun je hem vragen of hij de visuals die Daniel voor de presentatie van Si heeft gemaakt, wil opdiepen en ze naar Philippa wil brengen?' Ze trok een grimas tegen hem. 'Ze wil binnen vijf minuten een volledig verslag hebben.'

Bandit wees met zijn vingertoppen op zijn borst en stootte een verachtelijk lachje uit. 'Sorry, hoor, maar ik ben niet van plan voor Philippa op mijn knieën te gaan liggen.'

'Toe, Bandit,' zei ze smekend, 'je krijgt een borrel van me als je het doet.'

Bandit stak zijn tong in zijn wang. 'Goed, ik zal ze brengen. Wat zei Philippa trouwens over je promotie?'

'Ze was er verrukt van,' loog ze.

Maar toen Charlie weer Philippa's kantoor binnenkwam, bleek die verre van verrukt te zijn. Haar gezicht was vertrokken van woede, haar vingerknokkels zagen wit toen ze de hoorn op de haak smeet.

'Doe de deur achter je dicht,' snauwde ze tegen Charlie, die onmiddellijk de paniek in zich voelde opkomen als een pick-upnaald die over een plaat scheert.

'Je bent me wel wat uitleg verschuldigd, dunkt me,' zei Philippa. 'Dat was Nigel Hawkes. Het lijkt erop dat mijn instructies voor de presentatie opzettelijk en overtuigend zijn genegeerd.'

Charlie voelde haar wangen gloeien. 'We hebben je instructies wel...' begon ze.

'Er is hier geen sprake van "we",' onderbrak Philippa. '*Ik* heb jóu specifieke instructies gegeven.' Haar mond was een fuchsia-rode spleet van woede.

'We hébben jouw ideeën gepresenteerd. Alleen heeft Daniel ook nog een idee uitgewerkt voor een kraskaartenactie. Si zei dat de groepsdirecteur er opgetogen over was en ik heb het er bij Teddy Longfellow van de *Reporter* doorgekregen.' De woorden bleven steken in Charlies keel. Ze had verwacht dat Philippa kwaad zou zijn, maar niet zó kwaad.

'Natuurlijk werkt Daniel ideeën uit,' beet Philippa haar toe met een sarcasme waar Charlie van in elkaar kromp. 'Daar betalen we hem voor. Het is jouw werk om de klant te geven wat nodig is.'

'Dat weet ik, maar...' zei Charlie, die vertwijfeld haar standpunt probeerde te verwoorden.

'Geen gemaar!' zei Philippa dreigend. 'Ik wilde dezelfde ideeën als vorig jaar, omdat, zó je dat nog niet had gemerkt, Up Beat onze grootste klant is. En dat zijn ze al jaren, alleen omdat *ik* ervoor heb gezorgd dat we een groot deel van onze omzet uit het beeldmateriaal hebben gehaald.' Ze prikte met haar vinger op het bureau om haar woede te onderstrepen. 'Hoe durf je zo'n actie achter mijn rug om te beginnen?'

'Dat is nou net het punt. We hébben beeldmateriaal voor deze opdracht,' begon Charlie.

Er werd op de deur geklopt. 'Binnen!' riep Philippa, en Bandit kwam binnen met de visuals die aan Up Beat waren voorgelegd. Hij zag Philippa's gezicht en keek even naar Charlie. 'Welkom terug,' zei hij luid van voorgewend enthousiasme. 'Is het geen geweldig nieuws over de *Reporter*? Ik zei toch dat ik een grote krant voor een actie zou porren.' Hij keek Philippa aan. 'Je zult het vast met Charlie eens zijn dat deze visuals fantastisch zijn.'

'Leg ze maar op mijn bureau,' zei Philippa, knarsetandend en met afgewende ogen.

'Ik zie je straks nog wel,' zei hij. Hij was bijna de deur uit toen Philippa zei: 'David?' Ze deed geen enkele poging haar ergernis te verbergen. 'Jij weet toevallig ook niets over onze telefooncentrale, hè?'

'Nee, hoezo?'

Charlie was verbaasd over de overtuiging waarmee Bandit zijn onschuld speelde.

'Omdat ik van een klant hoorde dat het wachtmuziekje nogal storend was in de tijd dat ik weg was,' zei ze met een ijzig strakke blik.

Bandit haalde zijn schouders op. 'Ik weet niet waar je het over hebt.'

'Nou, dan niet. In elk geval: je zult het met me eens zijn dat het belangrijk is dat we naar buiten toe een correct imago uitdragen. Ik zou het op prijs stellen als je ervoor zorgt dat het niet weer gebeurt.'

Charlie vervloekte hem in stilte. Ze was woest op zijn leugenachtigheid en omdat hij de overwinning voor het binnenhalen van de actie in de *Reporter* voor zichzelf opeiste.

'Ik weet dat ik je dit niet zou hoeven vertellen,' zei Philippa toen de deur weer dicht was. 'Maar desondanks: het is jouw verantwoordelijkheid het team op het juiste spoor te houden. Het is in je eigen belang dat dit soort incidenten niet meer voorkomt.' Haar woorden betekenden een flinke knauw voor Charlies zelfvertrouwen. 'Goed, laten we doorgaan. Wat zei je over het drukwerk?'

Charlie kuchte in een poging de excuses die in haar opwelden tegen te houden. Ze dacht aan Daniel. Hij zou nooit toelaten dat Philippa zo tegen hem zou uitvaren. Ze moest niet zo slap meer zijn.

'Het is veel werk. We moeten het drukken van alle kraskaartjes regelen. Ik weet zeker dat we net zoveel winst zullen maken als vorig jaar, misschien zelfs meer,' voegde ze eraan toe, iets zekerder omdat Philippa nu naar haar luisterde.

'Om hoeveel gaat het?'

'Vijf miljoen kraskaarten, plus al het ondersteunende materiaal,' zei Charlie. 'Ik weet zeker dat het geen enkel probleem zal opleveren.'

'Dat hoop ik dan maar. Onze uitbreidingsplannen hangen af van de winst die we met Up Beat maken. Laten we het tijdschema even doorlopen, goed?' vroeg Philippa toen, abrupt van onderwerp veranderend. Ze ging zitten.

Charlie schrok terug voor Philippa's humeur en schoof het schema over het bureau naar haar toe. Philippa keek het papier even kort door en pakte toen een rode fineliner. 'Nee, nee, nee,' zei ze terwijl ze bijna het hele uitgetikte vel doorstreepte. 'Je moet al veel eerder goedkeuring krijgen en...'

Charlie keek tot het uiterste vernederd toe hoe Philippa strepen in haar werk zette alsof ze een achterlijke scholiere was.

'Hier zou ik je wel mee kunnen helpen,' zei Philippa ten slotte, terwijl ze Charlie het ontheiligde schema teruggaf en op een met rood omcirkeld deel wees. 'Maar ik geloof dat je de rest zelf zult moeten opknappen. Ik heb het walgelijk druk.'

Charlie keek naar het tijdschema en besefte dat hiermee haar werkdruk was verdrievoudigd.

'O. Tja.'

'Laat me niet in de steek,' waarschuwde Philippa.

'Nee.' Charlie glimlachte zwakjes en verliet het kantoor. Haar geestkracht leek volledig gedoofd en, verrassing: ze kreeg tranen in haar ogen.

De eigenaar van de drukke broodjeszaak in Soho klopte met zijn lange mes op de witte broodplank. 'Wat mag het zijn, mop? Ciabatta? Bruin? Stokbrood? Toast?' Hij keek Charlie over de hoge glazen toonbank aan terwijl zij haar ogen liet gaan over de ovale stalen schaaltjes met beleg en op haar lip beet.

Eerder die dag had ze Daniel gebeld om over de plannen voor Up Beat te praten, maar hij was met een fotosessie bezig en ze had ermee ingestemd met hem te gaan lunchen als hij eindelijk klaar zou zijn. Ze had nog steeds last van de drugs en dat, vermengd met de terugkeer van Philippa, maakte dat ze best een oppeppertje kon gebruiken. Bovendien wilde ze hem graag haar verontschuldigingen aanbieden voor haar gedrag op vrijdagavond. Maar eenmaal in de studio bleek Daniel volledig op te gaan in een shot en hij wuifde haar weg. 'Tien minuutjes, dan kom ik er aan,' zei hij. Ze had in de schaduw staan loeren hoe hij de ballonnen op de set herschikte en hem mateloos bewonderd. Ze was nog helemaal in sprookjesland toen hij zich omdraaide en haar een oogverblindende glimlach toewierp.

'Ik ben uitgehongerd,' zei hij. 'Kun jij misschien even naar buiten wippen en een broodje voor me halen?'

Charlie onderdrukte haar teleurstelling, evenals de plannen voor een intieme lunch. 'Wat wil je hebben?'

'Maakt niet uit.'

En nu stond ze voor het grootste dilemma ter wereld. Wat moest ze nemen? Het moest indruk op hem maken en toch smakelijk zijn. Gerookte zalm was te riskant, brie meer iets voor meisjes en bovendien had ze maar weinig geld. Daniel had haar geen geld gegeven, maar toch moest ze twee broodjes kopen zodat ze die van haar met hem samen kon opeten, en dan moest ze ook nog iets te drinken meenemen.

'Wat vind je van bacon met avocado?' vroeg de broodjesman, die het smeuïge mengsel al uit de vitrine begon te halen.

'Nee, wacht!' zei ze. Ze tikte tegen haar lippen en wou dat ze kon ophouden met dat zielige gedoe.

'Het is voor een vriend,' stamelde ze terwijl de bak weer werd teruggezet in de uitsparing waar hij vandaan kwam. De rij achter haar was nu zo groot dat er mensen buiten moesten wachten, en haar tijd begon op te raken.

'Zal ik eerst even iemand anders helpen?'

'Nee, geef me dat maar,' zei ze paniekerig terwijl ze naar het dichtstbijzijnde mengsel wees. Het leek op spinazie, ricotta en nog iets. Het moest maar. 'En een ciabatta.'

'Hè, hè,' mompelde de man terwijl hij het mengsel op het brood lepelde. Charlie keek nerveus toe. Er zat te veel mayonaise in, zo te zien.

Opgejaagd klemde ze het bruine papieren zakje tegen zich aan en holde terug naar de studio. Ze had beter twee verschillende broodjes kunnen nemen, zodat ze met Daniel kon ruilen als hij deze niet lekker vond. Dit was niks.

Rob, de fotograaf, was met Daniel aan het ruziën toen Charlie terugkwam op de set, en het duurde eeuwen voor hij haar zag. Daniel haalde beide handen door zijn haar en vertrok zijn gezicht in een imitatie van ergernis.

'Hoe gaat het?' vroeg ze.

'Alles moet over en Rob wordt compleet gek. Vind je het erg als we de lunch overslaan?'

'Nee, nee, maak je geen zorgen,' zei Charlie overdreven, en ze gaf hem het broodje. 'Ik hoop dat je het lekker vindt.'

'Zie ik er daar nog een in dat zakje? Die kan Rob wel gebruiken, hij is ook uitgehongerd.'

Daar ging haar lunch!

'Moet je horen, de rest van de dag zit ik tot over mijn oren in het werk. Is dat gedoe met Up Beat urgent?'

'Ja, maar ik wil het er alleen maar even met je over hebben.'

Daniel pakte het broodje uit en beet erin, zonder op het beleg te letten. Zijn ogen waren op de set gericht, zijn gedachten elders.

'Waarom kom je straks niet even bij me langs?'

'Naar je huis?'

'Het is het enige gaatje dat ik over heb en ik denk niet dat ik daarna nog op kantoor kom.'

'Weet je het zeker?'

Daniel glimlachte tegen haar en ze bloosde. 'Natuurlijk,' zei hij. Toen legde hij het broodje op een kruk en liep weg.

Philippa sloeg de deur van haar nieuwe Mercedes zo hard dicht dat het galmde om de betonnen pilaren van de ondergrondse parkeergarage.

'Ik moet even met je praten,' zei Bandit, die bij de lift stond te wachten. Hij stopte zijn hand in zijn zak en rammelde met zijn sleutels terwijl Philippa naar hem toe kwam lopen.

'Wat nu weer?' vroeg ze terwijl ze op het liftknopje drukte.

'Drie keer raden,' zei hij kwaad. 'Hoe durf je Charlie die promotie te geven? Je had het mij beloofd.'

'Ik heb je helemaal niets beloofd.'

'Maar die actie in de krant, dan? Die deal met de *Reporter* is een goudmijntje, en als ik daar geen contacten had gehad, was het nooit doorgegaan. Ik verdíén promotie.'

'Die contacten van jou ken ik,' zei Philippa alsof het hele gedoe haar geen bal interesseerde. 'Simon en ik vonden Charlie op dit moment een betere kandidate voor promotie.'

'Jezus, waarom zij? Ik heb me uit de naad gewerkt voor dit bureau,' zei hij bombastisch en met een woede die door de hele garage weerkaatste.

Philippa stak haar hand op. 'Als ik jou was, zou ik nu mijn mond maar houden. Je werkt niet harder dan de anderen, David.' De liftdeuren gingen open. Ze draaide zich naar hem om en voor ze instapte keek ze hem recht aan. 'Als, of misschien moet ik zeggen: mits je de aanwinst blijkt te zijn die je denkt dat je bent, zullen we je positie opnieuw bekijken.'

'Dat is onfair!'

'Wie zei dat het leven fair moet zijn?' zei Philippa terwijl ze in de lift stapte, vlak voor de deuren dichtgingen.

Bandit schopte in de lucht voor de lift en al zijn opgekropte woede uitte zich in een harde brul. Toen rechtte hij zijn rug en trok zijn jasje recht. 'Nou, je kan de pot op. Iedereen kan de pot op!'

Rich liep voor de hoofdkassa van het Barbican te ijsberen, wachtend op Pix. Hij had er uren over gedaan om te besluiten wat hij zou aantrekken en nu hij omlaag keek naar zijn geperste katoenen broek en zijn geruite overhemd, wou hij dat hij wat avontuurlijker was geweest. Hij speelde met de reep Belgische chocolade die in zijn greep aan het verslappen was en bedacht dat Pix hem waarschijnlijk saai en ouderwets zou vinden. Hij keek kreunend om zich heen. Het stond er vol met groepjes oudere mensen die het over fietsen langs de Loire, kinderen, kleinkinderen en aanverwante zaken hadden.

'Dames en heren, we verzoeken u naar de concertzaal te gaan. Het concert van vanavond begint over drie minuten.' Rich tikte met het programma tegen zijn benen en keek om zich heen om te zien of zijn brutale metgezellin al was gearriveerd. Toen zag hij haar naar de theaterposters kijken en de teksten over de zomervoorstellingen lezen. Ik wist het, dacht hij. Ik had kaartjes voor het theater moeten kopen. Hij begon opeens te twijfelen of deze avond wel zo'n succes zou worden.

Misschien had Charlie wel gelijk. Hij was veel te serieus, maar aan de andere kant was hij nog steeds kwaad over de ruzie die ze de vorige avond in de supermarkt hadden gehad.

'Het zijn waarschijnlijk de naweeën van het weekeinde,' had ze humeurig gezegd terwijl ze een rol chocoladekoekjes in het karretje smeet.

Rich keek op van zijn zorgvuldig opgestelde lijstje. 'Wat bedoel je?'

'Niks.'

Hij keek naar haar grauwe gezicht en er begon hem opeens iets te dagen. 'Wat heb je gebruikt?'

'Dat wil je niet weten.'

'Xtc? Cocaïne? Dope? Wat was het?'

Charlie zweeg.

'Nou?'

Charlie knikte somber.

Rich hield het karretje tegen. 'Charlie!'

'Zit me niet zo op mijn huid. Ik heb het je niet verteld omdat ik geen preek wilde, en die wil ik nog steeds niet.'

'Ik heb er alle recht toe om je op je huid te zitten.'

'Nee, dat heb je niet.' Charlie keek hem woest aan.

'Ik dacht dat je meer respect voor jezelf had. Geen wonder dat je het hele weekeinde hebt geslapen en je zo belazerd voelde.'

Ze had kunnen weten dat Rich het niet zou begrijpen.

'Ik wil niet dat je je in de luren laat leggen door mensen die drugs gebruiken.'

Charlie greep het karretje beet. 'Laat me met rust,' zei ze. Een van de wieltjes van het karretje kwam vast te zitten en kreunend van frustratie gleed ze naar de zuivelafdeling.

Ze spraken pas weer met elkaar bij de kassa, toen Rich hun boodschappen in tassen deed en Charlie hem toevallig aankeek.

'Lastig wijf,' plaagde hij.

'Wie is er hier nu lastig?' zei ze verontwaardigd terwijl ze hem met een struik bleekselderij begon te meppen.

'Jij.'

'Niet waar, jij.'

Hoofdschuddend zei hij: 'Nietes.'

'Nietes.'

'Welles.'

'Ha! Ik heb gewonnen!' lachte Charlie.

Pix draaide zich om en keek Rich, die boven aan de brede trap stond, aan. Rich zwaaide naar haar met de programma's en zag haar huppelend de trap af komen. Toen ze dichterbij was, hoorde hij haar exotische oorbellen klingelen.

'Ik ben hier nog nooit geweest,' zei ze met glanzende ogen. 'Geweldig is het hier, zoveel ruimte.' Ze strekte haar dunne armen uit. 'Wist je dat ze hier een botanische tuin hebben, bijna net zo groot als Kew Gardens, en een enorme bibliotheek? Er is hier zoveel te doen, ongelooflijk.'

Rich liet haar enthousiasme langzaam tot zich doordringen en zette zijn twijfels van zich af terwijl hij haar voorging naar de stallesplaatsen van de concertzaal.

Ze droeg een eenvoudige katoenen jurk die een tatoeage op haar linkerenkel vrijliet. Rich was gefascineerd. Bij tatoeages zag hij algauw iemand met een wild verleden voor zich, iemand uit de onderwereld en die verboden dingen in openbare toiletten deed.

'Ik was zeventien,' zei ze, alsof dat alles verklaarde.

'Waarom heb je het laten doen?'

Pix wreef liefkozend over de panterkop. 'Ik probeerde indruk te maken op een jongen op wie ik verliefd was. Dit was een wanhopige poging zijn aandacht te trekken.'

'En, is het gelukt?' vroeg Rich.

'Ja,' lachte ze. 'Hij moest me van de tatoeagewinkel naar huis dragen toen ik flauwviel van de pijn!'

Toen het orkest met stemmen begon en de lichten in de zaal doofden, leunde Pix achterover in haar stoel, vouwde haar benen onder zich en staarde naar het podium als een kind dat naar een poppenkastvoorstelling kijkt. De dirigent schreed vorstelijk naar voren op het beleefde openingsapplaus, boog op het podium en stelde de pianist voor aan het publiek. Pix wierp een blik op Rich, haar ogen vol verwachting, en hij legde zijn hand op haar arm.

Het was tijden geleden sinds Rich met iemand uit was geweest die zo weinig op de hoogte was van de culturele etiquette als Pix. Hij moest haar bijna tackelen om te voorkomen dat ze in haar eentje een staande ovatie hield tussen twee delen van het eenentwintigste pianoconcert van Mozart door. Maar wat hem het meest in haar ontroerde was dat haar gezicht iedere emotie die ze voelde ongegeneerd tot uitdrukking bracht, en tijdens het adagio draaide ze zich met grote ogen naar hem om. 'Hier krijg ik kippenvel van,' fluisterde ze terwijl ze hem haar onderarm toonde.

Aan het eind van het concert applaudisseerde ze zo hard dat haar handen vuurrood werden en toen het tijd was om afscheid te nemen, waren ze nog steeds rood. Rich bood aan een taxi te bestellen en haar terug te brengen naar Brixton, maar Pix was onvermurwbaar en stond erop met de metro te gaan.

'Bedankt dat je me hebt uitgevraagd, het was een uitgelezen

concert,' zei ze, zijn ernst imiterend. 'Het was prachtig. Sorry als ik je de hele avond de oren van het hoofd heb gezeurd.'

'Ik heb met plezier geluisterd.' Rich beantwoordde haar glimlach. Ze was zo fris. Ze maakte zich geen moment druk om de vraag of ze zich anders moest voordoen dan ze eigenlijk was.

'De volgende keer neem ik jou mee uit,' zei ze.

'Ik sta tot je beschikking.'

'Dan neem ik je mee naar een festival. Oké?'

'Wat voor festival?'

Pix streelde zijn wang, alsof ze daarmee zijn sceptische uitdrukking kon wegvegen. 'Maak je geen zorgen. Vertrouw me maar.'

In het licht van de straatlantaarns keek hij naar haar opgeheven, aardbeikleurige lippen, kuste ze kort en omhelsde haar.

'Je bent geweldig,' zei Pix met haar oor tegen zijn overhemd.

Knauwend op haar nagelriemen liet Charlie haar ogen over de rijen met flessen wijn bij Oddbins gaan. Waarom had ze de laatste tijd zo'n moeite met het nemen van besluiten? Ze had er nooit bij stilgestaan dat het zoveel spanningen zou opleveren om indruk op Daniel te maken.

Ze vond het een crime om wijn uit te zoeken en de etiketten brachten niet veel uitkomst. Er zou op moeten staan: 'Deze medium-droge wijn is fantastisch als je indruk wilt maken op een potentiële vrijer' of 'Laat je niet afschrikken door de sjieke naam. Door deze wijn denkt men dat je even gauw de laatst overgebleven fles van je laatste feestje hebt meegenomen.' Was het maar waar. Ze bleef aarzelend voor de wijnen van vijf pond staan. Ze kon natuurlijk gewoon een dure wijn nemen, maar dan zou het lijken of ze te veel haar best deed en bovendien zou haar chipknip dan waarschijnlijk weigeren. En dan was er nog de netelige kwestie wit of rood. Daniel zou misschien de voorkeur geven aan wit, omdat het zo'n mooie avond was, maar als ze gingen eten, zou rood waarschijnlijk beter zijn. Ze zuchtte van ergernis, koos ten slotte voor een fles dure Australische Chardonnay, en hoopte er maar het beste van toen ze voor de zoveelste keer met plastic geld betaalde.

De voormalige stallen waar Daniel woonde, waren een oase van ouderwetse rust tussen vorstelijke Georgiaanse huizen in een lommerrijke tuinstad in Noord-Londen. Ze vouwde de pagina op die ze uit de A-Z van kantoor had gescheurd en parkeerde de Mazda aan het eind van de straat. Terwijl ze op de kinderhoofdjes liep en naar de goed onderhouden bloembakken keek die baadden in de avondzon, merkte ze dat ze nerveus werd. Als Daniel hier woonde, wat zou hij dan denken van haar etage in Battersea? In vergelijking met dit hier was dat maar een schamel onderkomen.

Ze keek op het papiertje dat Daniel haar had gegeven en drukte op de bel naast de mediterraanblauwe deur terwijl ze de bedwelmende geur van kamperfoelie inademde die langs een latwerk aan de witgekalkte muur groeide.

Daniel verscheen in de deuropening, een bierblikje in zijn hand. Zijn haar zat in de war en hij droeg een T-shirt en een verschoten spijkerbroek. Charlie keek even naar zijn bruine voeten met de schone roze nagels. Ze kon ze wel zoenen. Hij was zo knap. Hij glimlachte tegen haar en zijn lippen glansden op een manier die Brad Pitt niet zou misstaan.

'Welkom in mijn nederige stulp. Wees een beetje voorzichtig vanwege Benson,' zei hij terwijl hij zachtjes de deur opendeed.

'Benson?'

'Mijn rottweiler,' legde hij uit en verdween achter de deur.

Fantastisch. Als ze een lijstje moest aanleggen met 'leuke dingen' dan bungelde het in aanraking komen met een psychotische hond daarop, ergens helemaal onderaan, samen met volleyballen en de tandarts.

Ze klopte aarzelend op de deur, die meteen wijdopen zwaaide. Daniel zat grijnzend op zijn hurken naast een chocoladebruine labrador-puppy die over de geboende houten planken heen en weer gleed, Daniels hand likte en opgetogen jankte.

Daniel keek naar haar op en zag de opluchting en verwarring over haar gezicht glijden.

'Rotjong!' Blozend liep Charlie de gang in. 'Ik schrok me dood!' Ze gaf Daniel een duw zodat hij lachend achteroverviel. Benson rende op haar af, sprong over Daniels voet, en Charlie pakte de hond op waardoor ze overal op de turkooizen jurk die ze een paar uur daarvoor in de consternatie bij Jigsaw had gekocht, pootafdrukken kreeg.

'Kom op, dan laat ik je het huis zien,' zei Daniel terwijl hij tegen de voordeur schopte die met een huiselijke dreun dichtviel.

De 'nederige stulp' bleek een volledig nummer van *Homes and*

Gardens waard. IKEA kan wel inpakken, dacht Charlie terwijl ze op weg naar de keuken een kamer in keek. Gekleurd licht viel in strepen door een bovenlicht van glas-in-lood op het witte meubilair, waardoor de kamer de sereniteit van een kapel kreeg. In de hoek zag ze een gietijzeren wenteltrap en ze voelde een scheut van opwinding toen ze zich afvroeg of die misschien naar de slaapkamer leidde.

In de keuken liet Charlie de hond uit haar armen glippen en hees zich op een chromen barkruk terwijl Daniel de wijn die ze had meegenomen uitpakte. Hij keek naar het etiket, deed de koelkast open en zette de fles in de koelkast, naast de melk. Toen bood hij haar een biertje aan.

'Hoe ging de fotosessie?' vroeg Charlie terwijl ze haar ellebogen op de glimmende houten bar zette. Ze werd opeens zenuwachtig, alsof ze niet had moeten komen.

Daniel haalde een hondenkoekje tevoorschijn en gaf het aan Benson. 'Het is allemaal goed gekomen. Wat is er met Up Beat?'

Charlie vertelde over het voorbehoud dat Philippa had en vertelde hem dat de ontwerpen tegen het eind van de week klaar moesten zijn om te zorgen dat de deadlines werden gehaald, waarbij ze zich uitgebreid verontschuldigde voor de extra werkdruk.

'Geen punt,' zei Daniel. 'Dat red ik wel.'

Charlie keek hem met een onbeschaamd verlangen aan. Nu ze hem in zijn eigen huis zag, leek hij zo echt. Ze volgde hem naar de zitkamer en zag hoe hij een smalle afstandsbediening van de glazen salontafel pakte.

'Het spijt me van vrijdag. Ik ben het niet gewend om zoveel tegelijk te gebruiken.'

Daniel drukte een knopje op de afstandsbediening in en de stereotoren barstte los. 'Het geeft niet. Als je je maar geamuseerd hebt.'

Hij voerde haar door de dubbele deuren naar een ommuurde tuin. 'Wat mooi. En wat een zon.' Ze ging op een rieten schommelstoel zitten met Benson aan haar voeten. Tegen de muur groeide paarse clematis.

'Leuk, hè? Ik vind het vooral zo'n prettige tuin omdat ik alle privacy van de wereld heb. Ik kan zelfs in m'n blootje zonnebaden.'

Charlie zuchtte in zichzelf bij de gedachte. 'Doe je dat vaak?'

'Soms. Kom er maar een keertje bij zitten.'

'Daar hou ik je aan, hoor.'

'Was er nog iets anders over Up Beat dat je wilde bespreken?'

Ze ging rechtop zitten terwijl het bloed haar naar de wangen steeg. Daniel had het comfortabele tapijt van gepraat over koetjes en kalfjes onder haar vandaan getrokken door over werk te gaan beginnen.

'Nee. Ik hoop alleen dat we het redden.' Ze zweeg even. 'Hoe vind je het op Bistram Huff?'

Daniel haalde zijn schouders op. 'Redelijk. Het is een prettig bedrijf en mijn salaris houdt me van de straat. En jij?'

Charlie was meestal nogal terughoudend waar het haar werk betrof, maar zoals ze daar zaten, ontspannen in het avondzonnetje, liet Daniel al haar scrupules als sneeuw voor de zon verdwijnen.

'Het is een leuk team, hè?'

Charlie lachte. 'Ja. Maar ze zijn op dit moment wel allemaal gek van voetbal.'

Daniel stond op en krabbelde achter Bensons oren. 'Hou je niet van voetbal?'

'Gaat wel. Ik kan leukere dingen bedenken.'

Daniel ging naast haar op de schommelstoel zitten. 'Zoals?'

Charlie haalde haar schouders op. Hij was zo dichtbij dat ze er bijna bang van werd. Zijn arm was nu achter haar en hij keek haar indringend aan. Hij boog zich over haar heen en streelde een plukje van haar haar. 'Je bent vast heel sensueel,' zei hij.

Ze hield haar hoofd schuin. 'Jij niet dan?'

'Wat denk je?'

Dit was het. De kans van haar leven. Ze kon niet langer wachten. Ze boog zich naar hem toe en kuste zijn zachte lippen, terwijl ze haar ogen sloot en al haar zintuigen begonnen te zingen op de geur van zijn aftershave en de druk van zijn sterke armen, die haar nu in zijn omhelzing trokken.

Ze trok zich terug. 'Volgens mij ben je aardig sensueel,' fluisterde ze.

'Aárdig sensueel?' Hij boog zijn hoofd en kuste haar opnieuw. Deze keer voelde ze haar knieën knikken en ze hield haar adem in toen hij aan haar lippen begon te knabbelen en zijn tong met die van haar begon te dansen. Ze had nog nooit een man gehad die zo goed kon zoenen als hij.

'Daniel, Daniel,' mompelde ze terwijl hij haar neus en haar oogleden kuste en ze hem hoorde kreunen van verlangen.

Toen hield hij plotseling op. 'Wat is er?' vroeg ze gealarmeerd.

Daniel keek op zijn Rolex. 'Het is tijd voor de wedstrijd. Ik was het bijna vergeten.'

'Welke wedstrijd? Wat?' Ze stond op, behoorlijk in de war.

'Er komen een paar maten van me naar de halve finale kijken. Ik zie je morgen,' zei hij terwijl hij door de keuken liep en de voordeur opende. Hij glimlachte en gaf een tikje op haar neus. 'Doei,' zei hij, en daar stond Charlie weer, tussen de voormalige stallen. Ze keek achterom naar de blauwe deur en vroeg zich af wat er in godsnaam gebeurd was.

In de Crown and Sceptre zette Bandit pilsjes op tafel terwijl hij tegelijkertijd twee zakjes chips tussen zijn tanden vasthield. Bob Grafton keek hem glimlachend aan en wreef zich over het voorhoofd.

'Vertel nou eens wat er aan de hand is,' zei Bandit terwijl hij het bezorgde gezicht van Bob afzocht.

'O, niks.'

'Ja, en ik ben Sneeuwwitje.'

Bob nam een teug van zijn biertje en likte zijn lippen af. 'Kweenie. Het werk en zo.'

'Ja, en?'

Bob keek hem schaapachtig aan. 'Amanda.'

'Aha.'

Amanda, de vrouw van Bob, was zo'n beetje de lastigste echtgenote van heel Londen.

Bob nam een grote slok bier en zei toen: 'Ze zit me op de huid, want ze vindt dat ik niet genoeg aandacht aan haar besteed. En ze heeft wel een beetje gelijk. Ik ben nogal aan de boemel geweest, om eerlijk te zijn.'

'*Quel surprise!*'

'Je weet toch hoe dat gaat. In het weekeinde ben ik met de jongens naar Amsterdam geweest, maandag was er een afscheidsborrel voor CJZ en dan gisteravond feestje van BKF. Jezus, we waren me toch een potje zat. Om drie uur werden we de Light of Nepal uitgesmeten. Rampzalig.'

'Nou en?' Bandit gaf hem een klap op zijn schouder. 'Kijk niet zo somber, dit bent je toch gewend?'

Bob vermeed het hem aan te kijken. 'Je hebt gelijk.'

Bandit nam een slokje bier. 'Maar wat zit je dan dwars?'

'Ach, niks. Het is niet belangrijk.'

'Kennelijk wel.' Bandit legde zijn hand op Bobs schouder. 'Hoor eens, we zijn al jaren met elkaar bevriend. Als je iets aan me kwijt wilt... ik ben een en al oor... vuur maar af. Ik zeg nooit wat. Dat weet je.'

Er viel een korte stilte. Bandit glimlachte meelevend, maar toen Bob een andere kant op keek, wist Bandit dat hem echt iets dwars zat. 'Je bent een stoute jongen geweest, hè?' zei hij langzaam.

Bob zette zijn glas neer en bedekte zijn gezicht met zijn hand.

Bandit glimlachte. 'Hoor eens, zo erg is het niet. Aan mij kun je het wel kwijt. En ik zou het maar meteen doen, ik zie al zo'n beetje wat er aan de hand is.'

'Beloof je dat je er met niemand over zult praten?'

Bandit rolde met zijn ogen. 'Bob!'

Bob keek bleekjes op. 'Als dit ooit uitkomt, ben ik er geweest. Als Amanda het wist, was dat het einde van ons huwelijk.'

'Is het zo erg?'

'Zo erg is het.'

Bandit schoof wat dichterbij terwijl Bob zijn hoofd schudde en naar zijn halflege glas keek.

'Ik ben zo'n klootzak geweest.' Hij haalde diep adem en blies vermoeid zijn adem weer uit. 'Ken je Caroline van Rectangle?'

Bandit knikte. Rectangle was een bureau dat bekendstond om de mooie vrouwen die er werkten en hij had Caroline niet gezien op de softbalwedstrijd tussen de verschillende promotiebureaus van de afgelopen week. Hij herinnerde zich dat ze altijd een strak wielrenbroekje droeg en dat ze een mooi achterwerk had. 'Nu je het zegt, ik weet wie je bedoelt.' Hij glimlachte.

'Ze is zwanger.' Bob keek toe hoe Bandit begon te proesten en zich in zijn biertje verslikte.

'Dat meen je niet!' Bandits ogen vielen bijna uit zijn hoofd.

Bob knikte, zijn grappige gezicht één brok ellende. 'Ik heb haar versierd na dat feestje met die botenwedstrijd bij Dynamic Marketing,' gaf hij toe.

'Jíj hebt háár versierd?'

'Beloof je dat je hier nooit over zult praten?' vroeg hij nog eens aan Bandit, die zijn hand op zijn hart legde. 'Jij bent de enige die het weet.'

'Nooit, ik beloof het. Jezus! Zwanger?'

'Ze wil het houden.' Bob wreef in zijn ogen.

'Godver!'

'Zeg dat wel.'

'Wat ga je doen?'

Bob leegde zijn glas. 'Geen idee.'

Bandit raakte troostend zijn arm aan. 'Maak je geen zorgen, beste vrind, we vinden er wel wat op.' Hij wees op het lege glas en Bob knikte. Bandit liep naar de bar.

Nog een paar biertjes en heel wat medeleven later kwamen ze uiteindelijk op het onderwerp zaken terecht.

'We zijn bezig met een enorme promotie voor Up Beat,' zei Bandit. 'Een actie met kraskaartjes in de *Reporter*.'

Bob snoof. 'Hoeveel kaartjes?'

'Vijf miljoen.'

Bob floot.

'We hebben een scherpe prijs nodig. Denk je dat je dat zou lukken? Ik zou het fantastisch vinden als jij de deal zou krijgen. Je kunt wel een meevallertje gebruiken.'

'Laat het maar aan mij over,' zei Bob. 'Ik doe mijn uiterste best.'

Charlie zat aan de keukentafel in een tijdschrift te bladeren met een moddermasker op haar gezicht. 'Ik weet het nu. Ik ga het voedselcombinatiedieet volgen en daarna neem ik een darmspoeling,' zei ze.

Rich zat op handen en knieën naar de wasbol te zoeken in het gootsteenkastje. 'Goed idee. Dan raak je die troep misschien kwijt,' zei hij waarna hij zijn hoofd stootte omdat hij omhoogkwam.

Charlie hield haar gezicht vast en giechelde: 'Je moet me niet zo aan het lachen maken. Het doet pijn.'

Rich stopte zijn vuile overhemden in de wasmachine. 'Je lijkt wel gek.'

Charlie staarde hem door de lichtbruine gaten in het masker aan. 'Helemaal niet. Hij valt niet op me omdat ik te dik en te lelijk ben. Waarom heeft hij me er anders uit gedonderd? Misschien stink ik wel uit mijn bek.'

Rich stiet sussende geluidjes uit. Hij had de bol niet gevonden en goot de dikke vloeistof dus maar rechtstreeks op de overhemden. 'Welnee.'

'Je snapt het niet. Het is zo vernederend. Ik heb me in zijn armen geworpen en hij heeft me afgewezen. Hij kon me niet snel genoeg zijn huis uit werken.'

Rich smeet het deurtje van de wasmachine dicht en morrelde wat aan de programmaknop. 'Misschien heb je het wel helemaal mis. Misschien wil hij niet met je naar bed omdat hij de relatie langzaam op gang wil brengen. Zodat jullie elkaar eerst beter leren kennen.'

Charlie brak een stuk chocolade van de reep die op tafel lag en probeerde het in haar mond te stoppen, maar het masker begon op te drogen en scheuren te vertonen. 'Kom nou. Zo denken mannen niet.'

Rich drukte op het 'aan'-knopje en keek door het halfdoorzichtige plastic naar zijn was. 'Je hebt te vaak met Kate gesproken.'

'Wat vind jij dan dat ik moet doen?'

Hij stond langzaam op nadat de wasmachine zich met water had gevuld en ging tegenover haar zitten. 'Om te beginnen: ontspan je. Laat de dingen komen zoals ze gaan en wees niet zo ongeduldig. Geef het een paar maanden de tijd.'

'Maanden! Tegen die tijd ben ik dood.'

Rich zuchtte geïrriteerd. 'Dan is de beste manier om hem in bed te krijgen het afwijzen van zijn avances. *Hard to get* spelen.'

Charlie knikte en keek hem aan. 'Denk je dat hij verliefd op me zou kunnen worden?' vroeg ze met een klein mondje door de opdrogende modder.

Rich lachte haar lief toe en nam haar hand. 'Als hij je nu zou zien? Waarschijnlijk niet, maar aan de andere kant denk ik dat het daar om gaat – liefde betekent ook van iemand houden als ze onzeker is, onder de modder zit en op chocolade sabbelt.'

'Nooit van mijn leven.'

Rich liet haar hand vallen en keek een andere kant op. Zijn hart ging net zo tekeer als de wasmachine. 'Vergeet niet dat je het bad hebt laten vollopen,' zei hij. Waarom had hij nog steeds niet het juiste moment gevonden om Charlie over Pix te vertellen?

Charlie keek omhoog naar de kantoorklok aan de muur. 'God, is het nu al tijd?' Ze had het zo druk gehad met het klaarmaken van de eindversie voor Up Beat dat ze niet had gemerkt dat het al zaterdagmiddag vijf uur was.

'Straks mis ik de voetbaluitslagen nog,' zeurde Pete.

'Wegwezen dan, jongen!'

Pete pakte zijn autosleuteltjes op. 'Je blijft toch niet al te lang doorwerken, hè?'

'Nee, ik werk dit nog af en dan fax ik het door aan de juridische afdeling zodat ze hem maandagmorgen meteen hebben, en dan ben ik klaar! Heel erg bedankt voor je hulp. Ik ben blij dat ik op je kan steunen.'

Pete glimlachte: 'Ik weet dat Bandit een ramp is, maar dat komt wel goed. Hij is een klein hondje dat erg hard blaft.'

'Ik hoop het,' zei Charlie. Ze had geprobeerd het met Bandit goed te maken voor het feit dat ze promotie had gekregen, maar hij was de boel nog steeds aan het versjteren en erg bokkig en ze wist zeker dat hij ergens op broedde.

'Dag,' zei Pete terwijl hij naar de deur liep.

'O, Pete?'

Hij draaide zich om in de deuropening.

'Wat was de uitslag van de wedstrijd van donderdagavond?'

'Welke wedstrijd?'

'De halve finale van het Europese kampioenschap of zoiets.'

Pete haalde zijn schouders op. 'Je hebt het vast mis. Er waren donderdag geen wedstrijden en de halve finale is nog lang niet.'

Charlie zette haar hoofd in haar hand en keek perplex uit het raam. Waarom had Daniel tegen haar gelogen? Misschien had Rich gelijk en had hij een smoes verzonnen om tijd te rekken. En hij wist dat ze erachter zou komen dat hij had gelogen, want het was wel erg duidelijk. Ze moest er maar niets achter zoeken. Daniel wilde kennelijk dat de eerste keer iets bijzonders zou zijn. Ze moest in deze belangrijke fase maar een beetje plezier hebben en onder geen voorwaarde met hem naar bed gaan. Als het dan eindelijk zou gebeuren, zou het zoveel meer betekenen.

Ze belde naar huis om Rich te kunnen spreken en glimlachte toen het rare bericht klonk dat zij en Rich hadden ingesproken met als achtergrond de tune van *The Man From Uncle*. Ze liet een boodschap achter en belde Kate om een praatje te maken, maar ook zij was niet thuis.

Typisch. Alle anderen hebben een eigen leven, dacht ze terwijl ze naar de printer liep en haar spijkerrokje gladstreek.

Opeens stond Daniel achter haar. 'Hé, stuk,' zei hij. Hij had zijn armen vol scans en proefmodellen.

Laat je niet kennen, waarschuwde ze zichzelf terwijl ze zich omdraaide om hem aan te kunnen kijken. 'Ik dacht dat je al eeuwen weg was,' zei ze.

'Deze dingen hebben me langer gekost dan ik had gedacht, maar je weet: talent mag niet achter de broek gezeten worden!'

Daniel grijnsde tegen haar en ze rolde met haar ogen om zijn arrogantie. 'In dat geval gaan we naar de vergaderkamer, dan kan ik ze even zien,' zei ze terwijl ze hem voorging. Wat een lef om zo prachtig te zijn!

Daniel spreidde de ontwerpen uit op de glazen tafel en ging achter haar staan terwijl ze praatten. Maar al snel voelde ze zijn hand licht in haar taille rusten en zijn mond verleidelijk dicht bij haar oor.

'Weet je zeker dat iedereen weg is?' vroeg hij.

Ze schrok van zijn aanraking en was te opgewonden door zijn nabijheid om te kunnen spreken. Ze knikte, haar hand aarzelend bij haar hals.

'Mooi.' Hij haalde een pakje cocaïne tevoorschijn en zwaaide ermee voor haar neus. 'Ik heb dit altijd al op de vergadertafel willen doen.'

Charlie keek om zich heen. 'Dat mag niet.'

'Ik dacht dat je mijn handlangster was,' zei hij uitdagend.

Ze beet op haar lip. 'Je bent een stoute jongen.'

Daniel lachte en maakte twee lijntjes op de tafel. 'Dit is nog maar het begin.'

Charlie keek toe en wilde haar vingers door zijn haar halen. Haar hart bonkte van opwinding en angst, maar ze was dol op die rol als Daniels handlangster. Toen de cocaïne begon te werken, voelde ze zich opeens stoutmoedig worden en ging ze dichter bij Daniel staan. Zag hij dan niet dat ze brandde van verlangen? Ze probeerde zich haar besluit te herinneren om zich niet in de luren te laten leggen, maar de bijna knetterende chemie tussen hen deed dat besluit verbleken. Ze draaide zich om om zich aan de tafelrand vast te houden.

'Goed dan, ik wil je graag het een en ander uitleggen over mijn ontwerpen,' mompelde Daniel terwijl hij achterlangs zijn arm om haar middel legde.

'O?' zei ze schor.

'Uh huh,' antwoordde Daniel.

Wat gebeurt hier in godsnaam, hou hem tegen, speel *hard to get*, dacht ze, maar haar knieën werden al week en ze hoorde zichzelf kreunen terwijl hij haar schouder kuste en zijn handen als zijde onder haar T-shirt voelde kruipen.

Ze verstijfde door de spanning die zijn aanraking veroorzaakte. 'Vertrouw me maar, ze zullen je zeker bevallen,' fluisterde hij terwijl hij zijn vingers onder het elastiek van haar katoenen bovenstukje wriemelde en de zachte ronding van haar borst aanraakte.

'Tot nog toe heb je me niet teleurgesteld,' zei ze ademloos, te bang om de magie van het moment te verbreken. Haar tepels schreeuwden om zijn aanraking en ze drukte ze tegen hem aan toen hij ze vond en de harde bobbels tussen zijn vingertoppen liet rollen.

Langzaam draaide Daniel haar om terwijl zij zijn gezicht pakte en probeerde hem te kussen.

'Ah, ah!' zei hij plagend terwijl hij de papieren uit de weg schoof. Hij bleef haar aankijken terwijl hij haar schoenen van haar voeten liet glijden en haar naar achteren duwde tot ze op de tafel zat met haar armen achter zich.

'Daniel!' zei ze waarschuwend. Hij was bezig haar rok omhoog te schuiven. Als ze nu eens werden gesnapt? Ze zouden allebei hun baan verliezen. Maar Daniel trok zijn wenkbrauwen tegen haar op en daagde haar uit om te protesteren.

'Wil je niet weten wat ik in mijn hoofd heb?' vroeg hij. Hij keek haar nog steeds aan terwijl hij zich vooroverboog om de binnenkant van haar dijen te kussen. 'Ik weet zeker dat dit concept je wel zal bevallen.' Hij ging verder omhoog en ze spande zich verwachtingsvol. 'En bij mijn favoriete concepten doe ik altijd extra mijn best,' mompelde hij tussen twee kussen in.

Ondanks zichzelf voelde Charlie haar angsten wegsmelten bij elke opwindende aanraking van zijn lippen, de cocaïne deed haar hersenen zoemen en haar zintuigen de sensatie volledig ondergaan. Haar benen trilden toen hij de zoom van haar katoenen broekje bereikte. Daniel glimlachte en stopte.

'Ik zal het je laten zien,' zei hij. Gnuivend van verrukking bekeek hij haar gespreide benen, en ze dankte God op haar blote knieën dat ze de vorige avond haar bikinilijn had geschoren!

Daniel haalde zijn pen uit zijn zak. Hij deed de dop eraf en begon op de binnenkant van haar benen te tekenen, onderwijl sprekend over zijn ontwerpen. Charlie sloot haar ogen terwijl de pen haar streelde en haar tot razernij bracht van opwinding. Ze deed haar ogen open, probeerde hem te bereiken en hem naar zich toe te trekken, maar hij trok zich terug en deed zachtjes de dop weer op de pen. Ze keek omlaag en lachte toen ze de schunnige tekeningen van copulerende paartjes zag.

'Wat ik wil weten is hoe ver je zult gaan om mijn ontwerpen te steunen.'

Dit was het. Ze kon nu niet meer terug. Ze gleed naar de rand van de tafel, greep hem bij zijn gezicht en kuste hem.

'Hoe ver?' mompelde Daniel.

Ze maakte zijn riem en het bovenste knoopje van zijn broek los en voelde de top van zijn hete penis spannen tegen het elastiek van zijn boxershort. Hij was groots. Toen ze hem aanraakte deed Daniel zijn ogen dicht en begon de rest van zijn gulp open te maken, maar Charlie wurmde zich onder zijn greep uit.

'Ah, ah,' zei ze terwijl ze van de tafel afgleed en zich omdraaide. Ze draaide met haar billen tegen hem aan en plaagde zijn stijve met de zachte stof van haar slipje. Ze trok de ontwerpen voor zich op de tafel.

'Voor ik je ontwerpen goedkeur, moet ik ze eerst eens goed bekijken,' zei ze terwijl ze de borden naar zich toe trok. Ze duwde zich naar achteren en wreef zich tegen hem aan, haar ellebogen op de tafel. 'Nou?'

'Je hebt absoluut gelijk.' Daniel haakte zijn vinger in de zijkant van haar slipje en ze voelde hoe hij het langs haar benen omlaag trok. Zijn handen streelden haar billen en haar hart ging als een gek tekeer. Wat was hij aan het doen?

Daniel schraapte zijn keel en ze hoorde dat zijn broek en zijn boxershort op de grond vielen. Toen boog hij zich voorover om de ontwerpen uit te leggen en ze schrok haast toen ze de top van zijn penis tussen haar benen voelde. Ze sloot haar ogen en hield haar adem in. Zijn huid voelde zo warm en zacht aan.

Charlie brak zich met kloppend hart los en draaide zich om.

'Maakt dat een beetje duidelijk wat ik in mijn hoofd heb?' fluisterde hij.

'Nogal.' Ze duwde hem achteruit tegen het zijpaneel, ging op haar knieën liggen en likte aan zijn lange schacht terwijl hij zijn broek van zijn enkels af trapte.

Even hield hij haar bij haar haren vast, maar toen maakte hij zich van haar los. 'Ik wil naar je kijken,' zei hij hees. 'Op de tafel.'

Ze keek hem even verbaasd aan, maar ze wist dat ze tot alles in staat was. Ze kroop op de vergadertafel terwijl Daniel haar strak aankeek.

'Laat maar wat zien,' zei hij. 'Ik wil dat je jezelf aanraakt.'

Met gloeiende wangen ging Charlie voor hem liggen, terwijl haar vingers over haar eigen zachte vlees streelden. Ze voelde zich erg onbeschaamd, en toch was dit nog beter dan haar waanzinnigste fantasieën.

Hij schudde zijn hoofd en zijn adem kwam er met horten uit terwijl hij naar haar keek. 'Ik heb je dit al willen zien doen sinds de eerste keer dat ik je zag,' zei hij. 'Je weet niet wat je met me doet.'

Ze gleed naar de rand van de tafel en stak haar handen naar hem uit, trok hem dicht naar zich toe terwijl hun monden elkaar ontmoetten in een gepassioneerde kus, compleet met botsende tanden en dansende tongen terwijl ze zich tegen elkaar aandrukten.

'Ik dacht dat je me niet wilde, die avond...'

Daniel kuste haar weer. 'Ik dacht dat je beledigd zou zijn als ik je zomaar zou bespringen.'

'Beledigd?' vroeg Charlie, happend naar lucht, en ze scheurde zijn overhemd open, liet haar handen over zijn goddelijke borstkas gaan, begroef haar lippen in zijn zachte haar en likte aan zijn stijve roze tepels terwijl al haar zintuigen zich vulden met zijn geur. 'Ik had het geweldig gevonden!'

Daniel greep haar rok vast en trok die uit, waarna hij haar T-shirt en beha over haar hoofd trok. Met een bevredigd gekreun nam hij haar borsten in zijn handen en boog voorover om ze te kussen.

Charlie sloeg haar benen om hem heen. 'O, Daniel, Daniel. Toe!'

Hij hield op met haar te kussen en even stonden ze oog in oog, gingen volledig in elkaar op en vergaten alles om hen heen. Toen kwam hij in haar, zijn mond geopend in een stille inademing. Ze hield zijn blik vast. Ze wist dat dit te gevaarlijk was, dat ze zich onverantwoordelijk gedroeg, maar de sensatie was te prettig, haar verlangen naar hem te groot om zich daar druk om te maken.

Ze sloot haar ogen terwijl hij in haar drong, haar kuste en aan haar lippen zoog, en ze hoorde zijn gekreun door het geluid van hun vereniging heen.

'Je vindt het heerlijk, hè?' zei Daniel terwijl hij haar bij haar achterwerk pakte en haar oppakte alsof ze zo licht als een veertje was. 'Kom mee.' Hij waadde de vergaderzaal uit en liep naar Philippa's kantoor.

Daar zette hij haar tegen de deur en Charlie greep zich trillend vast aan zijn haar. Hij duwde in haar lichaam en haar geest en het zweet stond op zijn voorhoofd terwijl hun borende tongen met elkaar speelden.

Ademloos liet Charlie haar benen op het tapijt vallen, maakte zich van hem los en liep op haar tenen naar Philippa's bureau. Ze schoof de leren stoel opzij en boog zich over het bureau. 'Neem me,' smeekte ze, en Daniel was er, spreidde haar armen en benen achter het bureau en kwam van achteren bij haar naar binnen.

Hij pakte haar arm en leidde haar hand naar de plek waar ze met zichzelf kon spelen terwijl ze hem in zich voelde glijden. Hij viel voorover, boog zich zodat zijn borst tegen haar rug drukte, huid aan huid, terwijl hij om haar heen reikte en haar borsten streelde.

Daniel stond op het punt om klaar te komen en trok zich terug. Hij ging achterover in Philippa's grote leren stoel zitten, zijn handen achter zijn hoofd. 'Kom op me zitten,' zei hij en Charlie ging schrijlings op hem zitten, greep de rug van de stoel vast terwijl ze op hem gleed en haar knieën wegzonken in het zachte leer. Het was of ze naar een nieuwe gevoelsplaneet was getransporteerd waar alleen zij en Daniel bestonden.

Opeens legde Daniel zijn vinger op haar lippen. 'Ssst,' waarschuwde hij. Ze hielden op en luisterden of er ergens in het gebouw geluid te horen was, maar het was stil. Toen dook Daniel op haar borst af, nam haar in zijn mond en schokte diep in haar zodat zij in een boog naar hem toe kwam.

'Ik ga komen, ik ga komen, ik...' riep ze uit, en al haar zintuigen werden het genot in gezogen als een astronaut de ruimte in.

Daniel glimlachte toen haar gezicht zich ontspande en hij streelde een vochtige lok blond haar uit haar gezicht weg.

'Je bent geweldig,' fluisterde ze.

'Nee, jij bent geweldig.' Ze voelde hem in haar trillen.

'Nee, jij.' Ze glimlachte, kuste hem en gleed van zijn schoot af.

'Jouw bureau,' zei hij in haar verwarde haren, maar voor ze daar waren zakte Daniel op zijn knieën en terwijl hij haar achterover tegen het bureau van Pete duwde, deed hij haar benen van elkaar en begroef zijn gezicht ertussen. Charlie schreeuwde het uit, greep zich vast aan het bureau achter haar en gooide daarbij het rode postbakje van Pete eraf, dat met veel kabaal op de grond viel terwijl Daniels warme mond haar deed branden van extase.

Op handen en knieën kroop ze naar de keuken terwijl Daniel haar met zijn tong najoeg. Hijgend hees ze zichzelf op het aanrecht naast het koffiezetapparaat. Daniel ging voor haar staan en kwam in haar. Hun beider zweet mengde zich met elkaar toen ze met hun voorhoofden tegen elkaar uitrustten. Charlie stak zijdelings haar hand uit en draaide de kraan open, liet haar geopende hand vollopen met koud water en sloeg dat op zijn borst. Hij hapte naar lucht terwijl de ijskoude straal langs zijn navel omlaag stroomde. Toen begon hij haar nat te spatten, haar haren werd drijfnat, het water stroomde over haar tepels en zette koers naar haar clitoris.

'Receptie.' Daniels stem klonk schor. 'Wie er het eerst is,' zei hij terwijl hij zich van haar losmaakte en naar de deur begon te hollen. Charlie rende verrukt achter hem aan, tot hij zich omdraaide, haar opving en haar tegen de receptiebalie omhoog drukte.

Ze beet in zijn schouder terwijl hij in haar bewoog en kraste met haar nagels over zijn rug. Uitgeput zakten ze op het tapijt en ze gaf toe aan zijn overwicht. Ze sloeg haar benen om zijn rug, toen om zijn hals, en hij hield haar handen vast, hoog boven haar hoofd, en prikte haar vast op het tapijt. Daniel keek haar aan.

'Ja... ja,' zei hij hijgend. Zijn ogen vernauwden zich en sloten zich vervolgens toen hij klaarkwam. Charlie schreeuwde het uit en hun stemmen weergalmden door de lege kantoorruimte.

Ze liet haar benen om Daniels rug glijden terwijl hij boven op haar in elkaar stortte, streelde zijn rug en kuste zijn schouder, badend in de rode gloed van de zonsondergang. 'Wat je ontwerpen betreft: ik vind ze fantastisch,' zei ze.

II

'Niet te geloven!' De uitroep kwam van Bandit, die net zijn telefoon neersmeet en uit zijn stoel omhoogschoot als een opgewonden valutahandelaar.

Pete zat ongeduldig op zijn calculator te tikken. 'Lucht je hart dan maar,' zei hij terwijl hij de calculator op zijn bureau bonkte.

'X'jes die de plek aangeven,' kondigde Bandit aan. Hij gooide zijn pen in de lucht zodat die in het rond draaide, en de lach op zijn gezicht kon zich met gemak meten met de gloed die de ogen van de gerookte haring op zijn das uitstraalden.

'Wat voor X'jes?' vroeg Toff terwijl hij over een puisterig plekje op zijn slaap wreef dat nog nooit in aanraking met Clearasil was gekomen.

'*De* X'jes!'

'Die kruisjes van Tipp-Ex?' vroeg Pete terwijl hij naar het tekentje aan de zijkant van zijn bureau wees.

'Ja, schat. Die kruisjes. Ik weet wat ze betekenen.' Bandit tikte met zijn potlood op zijn bureau.

'Wat voor Tipp-Exkruisjes?' vroeg Charlie geamuseerd terwijl ze naar de dossierkast achter Bandits bureau wankelde, haar armen vol mappen. Ze was de hele ochtend bezig geweest met het vergelijken van de drukkosten voor oude promotieacties, in de wetenschap dat er geen enkel foutje mocht zitten in haar becijferingen voor de Up Beat-campagne, die ze zo dadelijk aan Philippa moest voorleggen. Ze legde de mappen op de grond en wilde juist weer opstaan toen de betekenis van Bandits woorden in zijn volle betekenis tot haar doordrong.

'Ik had net Poppy van de creatieve afdeling beneden aan de lijn,' zei hij. 'Ze zegt dat Daniel in het weekeinde iemand door het hele kantoor heen heeft geneukt. Kennelijk heeft hij overal waar hij het heeft gedaan een kruisje met Tipp-Ex gezet.'

'Wat een lef,' lachte Toff, geschokt door Bandits onthullingen.

107

'En het beste moet nog komen,' vervolgde Bandit, blij de aandacht gevangen te kunnen houden van al die ademloze toehoorders. 'Er staat kennelijk zelfs een kruisje op Philippa's bureau!' Hij sloeg op zijn knie en lachte met de anderen mee.

Charlie stond langzaam op en probeerde haar knikkende knieën weer in bedwang te krijgen. Ze draaide zich om en zag hoe Pete zich in de handen stond te wrijven alsof hij de hoofdredacteur van een sensatieblad was die zojuist het verhaal had gehoord dat de premier zijn baan zou kosten.

'En, wie was de gelukkige?' vroeg Charlie ogenschijnlijk luchtig maar met een brok in haar keel en een blos op haar wangen. Pete glimlachte. Iedere mogelijke kandidate trok aan zijn geestesoog voorbij.

'Misschien heeft hij het met Philippa gedaan?' suggereerde Bandit. Alleen al de gedachte deed hem kennelijk walgen.

'Nee,' kwam Sadie tussenbeide, die juist met veel moeite probeerde een faxrol met haar tanden open te krijgen. 'Philippa kan het niet geweest zijn, die was met die yup uit waar ze mee gaat.'

Pete keek haar over zijn schouder heen aan. 'Dan zal jij het wel geweest zijn, slettebak!'

Sadie keek langs haar neus naar Pete. 'Nee, Daniel is mijn type niet,' zei ze droog. 'Hij heeft het wel eens geprobeerd, maar dat soort mannen heeft meer met Porsches op dan met vrouwen. Persoonlijk val ik meer op de rijpere man.' Ze staarde in de verte alsof ze het beeld van haar droomman zo kon oproepen.

'Dan moet ik je misschien eens aan mijn vader voorstellen,' zei Pete.

'Wanneer word jij eens volwassen,' zei Sadie fel terwijl ze een stukje plakband op zijn kalende achterhoofd plakte. 'Wat weet jij nou van sex-appeal?'

Jeremy, die in een van de andere teams zat, ging op de rand van Petes bureau zitten. 'Nou, misschien is het wel helemaal geen vrouw. Het gerucht gaat dat Daniel biseksueel is,' zei hij, wat olie op het roddelvuurtje gooiend.

'Ah, dat verklaart alles,' zei Bandit. 'Dan was het natuurlijk Will.' Hij lachte en liet zijn pols bungelen.

Pete perste zijn lippen op elkaar. 'Of misschien de bewaker? Die heeft een mooi kontje en hij is zo nichterig als een rij roze tenten.' Hij liep naar Bandits bureau. 'Buig je maar over je bureau, jongen,' zei hij met krakende stem alsof hij Daniel was en greep Bandit om zijn middel.

'O ja, ja, neuk me, neuk me,' schimpte Bandit terwijl de twee jongens te midden van het bulderende gelach seksuele handelingen simuleerden.

Charlie liet de dossiers op de grond liggen, pakte snel haar mobiele telefoon en haastte zich naar de toiletten, waar ze bij de wasbakken haar handen tot een kommetje vormde onder een bruisende straal water, waardoor het water tegen de spiegels spatte. Ze smeet het in haar gezicht alsof ze daarmee de laatste vijf minuten kon wegspoelen, maar terwijl ze naar haar druipende gezicht keek in de getinte spiegel, bleven er voortdurend fragmenten terugkomen van de conversatie van daarnet. 'X'jes die de plek aangeven... Hij heeft het bij mij ook al eens geprobeerd... De geruchten gaan dat hij biseksueel is...'

'Het is niet zo,' fluisterde ze tegen haar ongelovige spiegelbeeld. Ze liep wankelend een wc binnen, deed de deur op slot en zakte op het deksel van de bril in elkaar. Het dunne plastic onder haar boog door terwijl ze Kates nummer op haar werk begon te draaien, maar die had een vergadering buiten de deur en haar mobiele telefoon stond op de voice mail.

Ze trok haar knieën op, zette haar voeten op de rand van de bril en sloeg haar armen om haar benen. Ze voelde zich wanhopig. Er leek geen verklaring voor al die dingen. Er welden tranen in haar op maar ze werden tegengehouden door het griezelige gevoel dat Daniel haar misschien wel had bedrogen. Met een gevoel of ze gek werd staarde ze naar de deur van het toilet en het A4-tje dat werknemers verzocht maandverband in de daarvoor bestemde emmer te deponeren. Wat moest ze doen?

Laat je niet kisten, hield Charlie zichzelf voor. Wat ze over Daniel zeiden was niet waar. Hij zou nooit kruisjes zetten overal waar ze zaterdag waren geweest en hij zou het zeker niet tegen Poppy hebben verteld. Ze moest niet laten blijken hoe overdonderd ze was, anders zouden ze haar allemaal verdenken, en als dat zo was...? De consequenties waren te erg om over na te denken. Ze zou de risee van het kantoor worden en, nu ze het daar toch over had, van de hele branche.

Ze stond op en trok nodeloos door, ging toen weer terug naar de spiegel, waar ze in haar bleke wangen kneep om er wat kleur op tevoorschijn te toveren. Toen nam ze een diepe hap lucht en liep weer het kantoor binnen.

Ze werd begroet door een pijnlijke stilte. Bandit zat met zijn hoofd over zijn bureau gebogen alsof hij een uitbrander had gekregen. Hij las zogenaamd de *Marketing* en deed zijn best om niemand aan te kijken. Even was het enige geluid dat hoorbaar was de draagbare radio van Toff die hij permanent op de cricketwedstrijden had staan. Toen hoorde ze de commotie.

Philippa liep te ijsberen in het kantoor van Si en de jaloezieën bonkten tegen de glazen tussenpanelen. De zwarte houten deur bleef stevig dicht, maar het hele kantoor kon het horen. Met een groeiend gevoel van angst vlijde Charlie zich achter haar bureau.

'Wat is er aan de hand?' fluisterde ze tegen Toff. Ze zag dat zijn gezicht nog steeds rood zag van een lachstuip.

'Philippa heeft het op haar heupen,' fluisterde hij terug. 'Dat gedoe met die kruisjes is haar in het verkeerde keelgat geschoten. Het klinkt alsof ze Daniel aan zijn ballen gaat ophangen!'

'Belachelijk,' mompelde Charlie, blij dat niemand zag hoe kwetsbaar ze zich voelde. De spanning was ondraaglijk.

'Dit is een bedrijf, geen speelplaats,' hoorde ze Philippa tegen Si schreeuwen voor de deur van zijn kantoor werd opengesmeten. Philippa stond dreigend in de deuropening en haar gele zijden blouse zat in een strakke, scheve lijn over haar borsten terwijl ze met haar handen in de zij de bureaus af keek.

Toen stormde ze Si's kantoor uit, dat van haarzelf in, grommend omdat de deur klemde, en sloeg de deur hard achter zich dicht. Het glas rammelde in de afscheidingen alsof er een aardschok had plaatsgevonden. Door de knal van de deur gleed er een in plastic gehuld jasje als een neergeschoten lichaam op de grond. Halverwege de buitenkant van de deur zat een kruisje van Tipp-Ex, en het hele kantoor schoot, als een losgerolde brandweerslang, in de lach.

Charlies handen trilden terwijl ze het nummer van Daniels mobiele telefoon draaide. Het ding leek wel uren over te gaan voor hij eindelijk opnam, maar het motorgeronk en de bonkende cd maakten een gesprek onmogelijk. 'Zet je wagen aan de kant en praat met me,' siste ze.

'Wat?' Daniel schreeuwde in het mondstuk zodat Charlie de hoorn van zich af moest houden om niet doof te worden. 'Met wie spreek ik? Ik versta je niet,' herhaalde hij. Toen hoorde ze het geluid van remmen en een toeterende claxon.

'Van hetzelfde, zak!' schreeuwde Daniel langs het toestel, en hij liet de uitroep volgen door een hele rij obsceniteiten. Toen hoorde Charlie hem zeggen: 'Wacht even,' waarop ze de telefoon in zijn schoot hoorde vallen terwijl hij de auto aan de kant zette en stopte.

Eindelijk had Charlie zijn aandacht.

'Hoi. Met Daniel.' Zijn strelende stem drong als gesmolten chocolade door de lucht.

Charlie verdrong haar tranen. Was dit dezelfde stem die had geprobeerd Sadie te verleiden? 'Met mij,' zei ze, en zelfs Daniel hoorde de pijn in haar stem.

'Wat is er, liefje?'

Charlie had het gevoel of er een bowlingbal in haar slokdarm was blijven steken.

'Iedereen weet het. Overal staan kruisjes van Tipp-Ex, overal waar we... waar we...' Ze begon te stamelen terwijl een van woede onderdrukte traan uit haar oog ontsnapte.

'Ho, ho,' zei Daniel troostend alsof hij een wild veulen moest temmen.

'Ik kan nu niets uitbrengen, maar ik moet met je praten. Kan ik je in lunchtijd ergens ontmoeten?'

'Natuurlijk,' zei Daniel verward. 'Waar? Zeg het maar, dan kom ik naar je toe.'

'Het moet een of andere obscure plek zijn, ergens waar we niemand kunnen tegenkomen,' zei Charlie. 'Waar zit je nu?'

'In Knightsbridge.'

'Oké, dan zie ik je op de trappen van het Natural History Museum, om één uur. En wees op tijd.'

'Ik zal er zijn,' zei Daniel. 'Je klinkt alsof je in een film van James Bond zit, dat je me op een trap wilt ontmoeten. Wat ben je van plan, iemand vermoorden?'

'Ja. Jou, waarschijnlijk,' zei Charlie, maar toen ze de hoorn weer neerlegde wist ze dat het nog niet zo gemakkelijk zou zijn om Daniel onder ogen te komen.

Door de waas van haar ellende heen zag ze hem het verkeer ontwijken om Cromwell Road te kunnen oversteken. Zoals gewoonlijk zag hij er weer uit om op te vreten in zijn iets te grote marineblauwe overhemd en zijn beige broek, terwijl het goudkleurige montuur van zijn zonnebril weerspiegelde in de zon. Charlie was bereid te accepteren dat hij haar had bedrogen, maar ondanks haar woede voelde ze weer de vertrouwde schok in haar lendenen toen zijn knappe gezicht zich naar haar overboog en hij haar teder kuste.

Ze deed haar armen over elkaar om zich tegen zijn kus te verzetten. 'Je bent te laat.'

Daniel liet zijn zonnebril van zijn neus glijden en keek haar aan. 'Wat is dat voor manier om je geliefde te begroeten?'

Omdat ze zijn blik niet langer kon verdragen, draaide Charlie zich om en liep de trap op. Ze had al toegangskaartjes gekocht en Daniel volgde haar door de ingang. Hij torende hoog boven de schoolkinderen uit en trok door zijn modelachtige uiterlijk de aandacht van moeders en onderwijzeressen.

Daniel haalde Charlie in toen ze door de hoofdingang stormde en draaide haar bij haar schouders om, zodat ze hem in het gezicht zou kijken.

'Wat is er nou aan de hand?' vroeg hij, geschokt door haar ogen, die in vuur en vlam stonden.

'Je bent een leugenaar, een bedrieger en een klootzak! Dát is er aan de hand!'

'Sorry?' bracht Daniel uit terwijl hij zijn handen van haar schouders liet vallen en achteruit deinsde.

Charlies ogen vulden zich met tranen. 'Iedereen weet dat je iemand op kantoor hebt geneukt,' zei ze eerlijk.

'Doe niet zo belachelijk,' zei Daniel terwijl hij haar aankeek alsof ze gek was geworden.

'Nou, hoe verklaar je dan dat er overal kruisjes staan waar we zaterdag zijn geweest?' Haar ogen spuwden vuur. Dit kon niet anders dan een nachtmerrie zijn en er moest, er moest gewoon een verklaring voor zijn.

Daniel haalde een hand door zijn haar. Hij keek Charlie in de ogen en zijn wenkbrauwen fronsten zich niet-begrijpend. Toen wreef hij zich langzaam over zijn kin en was heel lang stil.

'Eigenlijk wil je dus zeggen dat je me niet vertrouwt. Is dat het?'

Charlie voelde haar woede wegebben. 'Hoe verklaar je dit anders, dan?' vroeg ze, terwijl haar stem brak en de tranen haar over de wangen begonnen te rollen.

Daniel keek haar ontzet aan. Toen zette hij zijn handen op zijn heupen en liep bij haar weg. Hij wandelde naar een enorm skelet en Charlie voelde de paniek in haar opkomen. Daniels geschokte en gekwetste reactie was niet wat ze had verwacht. Misschien was er dan toch een logische verklaring voor dit alles. Ze keek omhoog naar de gigantische diplodocus die even groot leek als haar wanhoop.

'Daniel. Wacht.' Ze pakte hem bij de arm. 'Wat moet ik dan denken? Niemand anders kan het hebben gedaan!'

'Dus dan verdenk je mij maar?'

Charlie liet zijn arm los. 'Vertel me dan wat er wel kan zijn gebeurd.'

'Denk je dat ik zo'n goede acteur ben dat ik kan liegen over wat ik voor je voel of er de draak mee kan steken als we vrijen? Is dat wat je denkt? Hè?'

Charlie viel stil en keek naar haar handen. Daniel was duidelijk beledigd en ondanks het feit dat zij degene was die was bedrogen, begon ze zich nu schuldig te voelen. Alsof Daniel dat voelde, ging hij door, waarbij elk woord van hem haar besluit om boos te zijn verder deed smelten. 'En ik dan? Hoe denk je dat ik me hieronder voel? Ik dacht dat je me vertrouwde, Charlie. Ik dacht dat we dit weekeinde iets bijzonders met elkaar hadden, maar jij bent maar al te bereid de eerste steen te werpen zodra er een of ander gerucht de kop opsteekt dat je kostbare reputatie naar de haaien kan helpen...'

'Hou op,' snikte Charlie. 'Ik vertrouw je echt wel, maar wat zou jij denken als je mij was?'

'Afgezien van het feit dat het hele gebeuren waarschijnlijk op de beveiligingscamera's is vastgelegd en Poppy verkering heeft met een van de bewakers,' mompelde Daniel terwijl hij bij haar wegliep.

'Wat? Wat zei je?'

'Het zijn waarschijnlijk de bewakers geweest. Die moeten alles op de beveiligingscamera's hebben gezien en hebben besloten een grap met me uit te halen. Dat proberen ze al sinds ik ze tijdens het pokeren het vel over de oren heb gehaald!'

'Beveiligingscamera's? Wat voor beveiligingscamera's? Ik heb die dingen nooit gezien.'

'Dat is precies de bedoeling,' zei Daniel sarcastisch. 'Ze zijn verborgen. Iemand heeft een mislukte grap willen uithalen, meer niet.'

Charlie had het gevoel of er een capsule van opluchting in haar openbarstte die als een medicijn door haar aderen begon te vloeien. Ze volgde zijn blik naar het skelet en haar hersenen begonnen te gonzen terwijl ze over haar voorhoofd streek. 'Maar dan komt iedereen het te weten over ons.'

'Welnee. Ze mogen noch de banden, noch onze namen vrijgeven. Ze hebben privé-contracten en zijn aan geheimhouding gebonden. Zelfs Si en Philippa krijgen ze nooit te zien. Ik stop Jack wel een paar flappen toe en niemand komt het ooit te weten. En ik weet zeker dat Poppy maar al te goed beseft dat ze haar baan kwijt is als ze haar mond opendoet,' zei hij. 'Je weet toch hoe het gaat bij dit soort bedrijven: iedereen plukt roddels uit de lucht waar je bij staat.'

Het klopte allemaal. Daniel was net zozeer een slachtoffer als zij. Charlie staarde naar een groepje kinderen dat naar hun openlijke gesprek had staan luisteren. Ze giechelden en renden weg in hun grijze blazers en kastanjebruine schoolhoedjes naar de tentoonstelling van Enge Kruipbeesten.

Daniel staarde met zijn handen in zijn zakken naar de diplodocus. 'Weet je wat ik nog het ergste vind?'

Ze schudde haar hoofd, maar hij keek haar niet eens aan.

'Ik dacht dat we na de Up Beat-campagne iedereen konden vertellen dat we iets met elkaar hebben, en dat we dan een gewone relatie met elkaar konden beginnen. Nu kan dat niet meer, niet alleen hierdoor, maar ook omdat je niet zo serieus bent als ik dacht.'

De paniek schoot door haar heen. Waarom was ze zo stom geweest? 'Dat is niet waar,' bracht ze uit. 'Ik wist niets van die beveiligingscamera's.'

Daniel keek haar aan met samengeknepen ogen van de pijn. 'Ik kan me niet voorstellen dat je mij de schuld hebt willen geven.'

'Dat heb ik niet gedaan, ik...' Charlie begon te hakkelen en viel toen stil. Ze kreeg een angstig gevoel. Ze moest wel gek zijn geweest om hem te beschuldigen.

Hoofdschuddend keek hij haar aan en snoof verachtelijk.

'Daniel, toe nou. Het spijt me. Ik heb er niet bij nagedacht. Ik kon niet eens meer denken. Het spijt me zo,' zei ze terwijl ze haar hand uitstrekte om zijn arm aan te raken. 'Wees alsjeblieft niet boos op me.'

Hij schudde haar van zich af. 'Ik heb me waarschijnlijk in je vergist.'

Charlies hart bonkte en het schaamrood steeg haar naar de

114

wangen. 'Nee, dat heb je niet. Ik wil niets liever dan een relatie met je.'

'Ik ben er gewoon ingeluisd.'

Hij dacht dat ze een slet was! 'Daniel,' zei ze smekend. 'Ik heb zo naar je verlangd. Dat moet je toch weten. Ik heb je zo nodig.'

'O ja?' vroeg hij terwijl hij haar diep in de ogen keek. 'Is dat echt zo?'

'Ja, ja,' riep ze. Ze had die woorden wel willen uitschreeuwen. 'Zie je dan niet dat ik smoor op je ben? Al sinds ik je voor het eerst zag, wilde ik niets liever dan dat je mijn geliefde zou worden.'

'O.'

'Toe nou, Daniel,' snikte ze terwijl ze zich in zijn armen wierp. 'Het spijt me. Ik zal alles doen om het weer goed te maken.'

'Ssh,' zei hij. 'Rustig maar. Het komt allemaal weer in orde, dat zul je zien.'

In het souterrain van de sportschool in Chelsea lagen Charlie en Kate achterover op de blauwe mat voor het sit-upgedeelte tijdens Gerry's Power-uurtje. Dit supersonische, vetverbrandende ritueel was, zo was aangekondigd, een 'wondertje voor billen, borsten en buiken'. En het werkte kennelijk, want bij de ongeveer veertig zonnebankoranje meisjes was nog geen spoortje cellulitis te bekennen.

Gerry schreeuwde door de microfoon van zijn headset om zich boven de bonkende dansmuziek uit verstaanbaar te maken en Charlie werkte zich in het zweet om haar rechte en schuine buikspieren te verstevigen. Ze staarde naar de plafondventilator die vruchteloos zijn rondjes draaide boven haar hoofd. 'Vijf, zes, zeven, acht,' schreeuwde Gerry. Charlie keek naar Kate, die op de mat naast haar lag, en ze gaven elkaar een knipoog terwijl het geknerp van Gerry doorging.

Gerry was een zwarte, gespierde sportleraar die ritmische fitness gaf en ondertussen zelf trainde op iets wat op een trekhaak leek en wat aan de onderkant van zijn gestreepte wielrenbroek zat. 'Ja en omhoog. Goed zo, zeven, acht. De laatste acht,' loog hij voor de vijfde keer. 'Oké, en nu sneller, en omhoog, kom op meiden, trek die buikspieren in en ádemen.'

Charlies gympakje was drijfnat van het zweet, maar ze dwong zichzelf door te gaan. Nadat ze Daniel die dag had gezien, was ze er meer dan ooit van overtuigd dat ze in topvorm moest zijn om hem te behouden.

'Mij krijg je niet meer mee,' zei Kate na afloop, terwijl ze zich in Charlies auto steunend en kreunend bij haar platte buik greep. Ze waren op weg naar de 51. 'Van nu af aan ga je maar in je eentje.' Kate legde haar smetteloze gymschoenen op het dashboard.

'Ik vond het wel leuk,' zei Charlie.

'Wat ben jíj een leugenaar, zeg. Je hebt een bloedhekel aan trainen. En dan wil je mij ook nog meetrekken in die fitnessbevlieging van je.'

'Het is geen bevlieging.'

'En je vond het alleen maar leuk vanwege Gerry's strakke wielrenbroek. Je zat alleen maar daarnaar te staren.'

'Niet waar!'

'Wel waar! Je Snakt naar Man.'

Charlie stak haar hand op. 'Als je het wilt weten: ik ben niet meer in het stadium SnM.'

'Is het eindelijk gelukt met Daniel?'

Charlie stak haar tong in haar wang en knikte.

Kate gaf een gil, knielde op de passagiersstoel omhoog en zwaaide met haar handen in de lucht. 'Ze heeft het gedaan! Ze heeft het met 'm gedaan!' gilde ze, waarmee ze meteen alle aandacht op hen beiden vestigde.

Charlie bloosde en mepte haar omlaag. De auto slingerde over het wegdek van de brug waar ze in het licht van de zonsondergang overheen reden.

'Rijden!' beval Kate terwijl ze met haar vingers naar een punt boven de voorruit wees. 'Hier moet op gedronken worden.'

Zodra de twee biertjes op tafel stonden en Kate een van de twee aangestoken sigaretten in haar mond aan Charlie had gegeven, stak ze van wal. 'Details, details,' drong ze aan terwijl ze de lucifer uitschudde en haar stoel wat dichterbij schoof.

'Wat wil je het eerst weten?'

'Hoe groot?'

Charlie lachte en nam een trek van haar sigaret. 'Enorm! Prachtig!'

Kate grijnsde. 'Geluksvogel. Goed, vanaf het begin. Ik wil alles weten.'

Charlie haalde diep adem. 'Nou, zaterdag was ik nog laat op kantoor...' begon ze, en Kate leunde achterover terwijl Charlie een monoloog van een kwartier begon af te steken.

'Kan hij onze checklist doorstaan?' vroeg Kate toen Charlie was uitgesproken. Door de jaren heen hadden ze een checklist samengesteld van mannen die verboden waren, een lijst die bij elke mislukte relatie was uitgedijd. 'In elk geval is het geen acteur, dat is punt een. Dat zijn allemaal klootzakken. En de rest? Ligt er een vriendin op de loer?'

'Niet dat ik weet,' lachte Charlie terwijl ze een slok bier nam die al het goede werk van Gerry's martelklasje teniet zou doen.

'Daar komen we nog wel achter,' zei Kate met gespeeld ongeduld. 'Heeft hij net een relatie achter de rug?' Ze telde de punten van de checklist af op haar vingers.

'Nee.'

'Is er onlangs iemand in zijn familie overleden?'

Charlie haalde haar schouders op en schudde haar hoofd.

'Hoe is de relatie met zijn moeder?'

'Goed,' zei Charlie. Ze zweeg even en zei toen: 'Eigenlijk weet ik dat niet. Hij heeft het vrijwel nooit over zijn familie. Hij heeft een zusje.'

'En hij is fantastisch in bed. Nou ja, op de vergadertafel, dat is ook mooi. En voorbehoedmiddelen?'

Charlie trok een gezicht.

'Charlie!' riep Kate. 'Er zijn dertien verschillende voorbehoedmiddelen, en dit er geen van.' Ze hield haar gekruiste vingers omhoog.

'Ik weet het, ik weet het. Ik ga de morning-afterpil wel slikken.'

'O, goh, dat is pas verantwoordelijk, zeg!'

'Wil je me niet de les lezen! Ik voel me zo al schuldig genoeg.'

Kate keek haar wantrouwig aan. 'Weet je het absoluut zeker van dat Tipp-Exgedoe? Weet je zeker dat Daniel het zelf niet heeft gedaan?'

Charlie glimlachte met een gezicht dat straalde van genegenheid. 'Absoluut. Hij geeft echt om me.'

Dillon kwam naar hen toe met een enorme schaal vol tacochips, die bedekt waren met een druipende laag gesmolten kaas. 'Ik dacht dat jullie dit wel konden gebruiken na jullie fitnessklasje,' zei hij glimlachend. 'Waar zitten jullie over te roddelen?'

'Ze is verlie-hiefd,' zei Kate terwijl ze een driehoekje tacochips losdraaide en het, samen met een zachte berg gele kaas in haar mond stopte.

'Ik wist wel dat het niet lang zou duren met dat haar,' zei Dillon. 'Wie is die gelukkige vrijer?'

Kate begon te blazen en met haar hand voor haar mond te zwaaien omdat de kaas haar tong verbrandde. 'Daniel. Je weet wel, die man van haar werk.'

'Wie?'

'Daniel,' vertaalde Charlie verlegen.

Dillon haalde zijn wenkbrauwen op. 'Wees voorzichtig, hè? Hij moet wel heel speciaal zijn wil hij jou waard zijn.' Hij kneep even in Charlies wang, maar ze wist dat Kate hem alles over haar obsessie voor Daniel had verteld, en in weinig vleiende termen.

Kate keek Dillon verliefd na toen hij wegliep. Toen schoof ze de schaal naar Charlie toe en zei: 'Kom op. Tast toe.'

Charlie klopte op haar maagstreek en blies haar wangen leeg. 'Geen sprake van. Dat bier zet al genoeg aan. Ik moet dit gewicht zien kwijt te raken.'

'Welk gewicht?' vroeg Kate met haar mond vol.

'Mijn kwabben.'

'Je hebt gelijk. Je kunt beter zo'n graatmagere zenuwpees worden. Daar zijn mannen dol op.'

'Precies.'

Kate staarde haar met grote ogen aan. 'Charlie, ik maakte een grapje!'

De volgende dag kon Charlie zich nauwelijks bewegen, haar kuitspieren waren hard van het melkzuur, maar het kon haar niets schelen. Ze zat dromerig achter haar bureau te staren naar een wollige condensatiestreep in de blauwe lucht en vroeg zich af hoe het mogelijk was dat een man als Daniel bestond. Ze had een hoop werk te doen, maar toch pikte ze Tina's *Daily Mail* van haar bureau en las Daniels horoscoop, stilletjes lachend bij de voorspelling dat zijn planeten perfect stonden voor de liefde. Nu ze wist dat het in de sterren geschreven stond, drukte ze zijn doorkiesnummer in. Haar hart klopte verwachtingsvol.

'Trek al je kleren uit,' antwoordde Daniel met een diepe basstem, nadat de telefoon nog maar één keer was overgegaan.

'Hoe wist je dat ik het was?'

'Dat wist ik niet,' zei hij wellustig.

'O!'

Hij hoorde de paniek in haar stem. 'Ik ben al de hele ochtend bezig vibraties naar je toe te sturen, zo'n beetje het omgekeerde van een voodoopoppetje. Waar ben je geweest?'

'Vergadering met Nigel Hawkes bij Up Beat,' zei Charlie, verrukt dat hij aan haar had gedacht.

'Nou, ik heb je hulp nodig.'

'Waarmee?'

'Mijn pik,' zei Daniel. 'Ik heb een enorme stijve alleen al bij de gedachte aan jou en wat ik ook doe, hij wil maar niet krimpen.'

Charlie bloosde, geschokt omdat hij zo uitdagend deed op kantoor, maar ondanks het gevaar dat hun gesprek met zich meebracht, voelde ze een golf van geluk door zich heen gaan. 'Nou, ik zou echt niet weten hoe ik je daarmee zou kunnen helpen,' zei ze, de preutse tante uithangend.

'Ik wel, sterker nog: ik heb een stout plannetje,' zei Daniel. 'Ik zie je over tweeënhalve minuut in de kopieerkamer op de derde verdieping. Dat wil zeggen: als ik kan lopen met dat enorme geval in mijn broek.' Hij legde neer voor Charlie ook maar iets kon zeggen.

Alsof ze haar vingers eraan had gebrand legde ze de hoorn op de haak, en met een gevoel of ze naakt was keek ze om zich heen. Haar hart klopte in haar keel terwijl ze opstond. Dit is belachelijk, dacht ze. Ze aarzelde en ging weer zitten. Ze veegde haar haren uit haar blozende gezicht alsof ze daarmee Daniels voorstel van zich af kon vegen.

Desondanks deed Charlie tweeënhalve minuut later de deur van de kopieerkamer achter zich dicht en ging ertegenaan staan terwijl ze een hete zucht van opluchting en opwinding slaakte. Daniel stond bij het grote grijze kopieerapparaat in de hoek en hij opende zijn armen om haar te omhelzen. Hun monden ontmoetten elkaar alsof hun lippen gemagnetiseerd waren en Daniels tong duwde in haar mond om de hare te vinden.

'Ik moet je hebben,' zei hij verontschuldigend terwijl hij het korte rokje van haar pakje opschortte. Ze hijgde toen zijn hand tussen haar benen in dook en haar witkanten bikinislipje kapot scheurde. Hij kuste met hartstochtelijke aandrang haar gezicht terwijl hij de knoopjes van haar blouse losmaakte, boog zich voorover om aan haar pronte tepels te zuigen, waardoor de gevoelskortsluiting die in haar brandde haar lendenen in brand zette.

'Daniel,' hijgde ze terwijl ze probeerde hem van zich af te duwen, doodsbenauwd dat ze betrapt zouden worden, maar voor ze het wist had hij het deksel van het kopieerapparaat opgelicht en haar op de koude glasplaat gezet.

'Verlang je niet naar me?' vroeg hij.

'Ja, o, ja,' mompelde ze, en ze onderging het heerlijke genot van het moment waarop ze hem bij zich binnen voelde dringen.

Zonder enige waarschuwing ging de deur van de kopieerkamer open. Daniel hield op met bewegen. Charlie werd aan het zicht onttrokken door het deksel van het kopieerapparaat, maar zijn stijve penis zat nog steeds in haar gespannen lichaam toen Alison van de boekhouding naar het apparaat bij de deur liep.

Daniel duwde een hand in Charlies onderrug om haar te waarschuwen niet te bewegen, en drukte vervolgens op de kopieerknop. Ze kneep haar ogen dicht terwijl de band van scherp licht over haar lichaam gleed, rillend van opwinding en angst. Wat als Alison haar zag? Haar hart klopte als een metronoom op topsnelheid. Ze zou waarschijnlijk ter plekke verbranden van gêne als ze werden betrapt. Hoe kwamen ze hier in godsnaam weer uit?

Het kopiëren van Alison leek eeuwen te duren. Prollerige beelden kwamen op in Charlies verbeelding: dat ze Alison zou knevelen en een prop in haar mond zou duwen, waarop ze haar in de Porsche zou smijten en haar naar de top van een riskante bungee-jumpplek zou brengen om haar tot zwijgen te manen. Eindelijk hield het gezoem van het apparaat op.

'Doei,' zei Alison terwijl ze vertrok met haar uitvergrote spreadsheets.

'Doei,' zei Daniel terwijl hij zijn vergrote penis uit Charlie terugtrok.

'Zullen we er maar mee ophouden?' Ze draaide zich om en keek hem aan. 'Als we nu eens...' Maar Daniels kussen stopten haar vragen en ze kreunde terwijl hij op zijn knieën zakte, een van haar benen optilde en zijn mond in haar begroef, waardoor ze klaarkwam.

Charlie greep zijn haar in haar beide handen, trok hem weer omhoog en kuste hem terwijl hij nogmaals in haar dook. Overgeleverd aan haar uitzinnige extase greep ze zich onder zijn T-shirt vast aan zijn rug.

'Waar zal ik komen?' vroeg hij ademloos, en zij verwijderde zich van hem, ging voor hem zitten en nam hem in haar mond terwijl hij klaarkwam en zijn warme sperma in haar mond spoot.

Daniel tilde Charlie op en zette haar weer op het glas van het kopieerapparaat. Ze bekeken elkaars verhitte gezichten, hun ademhaling was snel en zwaar.

'Wauw,' hijgde Charlie terwijl haar trillende vingers haar blouse weer dichtknoopte voor iemand hen zou snappen.

'Hallo,' zei Daniel terwijl hij haar opnieuw kuste en nogmaals op de kopieerknop drukte. Tegen de tijd dat Charlie besefte wat hij had gedaan, was het te laat om zich te bewegen.

Daniel lachte en pakte zijn A3-kopieën op. 'Je hebt uiterst fotogenieke genitaliën,' zei hij plagend terwijl hij de kopieën uit verscheidene invalshoeken bekeek.

Charlie stortte zich op hem. 'Geef hier!'

Hij hield ze buiten haar bereik. 'Nee. Die zijn voor de muur van mijn slaapkamer, voor als jij er niet bent,' zei hij terwijl hij haar zag blozen.

'Als je het maar laat!'

Daniel bekeek de kopieën nogmaals. 'Heel interessant,' zei hij peinzend. 'Lekker vol.'

Charlie keek hem aan en greep zich bij haar kont. 'Vind je mijn kont te dik?'

Hij omvatte een van haar billen en gaf er een speels kneepje in. 'Ik hou ervan als mijn vrouwen een beetje mollig zijn.'

Daniel vond haar dus te dik!

'Wil je ze alsjeblieft verscheuren?' smeekte ze terwijl ze opnieuw probeerde de kopieën te pakken te krijgen.

'Vertrouw je me niet?' Daniel hield haar armen stevig tegen haar zij gedrukt.

'Natuurlijk wel.' Ze keek hem in de ogen. 'Het punt is alleen dat we het wel kunnen schudden als mensen erachter komen. En trouwens, het zou jammer zijn als ik je reputatie als de Casanova van kantoor zou verknallen.'

Op dat moment kwam een reparateur van kopieermachines in een goedkoop grijs pak de kamer binnen, en ze sprongen uit elkaar.

'Ik spreek je nog,' zei Daniel terwijl hij de vellen opvouwde. Charlie knikte. Haar wangen waren rood gevlekt. Ze liep de kopieerkamer uit naar de lift.

'O, Charlie.' Daniel kwam achter haar aan.

'Ja?'

'Ik geloof dat deze van jou is.'

Hij stopte het bikinibroekje in haar hand voor hij naar de trap kuierde terwijl hij zijn hand door zijn haar haalde. Zelfs met zijn rug naar haar toe wist Charlie dat hij glimlachte.

'Mijn huis. Vanavond negen uur. Niet te laat komen. Liefs, D.' stond erop. Charlie moest even lachen om zijn onweerstaanbare arrogantie, en wist desondanks dat ze Rich zou bellen om zich onder hun gezamenlijke plannen voor die avond uit te worstelen. Ze moest onthouden dat ze dit broekje moest bewaren. Ze besefte dat de knoopjes op haar blouse scheef zaten, juist voor de liftdeur openging waardoor ze met een ruk terugkeerde in de realiteit van alledag en Sadies onderzoekende blik moest ondergaan.

Het was al erg druk op de vernissage van Annabel Constantins 'Urban Myth' in de galerie van Pierre Derevara in Clerkenwell, toen Charlie en Daniel er aankwamen.

'Dat is Pierre,' zei Daniel, wijzend op een uitzonderlijk knappe man in het midden van de mensenmassa. Charlie keek vol ontzag eerst naar hem, en toen naar boven, naar de bovenlichten van het omgebouwde pakhuis.

'Is dit pand van hem?' vroeg ze.

Daniel zwaaide naar zijn vriend en zei: 'Uiteraard.'

Pierre kwam naar hen toe. Hij was iets langer dan Daniel en had kortgeknipt, zorgvuldig in de war gebracht blond haar. Hij had een rechthoekige getinte bril op, droeg een getailleerde geruite broek en een theatraal overhemd met geschulpte randen waarin zijn prachtig geproportioneerde lichaam goed uitkwam. Hij grijnsde tegen hen met een dik leren boek in de ene gebruinde, gemanicuurde hand en een glas champagne in de andere.

'Nou, nou, nou!' riep hij uit toen Daniel Charlie aan hem voorstelde. 'Een schoonheid, Dan, jongen, echt een schoonheid. Kom binnen, dan zal ik je aan iedereen voorstellen.'

Hij ging hen voor, de grote ruimte binnen en toen ze allebei een glas champagne in de hand hadden, knikte Pierre in de richting van een meisje met lang blond haar en een stompe neus, die stond te praten met een dikke man in een tweedpak en met een gestippelde das om.

'Annabel heeft al drie opdrachten. Drie. Te gek voor woorden!' Pierres verbazingwekkende ogen puilden dramatisch uit en hij liep op haar af over de gebleekte plankhouten vloer.

Charlie keek om zich heen naar de 'Urban Myth'. Een groene

gemeentevuilnisbak hing aan het hoge plafond en draaide lang-zaam, als een discobal, boven de menigte rond. Her en der aan de hoge muren van witbeschilderde baksteen hingen diverse doeken met stukjes rotzooi erop gelijmd, en bij elk ervan stonden groep-jes mensen ze te bewonderen en door het sjieke programma te bladeren. Aan één kant van de ruimte werden beelden van ver-vormde torenflats geprojecteerd op een verscheurd laken en een saaie stem dreunde over de Brit-pop soundtrack heen.

'Ik moet even wat mensen spreken,' zei Daniel. Hij liep met Pierre mee en sloeg hem op de rug terwijl hij met de onberispe-lijk geklede gasten sprak. Charlie herkende er een paar van Orgasm, en ze voelde zich erg onooglijk in haar linnen broekpak.

Ze vouwde een arm over haar borst en nam af en toe een slok-je champagne terwijl ze om zich heen naar de tentoonstelling keek. Op het doek naast haar was een leeg colablikje vastgelijmd met het woord 'Pijn' eronder geschilderd met een airbrush. Het was zo ongeveer het meest pretentieuze ding dat ze ooit had gezien. Dat kon zij veel beter. Als je een expositie kon krijgen met deze rotzooi, dan kon ze net zo goed weggaan bij Bistram Huff en opnieuw beginnen als kunstenaar. Maar ze liet het idee al snel varen. Ze kon niet weg bij Bistram Huff, zeker niet nu ze iets met Daniel had.

Ze keek om zich heen in de galerie en vroeg zich af hoe ze zich ooit zo'n schitterende plek om te wonen zou kunnen veroorlo-ven. Daniels vrienden leken allemaal zoveel stijl te hebben. Een glazen trap liep omhoog naar een andere verdieping, waar kenne-lijk de woonvertrekken lagen. Alsof hij haar gedachten had kun-nen lezen, zwaaide Daniel naar haar.

'Ik zal je boven even laten zien.'

'Vindt Pierre dat niet vervelend?'

Daniel keek haar aan of ze gek was en nam haar bij de hand.

Pierres appartement was ingedeeld door matglazen panelen en zag eruit als een Japanse galerie.

'Wat vind je van de tentoonstelling?' vroeg Daniel terwijl ze een gietijzeren sculptuur bewonderde van een torso die uit het midden van de kamer oprees.

'Het is eh, interessant.'

'Ben je gek. Het is afgrijselijk! Papa Constantin heeft nog wat te goed bij Pierre en dus krijgt Annabel die tentoonstelling. Nepotisme alom. Zo werkt het nu eenmaal.'

Charlie voelde zich gestoken door zijn laatdunkende toon. Ze had de waarheid moeten vertellen; nu dacht Daniel dat ze net zo stom was als alle anderen in de ruimte.

'Zo, en waar is die sneeuw?' vroeg Pierre die door het automatische schuifpaneel kwam gelopen.

Daniel plofte neer op een opgevulde witlederen bank, deed zijn benen over elkaar en legde een klein pakje op de glazen tafel die de vorm had van een nier.

'Waar is je wc?' vroeg Charlie.

'Daar,' zei Pierre terwijl hij op een lege muur wees en naast Daniel aan de salontafel ging zitten.

Charlie liep op de muur toe en raakte hem even aan, waarna de muur wegschoof en Pierres verbijsterende badkamer zichtbaar werd. Het toilet was een piëdestal van staal op een verhoogd, betegeld platform, en Charlie keek er sceptisch naar. Inwendig stak ze de draak met zichzelf omdat ze nog maar zo kort geleden met Daniel had gevrijd maar nu doodsbang was dat hij haar zou horen pissen.

Pierres planken stonden vol met smetteloze designproducten. Geen wonder dat hij er zo schoon uitzag. Ze keek net naar de bodylotions en de peelingspullen toen ze het toilet onder zich voelde bewegen. Ze sprong eraf en het spoelde automatisch door. Toen hoorde ze Pierre en Daniel ginnegappen als een stel schooljochies. Ze waggelde over de enorme tegels langs de smetteloos schone doucheruimte van chroom.

'Vind je het niet prachtig?' vroeg Pierre. Het scherm gleed opzij juist op het moment dat Charlie haar broek weer optrok. 'Geïmporteerd uit Japan, mijn nieuwste ontdekking. Je kunt de hoogte instellen, de bril verwarmen en er zit zelfs een sproeier in die je kont schoonspoelt. En er zit een afstandsbediening op. Heel handig.' Hij lachte en demonstreerde het ding. 'Iedereen die hier komt moet erom lachen.'

Daniel sloeg zijn armen om Charlie heen en kuste haar. 'Kijk niet zo tobberig.'

Ze glimlachte enigszins in de war, omdat hij zo open was in het bijzijn van Pierre.

'Jullie zijn zó lief met z'n tweeën,' zei Pierre terwijl hij in de spiegel naar hen keek en met een lok van zijn schitterende haar speelde.

Daniel glimlachte en strengelde zijn handen achter Charlies

rug in elkaar. 'Het is een stuk, vind je niet?'

'Een van je mooiste stukken. Maar kom er even bij met z'n tweeën. Ik moet op de een of andere manier deze walgelijke expositie zien door te komen en jullie zijn mijn handlangers,' zei hij. Hij trok Charlie bij Daniel vandaan en voerde haar door het scherm heen naar de tafel. 'Dames gaan voor,' zei hij terwijl hij dicht bij haar ging zitten, haar een dun zilveren buisje gaf, en ondanks al haar goede voornemens en beloftes aan Rich nam Charlie het van hem aan.

Rich begon behoorlijk teut te worden. Hij zat uitgespreid in een surfshort op een kaal stuk gras in Gabriel's Wharf, zijn hoofd op het dijbeen van Pix. Een hond met een dekje om liep voorbij, zijn roze tong druipend in de namiddagzon.

'Daar heb je Khalin, een vriendin van me,' zei Pix, zwaaiend naar het podium waar een band zich klaarmaakte voor de volgende set. 'Ze is getrouwd met een Indiase profeet.'

Rich hees zich op zijn ellebogen omhoog en volgde haar blik door de rondlopende menigte. Op het podium tikte een meisje op blote voeten met hennapatronen rond haar enkels en een groen plastic diamantje op haar voorhoofd op de microfoon.

'Ze zegt altijd dat niemand het je kwalijk neemt als je vals zingt, zolang je jezelf maar mysticus noemt.'

Rich lachte en draaide zijn hoofd om om haar aan te kunnen kijken. Hij pakte haar kin tussen duim en wijsvinger. 'Je ziet er zo grappig uit, op z'n kop. Dit lijkt op je neus.'

Pix keek naar hem omlaag en glimlachte. 'Je bent net een groot kind, wist je dat?'

'Helemaal niet, ik ben een serieuze advocaat,' zei hij gespeeld nors.

Pix begon het gebied tussen zijn wenkbrauwen te masseren met haar duim. Rich sloot zijn ogen en zuchtte.

'Dit is een van je zeven energiecentra,' liet ze hem weten.

'Het voelt heerlijk, kun je mijn andere zes ook even doen?'

Pix deed of ze hem niet hoorde. 'In India geloven ze dat je energie als een slang onder aan je ruggengraat ligt opgerold. Je kunt hem wakker maken en hem zo leiden dat hij zich door je lichaam heen ontrolt,' zei ze.

Er ontrolt zich zeker een slang in mijn lichaam, dacht Rich terwijl hij omlaag keek naar zijn short. Hij ging zitten en greep Pix beet die giechelend toeliet dat hij haar op hem trok. Ze ging op hem zitten in haar Indiase katoenen rok en Rich keek naar haar door de zon verlichte gezicht en vroeg zich af of ze zijn stijve door de dunne stof van zijn short kon voelen. Het bier en de zon maakten hem ongelooflijk geil.

Hij wilde echter eerst haar gevoelens peilen voor hij probeerde met haar te vrijen. 'Wat vind je van mij, Pix?' vroeg hij.

Ze deed één oog dicht tegen de felle zon en dacht even na. 'Ik geloof dat ik nog nooit iemand heb ontmoet die zo vol dromen zit en zo weinig impulsief is,' zei ze.

'Hoe kun je dat nu zeggen?' protesteerde hij. 'Ik ben zo impulsief als het maar kan.'

'Geef dan eens een voorbeeld.' Pix zette haar handpalmen op het toefje haar op zijn buik waar zijn T-shirt uit zijn short was gegleden.

Rich voelde het verlangen in zijn penis wegkwijnen. 'Kweenie. Ik ben altijd impulsief,' zei Rich.

'Kul. Je hebt een buik vol instincten die je ontkent!' Ze klopte op zijn buik om haar uitspraak te onderstrepen.

Rich trok een gezicht en keek langs haar heen naar het podium. Het plein werd overstroomd door het aanstekelijke ritme van de trommels en op het podium draaide Khalin zich om en knikte naar de percussionist en de sitarspeler die om het ritme heen begonnen te spelen. Ze sloot haar ogen en ging bij de microfoon staan terwijl ze haar polsen als een slangenbezweerder boven haar hoofd draaide.

Plotseling hees Rich zich omhoog en trok Pix mee naar het midden van het plein waar hij begon te dansen. Pix sprong vrolijk op en neer en klapte in haar handen terwijl ze om Rich heen begon te buikdansen, en Rich schokte op de muziek, strekte en boog zijn schouders en bewoog zijn handen en voeten als een spin die verstrikt zit in plakkerig spul. Toen Khalin begon te zingen, greep Rich Pix beet en improviseerde een eigen dans waarbij hij gebruikmaakte van alle passen en bewegingen die hij kende uit alle dansfilms die hij had gezien, van *Come Dancing* tot *Grease*. Pix lachte toen hij haar hand pakte en zij van hem weg draaide, waarna hij haar met een zwaai in zijn armen nam in zijn eigen versie van een Jive. Al snel kregen meer mensen de smaak te pakken en begonnen er geschminkte kinderen, aangemoedigd door de atmosfeer, om hen heen te dansen en tikkertje te spelen terwijl meer mensen zich in de vrolijke menigte waagden.

Toen de set ten einde was, blies Rich een verhitte zucht naar haar voorhoofd en gebaarde Pix dat hij wilde gaan zitten.

'Je was geweldig,' zei ze lachend terwijl ze met haar hand op haar borst naar adem snakte. 'Je hebt iedereen aan het dansen gekregen! Khalin zal het prachtig vinden.'

Rich plofte weer in het gras. 'Zie je wel dat ik impulsief kan zijn,' zei hij. Hij haalde diep adem en rook de walmen die afkomstig waren van de barbecue bij de tent van Greenpeace. Hij was blij dat Pix hem had uitgedaagd en hij werd weer gewaar hoe het was om zichzelf te zijn in plaats van een of andere strak in het pak zittende metrozombie.

'Zullen we teruggaan naar mijn huis en iets gaan eten?' vroeg hij terwijl hij een laatste slok uit het warme blikje bier nam. Zo'n vegaburger kreeg hij van z'n levensdagen niet naar binnen. 'Heb jij honger?'

Pix glimlachte naar hem. 'Ik kan de achterpoot van het Lam Gods verstouwen.'

Aan de andere kant van de stad was Daniel in een hyperstemming. Uit de Porsche blèrde keiharde muziek die zich mengde met het zaterdagmiddagverkeer terwijl hij afsloeg bij Hyde Park Corner.

'Waar gaan we heen?' vroeg Charlie, maar Daniel grijnsde slechts, zette de wagen in een hogere versnelling op Buckingham Palace Road en kwam met gierende remmen tot stilstand voor Victoria Station. Hij sprong uit de wagen. 'Kom mee, ik moet je iets laten zien. Je zei dat je een waardeloze oog-handcoördinatie had: nou, dan kun je hier je lol op.'

Charlie liep struikelend achter hem aan terwijl hij in een enorme amusementshal verdween, zijn zonnebril op zijn hoofd. Het stond er vol schooljongens, die als vastgelijmd achter de luidruchtige apparaten stonden, rondracend op denkbeeldige racebanen en boosaardige computermonsters bevechtend, terwijl ze de zomerse dag buiten volledig lieten voor wat hij was en compleet opgingen in hun virtuele wereld.

'Moeten die niet naar de disco, met de meiden dansen?' vroeg Charlie, wijzend op het groepje jongens dat al hun inspanningen op een lawaaierige computerrace met auto's richtten.

'Dit is veel leuker,' zei Daniel terwijl hij haar door de gekleurde lichten, langs het gejengel van botsingen en gesimuleerd applaus naar een groot, zwart apparaat leidde waarop aan de voorkant twee geweren op waren gemonteerd.

'Wil je roze of blauw zijn?' vroeg hij terwijl hij wat wisselgeld uit de zakken van zijn kakikleurige Calvin Klein-broek haalde.

Charlie keek naar de monitor en de schokkende computer-mannetjes in gevechtsuitrusting. 'Blauw, natuurlijk.'

'Oké, dan schiet je alles wat blauw is neer,' zei Daniel terwijl hij zijn geweer beetpakte en op de monitor richtte terwijl hij het geld in de sleuf gooide.

Ze werden opeens bedolven onder lawaai. In gevecht met Daniel werd ze ondergedompeld in computerbeelden die onder-zeese contreien, gevechten in bergachtige gebieden en oorlogen in de ruimte opriepen. Uiteindelijk flitsten hun scores op.

Daniel leek onder de indruk. 'Niet gek voor een eerste po-ging,' zei hij.

'Nog een keer?'

Hij glimlachte en kuste haar. 'Natuurlijk. Heb je geld?'

Tegen de tijd dat ze strompelend uit de amusementshal kwa-men en terugkeerden naar het huis van Daniel, waren er drie uur verstreken. Charlie moest geeuwen, het zoemde in haar hoofd en haar ogen waren moe van het zich moeten concentreren op de monitor.

Het was ongelooflijk hoe snel de tijd ging als ze bij Daniel was en hoe gemakkelijk de overgang van haar leven als single naar dat als zijn vriendin was gegaan. Ze had bijna het gevoel op vakantie te zijn en ze sloeg haar armen om haar knieën terwijl ze, gehuld in een van Daniels nachtblauwe handdoeken, op zijn bed zat en de verrukkelijke geur ervan herkende als een mengeling van aftershave en wasverzachter. Ze neuriede in zichzelf terwijl ze haar ogen door Daniels slaapkamer liet dwalen. Een donker dek-bed lag over het gietijzeren bed, een antieke kleerkast stond in de hoek, naast een houten hutkoffer die, zo dacht ze, waarschijnlijk vol met liefdesbrieven zat. Ze kon het bijna niet laten er een kijk-je in te nemen.

Zoals ze het zich had voorgesteld bevond de slaapkamer zich in de galerij van de huiskamer. Ze liet zich achterovervallen op het bed en koesterde zich in de zon die door het bovenlicht van glas-in-lood viel. Daniel, die Benson had gevoerd, kwam de wentel-trap op met een fles water in zijn hand, en Charlie rekte zich als een poes voor hem uit op het bed. Hij pelde de handdoek van haar af alsof het de fluwelen hoes van een diamanten halssnoer was. Ze zuchtte terwijl hij neerkeek op haar naakte, blozende lichaam en de zachte welving van haar buik kuste.

'Je bent zo mooi,' zei hij.

'Jij mag er ook zijn,' zei ze terwijl hij naast haar op het dekbed kwam liggen.

'Ik ga het hele weekeinde stoute dingen met je doen,' zei hij. 'Ik laat je geen moment uit het oog.'

Charlie kwam op één elleboog omhoog. 'Je zult wel moeten. Ik ga morgen tussen de middag bij mijn ouders eten.'

'Dan ga ik toch mee?'

Charlie keek hem verbijsterd aan. Het was nog te vroeg om hem aan haar ouders voor te stellen.

'Wat is er? Ik dacht dat je wilde dat ik je vriendje was.'

'Dat wil ik ook,' zei ze terwijl ze zich omdraaide en op hem ging zitten. Ze keek hem in het gezicht. Zijn handen kwamen omhoog en namen haar borsten in zijn handen.

'Hoe voel je je?' vroeg Charlie terwijl ze de vreugde uit al haar botten voelde stromen.

Daniel woog haar borsten alsof hij de eetbaarheid van zachte perziken uitprobeerde. 'Ongeveer zo,' antwoordde hij terwijl hij zijn harde penis bevend naar haar oprichtte zodat hij zachtjes tegen haar billen stootte.

Charlie trok haar wenkbrauwen op. 'O, zo,' zei ze.

'Spring er maar op,' zei hij.

Charlie zocht zijn gezicht af en vroeg zich af wat ze moest doen. Ze verlangde ernaar hem in zich te voelen, maar er was nergens een spoor van condooms naast het bed te bekennen. Ze wilde net iets zeggen toen Daniel zich in haar duwde en ze begon te hijgen. Ze wist dat ze een stommiteit beging, maar ze kon nu niet meer ophouden. Daniel keek haar aan terwijl ze begon te trillen van ingehouden spanning.

'Maak je geen zorgen,' fluisterde hij, en hij kuste haar zo hartstochtelijk dat het leek alsof zijn aanwezigheid haar hersenen geheel vulde, waardoor er geen ruimte overbleef voor verstandige vragen.

Pix en Rich hadden besloten het grootste stuk naar huis te gaan lopen, dus liepen ze hand in hand langs de Embankment, snuffelden in het boekenstalletje onder de spoorbrug bij Charing Cross waar Rich zijn twee lievelingsromans kocht en zij een introductieboek voor Feng Shui voor hem kocht. Tegen de tijd dat ze bij het huis van Rich waren, stond de maan aan de hemel, aarzelend als een vingerafdruk.

Pix ging met haar benen over elkaar op het formica aanrecht zitten. 'Je houdt van koken,' zei ze terwijl ze toekeek hoe hij bij het fornuis bezig was. Rich tilde het deksel van de pan met saus op en roerde met een vork de pasta om.

'Het brengt me in contact met mijn vrouwelijke kant.'

Pix rolde met haar ogen naar hem en sprong van het aanrecht af om het prikbord vol foto's bij de koelkast te bekijken.

'Ik vind het ook wel belangrijk,' vervolgde Rich. 'Ik vind het niet erg om te koken als ik thuiskom en Charlie kan toch alleen maar bonen op toast en tonijnschotel klaarmaken. Dat gaat erg vervelen op den duur.'

'Is dit Charlie?' vroeg Pix geïntrigeerd. Op bijna elke foto stond Rich met een mooi meisje.

De houten lepel stopte even in de romige saus. 'Ja.' Hij strooide gehakte koriander in de pan.

'Knap meisje.'

'Daarop wel, maar ze is blond geworden en dat staat haar niet.'

'Wat is ze voor iemand?'

'Dat kan ik eigenlijk niet goed zeggen,' zei Rich terwijl hij zijn vinger aflikte. 'Als je iemand zo goed kent, is dat heel moeilijk.' Hij zweeg en schudde de sauspan vol pasta om.

'Is ze grappig?' vroeg Pix terwijl ze naar de foto's keek.

Rich staarde in de stoom die van de pan afkwam. 'Ja, ze is inderdaad grappig,' zei hij. 'Grappig qua manier van doen en qua om te lachen en ze houdt van thee in blauwe mokken en boterhammen met spek en mayonaise.'

Pix draaide zich om, verbaasd over de genegenheid in zijn stem, maar haar aandacht werd getrokken door een verjaardagskaart die Charlie voor Rich had gemaakt.

'Deze is leuk,' zei ze terwijl ze hem van het prikbord afhaalde en de cartoon van een mannetje uit de ruimte bestudeerde. 'Hoe kom je eraan?'

Rich nam de kaart van haar over, keek even en begon toen te grinniken. 'Heeft Charlie getekend. Ze zegt altijd dat ik van een andere planeet kom.' Hij gaf haar de kaart terug.

'Het is een geweldige tekening. Ik moet een flyer voor Space Odyssey maken en het zou een uitstekende illustratie zijn.'

'Leen hem maar, die kaart.'

'Weet je het zeker?'

'Charlie vindt het vast niet erg. Trouwens, het is mijn kaart. Ik zeg altijd dat ze meer moet gaan tekenen. Ze heeft zoveel talent.'

'Ze zou flyers moeten gaan illustreren. Als ik hierop afga, heeft ze er een goed oog voor.'

Rich trok zijn neus op. 'Ze heeft het veel te druk met haar werk.'

'Waar is ze vanavond?'

Rich deed de pasta op twee borden. 'Ze heeft een nieuwe vriend en daar spendeert ze nu al haar tijd aan.' Hij schonk de saus op de pasta en strooide er gehakte kruiden op.

Pix ging aan tafel zitten en begon de salade te mengen. 'Vind je dat niet goed?' vroeg ze terwijl ze een kerstomaatje in haar mond wierp.

'Het gaat me niets aan,' zei Rich bitter. Hij zette de stomend hete pasta voor haar neus en zei: 'Alsjeblieft.'

'Wauw, dat ziet er ongelooflijk lekker uit. Ik heb al in geen weken meer echt chic gegeten.' Ze grijnsde en snoof de geuren op die van haar bord afkwamen.

'Dillon, die kok die we kennen, is eigenaar van de kroeg aan de overkant. Van hem krijg ik al mijn kooktips.' Rich schonk witte wijn in haar glas. 'Het is verbijsterend hoeveel je in de kroeg kunt vragen voor een paar zongedroogde tomaten en een pakje eetbare viooltjes die je gewoon bij Sainsbury's kunt kopen,' zei hij terwijl hij Parmesan over haar bord strooide.

Pix hief haar glas naar Rich op. 'Het ruikt heerlijk en ik zit veel liever hier dan in een restaurant,' lachte ze.

Tegen twaalven stonden er drie lege flessen op tafel en was Pix bezig haar vingertoppen te dopen in het vijvertje gesmolten was rond de stompkaars die op tafel stond, waarna ze de was tot kleine kommetjes vormde en ondertussen vertelde naar welke plekken ze allemaal wilde reizen. Opeens kwam Kev door het kattenluikje gesprongen.

Rich, die tamelijk onvast op zijn benen stond, schoot van zijn stoel en haalde de groene pluisjes van zijn oren.

Pix staarde naar de kat. 'Hij heeft een goed aura.'

'Hoor je dat, Kev, je hebt een goed aura, jongen,' zei Rich, grijnzend tegen Pix. 'Ik wou Kev net iets gaan vragen.' Hij deed of hij zich afwendde en hield de kat dicht bij zijn oor. 'Denk je dat ik Pix moet vragen of ze vannacht hier blijft?' vroeg hij, geacteerd fluisterend. 'Ze heeft geen zin in dat gedoe om met een taxi terug naar Brixton te moeten. Wat vind jij?'

Kev likte aan zijn oor en ze moesten allebei lachen.

Rich wendde zich tot Pix, met een uitgestreken, zogenaamd serieus gezicht. 'Kev wil weten of je hier wilt blijven overnachten.'

Pix liep naar Kev, die nog steeds in de armen van Rich lag. 'Graag.' Ze streelde de kat onder zijn kin voor Rich hem neerzette.

'Kijk maar uit met dat beest, het is een ontzettende flirt,' zei Rich terwijl Kev kopjes gaf tegen de enkels van Pix.

'Moet je horen wie het zegt.'

Hij nam haar in zijn armen en knuffelde haar. 'Als je wilt, mag je als eerste de badkamer gebruiken,' zei hij terwijl hij haar de keuken uit voerde in de richting van zijn kamer.

Rich zag dat het antwoordapparaat knipperde en drukte op de knop terwijl Pix de deur van de badkamer sloot. Hij stond onbeweeglijk en met bonkend hart te luisteren naar de boodschap die Charlie had ingesproken.

'Hai, Superman, met mij. Ik wilde je alleen even gedag zeggen en ik hoop dat je een leuke dag hebt. Luister, ik ga morgenmiddag brunchen bij mijn ouders. Wil je mee? Mam en pap zouden het heerlijk vinden om je te zien. Nou, ik bel nog wel. Dikke zoen, doei schattebout.'

Toen Pix de badkamer uit kwam, trof ze Rich opgekruld in bed aan. Ze glimlachte en keek nog eens goed: hij deed net of hij sliep. Toen kroop ze onder het koude dekbed en krulde zich op tegen zijn rug. Hij bewoog niet toen haar arm als een tentakel om zijn middel gleed. Hij voelde hoe ze zijn schouder kuste en haar neus tegen de zachte stof van zijn T-shirt legde.

'Trusten, Pix,' fluisterde hij, zijn ogen wijdopen in het donker.

Pix verbrak het lichaamscontact met hem door zich om te draaien, en ze ging ontspannen achterover op haar kussen liggen. 'Trusten. Droom maar fijn,' zei ze.

'Wie is zij?' klonk de vijandige stem van Angelica Goldsmith, waarmee ze Charlie plotseling uit haar slaap haalde. Aan het voeteneind van Daniels bed trok Angelica haar goudkleurige naald-hakken uit en smeet ze naar de trap, zodat ze tegen de gietijzeren leuning kletterden.

Charlie zat meteen rechtop in bed met het dekbed tegen haar borst gedrukt. Angelica's doordringende blauwe ogen hadden dezelfde intensiteit als die van Daniel en ze keken Charlie vanuit haar diepgebronsde gezicht dreigend aan. Haar dikke blonde haar, dat een natuurlijke coupe soleil had gekregen, golfde over haar slanke schouders alsof ze zojuist van een dure kapsalon kwam.

Charlie wendde zich tot Daniel, maar zijn gezicht ontwaakte uit zijn slaap en brak uit in een openhartige grijns.

'Schat!' zei hij slaperig en stak zijn armen uit.

Angelica grijnsde naar hem terug en Charlie zag opeens hoe ze er als kind moest hebben uitgezien. Ze plofte neer aan Daniels kant van het bed en omhelsde haar broer terwijl haar ogen over zijn schouder heen over Charlies gezicht gingen alsof ze haar wel kon krabben.

Daniel trok zich terug en kuste zijn zus op haar voorhoofd ter-wijl hij haar wangen in zijn handen hield. 'Wanneer ben je terug-gekomen?'

Angelica stond op, rukte haar oorbellen af en smeet ze op het nachtkastje. 'Het vliegtuig is om een uur of negen gisteravond aangekomen en daarna zijn we wezen stappen,' zei ze. 'Ik ben op. Het was zooooo heet in St. Tropez.'

'Heb je het uitgemaakt met die zak van een Rufus?' riep hij haar achterna toen zij naar de badkamer stormde.

'Ja, natuurlijk. Ik liep Thierry Derevara, de neef van Pierre, nog tegen het lijf. Wat een *ongelóóflijk* stuk! Het zit vast in de fami-lie.' Haar stem ging half verloren doordat ze het bad liet vollopen.

Charlie zat bij te komen van de onwelkome inbreuk op hun privacy.

Daniel lachte naar haar. 'Angelica,' zei hij ter verklaring. 'Wat een crime, hè?' Hij prikte Charlie in haar wang en sloeg het dek-bed terug. 'Ik denk dat ik het ontbijt maar eens ga klaarmaken. Ze zal wel uitgehongerd zijn.'

Charlie zat hem aan te gapen toen hij uit bed sprong en zijn geruite boxershort aantrok.

'O,' mompelde ze met een stem die weerspiegelde hoe ont-stemd ze was.

Daniel keek op haar neer. 'Wat is er?' vroeg hij.

'Niks,' zei Charlie stamelend. 'Behalve dat ze me een halve shock heeft bezorgd.'

'Let maar niet op Angel, je went wel aan haar.' Hij rende de trap af om Benson te begroeten. 'Hallo, jongen, mammie is thuis,' hoorde ze hem zeggen tegen de opgewonden blaffende puppy.

'Het is me het engeltje wel!' Charlie trok haar spijkerbroek aan, haar lichaam nog warm van Daniels omhelzing, die de hele nacht had geduurd. Eigenlijk had ze graag in bad gewild, maar dat kon natuurlijk niet. Nijdig hoorde ze Angelica uit de badkamer roepen: 'Kan iemand me even een handdoek brengen?'

Charlie brieste van woede. Ze opende de wasmand van Daniel en begon er een vuile handdoek uit te trekken, tot ze besefte wat ze deed. Ze moest de relatie met Daniels zus om te beginnen maar zo vriendschappelijk mogelijk houden, dus pakte ze een dikke blauwe baddoek van de stapel die de schoonmaakster van Daniel had gewassen en deed de badkamerdeur op een kiertje open.

'Hier is er een, ik leg hem wel voor de deur.'

'Breng hem hier,' beval Angelica alsof ze het tegen een bediende had.

Charlie deed de deur open. Het grote schuine raam in het dak glinsterde van de stoom en het antieke emaille bad eronder vulde zich met belletjes. Angelica kreunde van plezier terwijl ze in de kuip zakte alsof ze Cleopatra was en Charlie keek omhoog naar de stereospeakers in het plafond – de nieuwste technische snufjes – waaruit het trage ritme van een cd met jazz-funk klonk die de gehele ruimte vulde.

'Alsjeblieft.' Ze legde de handdoek over de chromen stang.

In de keuken stond Daniel te fluiten. Charlie kwam aangeslopen en omhelsde hem van achteren, sloeg haar armen om zijn middel en drukte haar wang in de warmte van zijn rug. Zachtjes verwijderde hij haar armen en maakte zich los uit haar omhelzing.

'Voorzichtig, ik ben aan het koken,' zei hij terwijl hij het pannenkoekbeslag in een sissend hete koekenpan goot.

Charlie nam afstand en Daniel liet het beslag ronddraaien in de pan.

'Je bent toch niet vergeten dat we bij mijn ouders gaan brunchen, hè?'

Daniel liet de pannenkoek op het vuur voor wat hij was. 'Natuurlijk ben ik dat niet vergeten. Kom hier.'

Ze sloeg haar armen om hem heen en klemde zich aan hem vast om door hem te worden gerustgesteld terwijl hij haar verwarde haren streelde. 'Zo ken ik je weer,' zei hij alsof hij haar onderdanigheid voelde. Ze tuitte haar lippen naar hem en hij kuste haar, met zijn blik de pannenkoek in de gaten houdend. Kort daarop kwam Angelica de keuken in gestormd. Ze droeg Daniels favoriete T-shirt.

'Let maar niet op mij,' zei ze. Daniel maakte zich onmiddellijk los uit Charlies omhelzing.

'Angel, dit is Charlie.' Hij zwaaide met een spatel tussen de twee vrouwen heen en weer. Angelica bekeek Charlie van onder tot boven. 'Hai,' zei ze met een valse glimlach, voor ze een druif van de tros in de fruitschaal pakte en erin beet.

'Hoe was je vakantie?' vroeg Charlie.

Angelica hees zich op het aanrecht en begon met haar lange bruine benen te zwaaien. Ze zag eruit als een model dat op een fotosessie zit te wachten. 'Prima,' zei ze, daarmee duidelijk makend dat het Charlie niets aanging. 'Dan, jochie, vertel me alles: het laatste nieuws, roddels, schandalen.' Angelica leunde op het aanrecht en keek haar broer goeiig aan.

'Roddels? Terwijl jij de stad uit bent? Ik heb me heel rustig gehouden.'

'O, jee.'

'Nee, hoor. Ik vond het heerlijk. Ik heb het uitstekend naar mijn zin gehad,' zei hij met een glimlach naar Charlie.

'O?' Angelica leek verbaasd en besefte kennelijk dat Charlie niet een van de eendagsvliegen was die ze gewoonlijk op zondagmorgen aantrof. 'Waar kennen jullie elkaar van?' vroeg ze, met een blik op Charlie of ze van Mars kwam.

Charlie brieste van verontwaardiging.

'We werken samen,' zei Daniel, die niets merkte.

'Dan! Lijkt me niet verstandig om je zaad op je werk te verspillen – ha!' Angelica gooide haar hoofd achterover en begon te schateren.

Charlie had de borrelende pannenkoek wel op Angelica's zelfvoldane gezicht willen slaan.

'Iedereen weet het zeker al?' Ze gleed van het aanrecht af en keek Charlie vragend aan.

Charlie schudde haar hoofd. Ze durfde niets te zeggen.

Angelica wierp haar een valse grijns toe die zoiets wilde zeggen als: 'Doe niet zo naïef,' en zei toen: 'Ik zou niet graag in jouw schoenen staan.' Ze sloeg haar armen om Daniel heen zoals Charlie dat even tevoren had gedaan. 'Mijn lieve broertje heeft nooit veel met discretie op gehad. Integendeel, hoe smeriger het geheimpje... nou ja, ik zal er maar niet te veel over zeggen.'

Daniel leek het niet te horen. Hij pakte een van haar armen en gaf er een zoen op. 'Mooi kleurtje,' zei hij. 'Waren er nog leuke types bij, dit jaar?'

Angelica maakte zich van hem los en ging op een kruk zitten wachten op zijn ontbijt.

'*Iedereen* was leuk. En we hebben je allemaal gemist,' zei ze. 'Tamara was er ook.'

'O. Gaat het goed met haar?'

'Als je de moeite nam om haar te bellen, zou je daar zelf wel achter komen,' zei Angelica verwijtend. 'Haar vader heeft net een groot kasteel gekocht op de heuvel van Monte Carlo.' Ze drukte dramatisch de rug van haar hand tegen haar voorhoofd. 'Maar ja, zonder jou betekent geld niets voor haar.' Daniel liet de pannenkoek op een bord glijden.

'Echt, Dan, *moet* je nu echt een spoor van gebroken harten over de hele wereld achterlaten?'

'Ze komt er wel overheen.' Hij zette het bord voor zijn zus neer.

Charlie stond op en schoof haar kruk naar achteren. Benson stond aan de achterdeur te wachten om binnengelaten te worden.

'Moet je horen. Ik denk dat ik maar ga, dan kunnen jullie even bijpraten,' zei ze met bonkend hart en met gekwetste, neergeslagen ogen, Daniels blik ontwijkend. 'Ik laat Benson wel uit en neem hem mee naar huis. Als je wilt, kun je ons dan straks komen ophalen.'

'Hoor je dat, Benson, je gaat lekker wándelen,' kirde Angelica, Benson op de rug kloppend. Benson begon opgewonden te blaffen.

'Wil je geen pannenkoeken?' riep Daniel boven het geblaf van Benson uit.

'Nee, ik wil in bad. Bedankt.'

'Ik kom je om halftwaalf wel ophalen, goed?' vroeg hij terwijl hij weer een klont boter in de koekenpan deed.

Angelica liet haar vork met pannenkoek op haar bord kletteren. 'Je gaat toch niet weg, hè?' riep ze uit. 'Ik had graag gezien dat je me een lift naar Oliver gaf, hij heeft de hele dag feest.' Ze keek Daniel teleurgesteld aan.

'Het spijt me, moppie, maar we gaan weg. Ik ga brunchen bij Charlies ouders.' Hij haalde zijn schouders op.

'Doe niet zo gemeen,' pruilde Angelica. 'Ik ben de hele zomer weggeweest, en ik ben nog niet terug of je gaat alweer. Trouwens, je hebt een bloedhekel aan brunchen en dat gedoe met ouders.'

Charlie keek Daniel woedend aan, maar hij stopte de vork met pannenkoek, druipend van de stroop, in zijn mond om geen commentaar te hoeven geven.

Benson zag eruit als een vertraagde opname van een galopperend paard toen hij aan zijn riem trok en Charlie over de kruising naar de plaatselijke begraafplaats trok. Tranen van woede brandden haar in de ogen. 'Hoe durven ze,' mompelde ze terwijl ze bedacht welke scherpe opmerkingen ze tegen Angelica had kunnen maken om haar de mond te snoeren.

'Kop op, schat, zo erg kan 't niet wezen,' zei een man bij de stoplichten vanuit een jeep met open dak.

Erger kan het niet, dacht ze terwijl ze hem een woeste blik toewierp.

Daniel had haar niet eens een kus gegeven toen ze was vertrokken en ze kreeg een steek in haar hart. Dit beloofde weinig goeds.

Ze wandelde over het gebarsten betonnen pad tussen de vervallen grafstenen. De zon scheen door de bomen boven haar en ze passeerde een oude vrouw die een kom met rozen op een graf snoeide. Charlie knikte tegen haar en bleef staan kijken hoe ze tegen de oude marmeren grafsteen sprak. Wat moest het erg zijn om iemand te verliezen van wie je hield. Daniel bijvoorbeeld. Wat als Angelica hem tegen haar opzette? Wat als hij zich van haar afkeerde en terugging naar de sjieke Tamara? Ze zou zijn afwijzing nooit te boven komen. Tegen de tijd dat ze bij haar huis was, besefte ze dat hoe moeilijk ze het ook had, ze hem dat nooit mocht laten blijken. Ze kon het risico niet nemen.

Ze had nog nooit een ander huisdier in haar appartement op bezoek gehad en Benson bleek vastbesloten zijn territorium te onderzoeken. In een mum van tijd maakte Kev een luchtsprong, zette al zijn haren op en begon tegen de nieuwsgierige puppy te blazen.

'Rustig,' zei Charlie. Kev was angstaanjagend: hij blies en gromde en kromde zijn klauwen, en hij haalde naar Benson uit die de huiskamer in vluchtte.

Charlie wierp zich op de kat, greep het woedende beest en hield hem voor zich uit terwijl ze met haar ellebogen de deur van de slaapkamer van Rich opende, achteruit naar binnen ging en de deur achter zich dicht schopte.

'Sorry, Rich, Bens...' begon ze. Toen keek ze naar zijn bed en haar mond viel open toen Pix haar hoofd boven het dekbed uitstak.

Rich, die was vergeten dat Pix in zijn bed had overnacht, ging zitten en keek eerst de ene, toen de andere vrouw aan.

'Sorry,' mompelde Charlie terwijl ze Kev als een hete aardappel liet vallen en op de tast naar de deurkruk zocht. Het idee dat er iemand bij Rich zou, of zelfs maar kon blijven slapen was nog nooit bij haar opgekomen en haar hart bonkte toen ze de deur dichtdeed. Nog natrillend van de schok stommelde ze naar haar kamer en zakte neer op de grond naast haar bed.

Benson duwde zijn neus tegen haar aan en haalde haar uit haar verdoving. Ze aaide zijn zachte oortjes. 'Wat nu?' Ze pakte de telefoon van de tafel naast haar bed en toetste het nummer van Kate.

'Ik zit in een crisis,' zei ze met trillende stem.

'Ik ook. Ik ben mijn bikinilijn aan het waxen,' antwoordde Kate. 'Wacht even, dit is de laatste strip.' Er klonk een scheurend geluid en Charlie kromp in elkaar omdat Kate door de telefoon begon te vloeken.

'Oké. Laat horen.'

Terwijl Charlie zich herinnerde wat er de afgelopen twee uur was gebeurd, leek haar zelfvertrouwen steeds verder te slinken. 'Ik weet niet wat er met me is,' eindigde ze, een traan uit haar ooghoek vegend.

'Angelica is een kreng. Daar moet je boven staan, schat.'

'Maar Daniel had het voor me moeten opnemen,' zei Charlie, klaaglijk en verstikt door zelfmedelijden.

'Angelica is zijn zus en hij *hoefde* helemaal niets te doen. Jij wilde dat hij attenter was, maar laten we wel wezen, je vergeet één cruciaal ding.'

'Wat dan?' vroeg Charlie, hoewel ze het antwoord al wist en begon te glimlachen.

'Het is een man!' zeiden ze toen in koor.

'Je hebt best kans dat hij niet eens wist wat hij aan het doen was.'

Charlie liet Kates woorden tot zich doordringen, waardoor de hele toestand in een wat redelijker perspectief werd gezet.

'Maar dat is nog het minst erge. Wat moet ik met Rich?' vroeg ze. 'Hij heeft me niet eens verteld dat hij met iemand omging.'

'Nou en? Geef hem de kans het uit te leggen.'

'Daar heeft hij anders kans genoeg voor gehad,' zei Charlie, als door een wesp gestoken en zelf verbaasd hoe kwaad ze was.

'Weet je het zeker?' Kate wist dat Charlie haar vrienden de laatste tijd had verwaarloosd. 'Kom op, zo zit je toch niet in elkaar? Waar is de kalme, beheerste vrouw op wie ik zo dol was? Je hoeft je niet net als Angelica de halve wereld toe te eigenen.'

'Ik lijk *absoluut* niet op Angelica!' gilde Charlie als een verwend kind, en ze moesten allebei lachen. 'O, Kate, waar zou ik zijn zonder jou?'

'In de goot, waarschijnlijk. Goed. Welke kleur zal ik mijn teennagels geven? Hoerig rood, babyblauw of paprikarood?' vroeg ze gespeeld zwoel.

'Paprikarood. Hoerig is uit en blauw is zo... ordinair!'

'Ha! Betrapt. Je kunt nog steeds besluiten nemen, dus er is nog hoop voor je!'

Charlie lachte. 'O, god, ik ben zo afgrijselijk egoïstisch aan het worden. Hoe gaat het met jou? Waar is Dillon?'

'Ergens op het net.'

'Wat?'

'Hij is naar het Internetcafé, op zoek naar saladedressings.' Kates stem vibreerde omdat ze het flesje nagellak schudde. 'Hij probeert zijn charmes uit op het World Wide Web, op zoek naar de beste dressing aller tijden. Tot dusver heeft hij een oranje en een wodkasausje uit Wladiwostok of zo.'

'Dat meen je niet.'

'Nee, echt. En dan denk je nog dat jíj problemen hebt!'

Pix was in de keuken om een doosje kruidenthee uit haar rugzak te halen. Toen ze Charlie zag, zette ze het neer en glimlachte, waardoor er kleine rimpeltjes om haar groene ogen ontstonden.

'Hai, ik ben Pix,' zei ze. 'Sorry dat we je zo'n schok hebben bezorgd!'

Ondanks zichzelf voelde Charlie dat ze haar glimlach beantwoordde. 'Inderdaad, maar ik kom er wel overheen. Ik ben Charlie, trouwens,' zei ze, naar voren stappend om Pix een hand te geven.

Pix veegde haar hand af aan haar paarse overall voor ze die van Charlie schudde. 'Ik weet het. Ik heb al veel over je gehoord.'

'Echt? Dat is gek, want ik heb niets over jou gehoord.' Charlie keek kwaad naar Rich, die de keuken in kwam sluipen.

'Ik zie dat jullie al kennis hebben gemaakt,' zei hij terwijl hij zich in zijn nek wreef, waar hij de vorige dag nogal was verbrand. Zijn ogen waren bloeddoorlopen van zijn kater. 'Hoe zit het met die hond?'

'Dat is Benson, de puppy van Daniel.'

'Wat een schatje,' zei Pix terwijl ze Benson achter de oren krabbelde.

Rich leek geïrriteerd. 'Wat doet hij hier?'

'Ik heb hem uitgelaten. Daniels zus is opeens komen opdagen en ik wilde naar huis om me te verkleden,' zei Charlie. 'Ik neem Daniel mee naar mijn ouders,' voegde ze eraan toe terwijl ze Rich strak en zonder een lachje op haar gezicht aankeek.

'O,' zei Rich. 'Nou, in dat geval doe je de groeten maar aan je ouders.'

Charlie wendde zich van hem af en begon een bakje met water te vullen. Ze wist dat ze hatelijk was, maar zij voelde zich eveneens verraden, omdat Rich haar niets over Pix had verteld. Bovendien was het veel belangrijker dat Daniel haar ouders ontmoette. Rich had hen al honderden keren gezien. Ze zette het bakje op de grond voor Benson.

'Zo, Pix, wat doe jij voor werk?' vroeg ze om de spanning wat doorbreken.

'Ik ontwerp flyers voor clubs, maar ik studeer ook nog. Fotografie,' zei ze terwijl haar ogen tussen Charlie en Rich heen en weer flitsten, die allebei weinig echte belangstelling voor haar leken te hebben. De spanning tussen hen was om te snijden.

'O? Waar?'

'Aan St. Martin's.'

Charlie voelde haar rug verstijven van verontwaardiging. Waarom was ze na zo lange tijd nog steeds jaloers? Het leek of

140

Rich haar opzettelijk zat te pesten. 'Ze zeggen dat St. Martin's de beste in zijn soort is,' zei ze met haar handen in de achterzakken van haar spijkerbroek. Ze beet op haar onderlip en ving de blik van Pix op, die nogal in de war leek. 'Hé, ik wil niet onbeleefd zijn, maar ik moet een beetje opschieten.' Ze schoot de keuken uit, verbaasd dat haar ogen zich met tranen vulden.

'Ze leek wel overstuur,' zei Pix tegen Rich, die stond te staren naar de lege ruimte die Charlie had achtergelaten.

'Maar je geen zorgen,' zei hij alsof hij zojuist een spookverschijning had gezien. Hij richtte zijn aandacht op Pix. Ze glimlachte en kwam naar hem toe, haar gezicht vol genegenheid. Rich raakte in paniek. Hij wilde haar hier niet. Charlie dacht waarschijnlijk dat hij met Pix had geslapen, terwijl er niets was gebeurd.

'Wil je ontbijten?' vroeg hij toen hij langs haar heen schoot en de koelkast openrukte. 'Hoe wil je je eieren?'

'Onbevrucht,' zei Pix, lachend om de oudste feministische grap ter wereld.

Daniel snufte luidruchtig en veegde de onderkant van zijn neus af. 'Ik kwam maar niet van Angelica af. Sorry dat ze zo'n kreng was, ze bedoelt het niet zo,' zei hij verontschuldigend toen hij de trap naar Charlies etage op kwam. Hij omhelsde haar en ze legde haar hoofd op zijn borst. Toen ze naar zijn hart luisterde, leek dat ongewoon snel te gaan.

'Maak je geen zorgen. Ik was alleen maar zo kwaad omdat ik samen met jou wilde uitslapen,' zei ze terwijl ze hem met grote ogen aankeek, haar zorgvuldig voorbereide speech volledig vergeten. Daniel hield zijn zonnebril op en streelde haar wang met onverwachte tederheid.

'Ik ook,' zei hij.

Benson stond achter hen te kwispelen, jankend om aandacht toen Daniel met zijn tong in Charlies mond schoot en haar hartstochtelijk begon te kussen. Ze glimlachte en sloot haar ogen terwijl Daniel luidruchtige kussen in de zachte, gladde welving van haar hals gaf.

'Ikke moete jou hebben,' zei hij met een Italiaans accent en zakte op zijn knieën. Charlie deed haar ogen open en duwde hem opeens van zich af. Rich stond in de huiskamer naar hen te kijken.

Daniel stak zijn hand uit. 'Hallo. Jij bent zeker Rich, hè? De advocaat?'

De glimlach op het gezicht van Rich beloofde weinig goeds. 'Ja, inderdaad. En jij bent zeker Daniel? Het nieuwe vriendje,' zei hij. Hij had al op het eerste gezicht een hekel aan hem.

Daniel lachte, zonder de ijzige uitdrukking op het gezicht van Rich te zien.

'Dit is Pix,' zei Charlie toen ze uit de keuken kwam. 'Rich zijn nieuwe...?'

Pix trok een gezicht. 'Vriendinnetje,' grapte ze.

Daniel zette zijn zonnebril op zijn hoofd en bekeek haar van boven tot onder. Hij liet zijn tong over zijn tanden glijden. 'Dag, schatje.'

Pix bloosde en verborg zich als om bescherming te zoeken achter Rich.

Charlie wendde zich tot Daniel. 'Zullen we gaan?'

Hij legde zijn hand op haar schouder. 'Ja. Op weg naar het ouderlijk huis.' Hij grijnsde tegen Rich en Pix alsof hij zenuwachtig was.

'Het zijn schatten,' zei Rich.

'O. Nou. Tot ziens dan maar.' Daniel stak zijn hand op alsof hij een filmster was die in een limousine stapt. Benson rende voor hen uit de trap af om zijn plekje op de deken achter in Daniels Porsche in te nemen.

Zodra de benedendeur dichtsloeg, barstte Pix in lachen uit. Ze liet haar vingers door haar auberginekleurige haar gaan in een imitatie van Daniel. Ze ging voor Rich staan, bekeek hem van boven tot onder, alsof ze hem met haar ogen uitkleedde, en zei met een Amerikaans accent: *'Well, hello.'*

Rich lachte. 'Wat een zak!'

'Hij ziet er goed uit, maar toch snap ik niet wat Charlie in hem ziet,' zei Pix hoofdschuddend.

'Ik ook niet. Is hij echt zo aantrekkelijk?'

'Helemaal niet! Aantrekkelijkheid heeft niets met uiterlijk van doen en alles met wie je bent. Daniel haalt het bij lange na niet in vergelijking met jou.' Ze rekte zich uit en kuste hem op de lippen.

Rich sloeg zijn armen om haar heen en kuste haar terug. Hij vond het uitstekend dat ze ervoor zorgde dat hij niet meer aan Charlie dacht.

Pix maakte zich van hem los. 'Nee, nee, zo moet je niet kussen,' zei ze terwijl ze Rich naar de bank trok. 'Aangezien ik je nieuwe vriendinnetje ben, ga ik je een les in kussen geven.' Ze trok hem op de bank en knielde naast hem neer. 'Wat is dat toch met Engelse mannen? Ze kunnen geen van allen zoenen.'

Rich werd een beetje boos. 'Ik heb nog nooit klachten gehad,' zei hij, maar Pix legde hem het zwijgen op door hem te verleiden tot een omhelzing. Met gemompelde aanmoedigingen kuste ze hem steeds opnieuw, leerde hem niet alleen zijn tong te gebruiken, maar haar lippen te kussen en zachtjes te zuigen zodat hun monden een vacuüm creëerden waarin hun tongen elkaar ontmoetten. Rich had het gevoel of zijn hersenen in een tunnel werden gezogen en zich op de oase van gevoelens concentreerden, en hij hoorde zijn eigen gemompel zich mengen met dat van haar.

Hij trok haar in zijn armen, rook de geur van patchouli, en met een zacht plofje rolden ze van de bank af op het kleed. Pix begon te giechelen en even lagen ze op hun rug naar het afbladderende plafondrozet te kijken.

Ze draaide haar hoofd naar hem om. 'Laten we het doen.'

Rich knikte. Zijn handen zaten al onder haar T-shirt, maar zodra de handen van Pix trillend van opwinding naar zijn gulp zochten, voelde hij zijn stijve slinken. Hij probeerde haar nog hartstochtelijker te kussen, maar het was hopeloos. Hij ging zitten en maakte zich van haar los.

'Wat? Wat is er?' vroeg ze, terwijl ze eveneens rechtop ging zitten.

'Ik weet het niet. Het spijt me heel erg. Zou je het vervelend vinden als we zouden wachten, Pix?' vroeg hij terwijl hij haar met rode wangen aankeek.

Pix knuffelde hem.

'Ik voel me zo stom.'

Ze hield hem nog iets dichter tegen zich aan. 'Shh. Het geeft niet,' fluisterde ze. 'Ik begrijp het wel.'

'Lieve schat!' Hazel Bright sloeg haar armen om haar dochter heen en Charlie kuste de zachte wang van haar moeder, zich verontschuldigend voor het feit dat ze te laat waren. Hazel hield haar dochters schouders op armlengte van zich af. Hoofdschuddend maakte ze wat 'tut'-geluidjes terwijl ze Charlies haar aanraakte. Toen deed ze een stapje naar achteren en taxeerde haar figuur. 'Je bent afgevallen. Eet je wel goed?'

Charlie wierp haar een waarschuwende blik toe. 'Mam, dit is Daniel,' zei ze terwijl ze zich omdraaide en hem met onverholen trots aankeek. Hazel, enigszins blozend van haar zondagse glaasje sherry, schikte wat aan haar geverfde krullen en schudde Daniels uitgestrekte hand.

'Aangenaam, Daniel. En van harte welkom.'

Charlie kromp in elkaar terwijl ze met z'n allen de keuken binnen gingen. Haar moeder sprak als de dame die had gestudeerd aan het Cheltenham Ladies' College. En bovendien zocht ze nu schaamteloos Daniels gezicht af op sporen van een eersteklas graad aan een respectabele universiteit, want dat was toch wel een eerste vereiste voor de man die probeerde het met haar dochter aan te leggen.

Daniel begroette het gestaar van de moeder van zijn geliefde met een gelijkmatig soort zelfverzekerdheid waar Hazel van moest blozen.

'Papa is in de huiskamer,' kweelde ze. 'Ik roep hem wel even. Maak het je gemakkelijk. Ze deed haar bedrukte Liberty-schort af, wierp dat over een houten keukenstoel en liep naar de deur. In het voorbijgaan gooide ze Delilah, de oude cyperse kat, van het dressoir af.

'Donald. Charlie is er,' riep ze terwijl ze haar lippenstift inspecteerde in de gangspiegel.

Charlie sloeg haar handen ineen. 'Wil je iets drinken?' vroeg ze aan Daniel met de autoriteit van degene die zich in het huis bevindt dat ze nog steeds als 'thuis' beschouwde.

Daniel gaf geen antwoord. Hij bestudeerde de foto's van de familie die de keukenmuur sierden. 'Moet je die wijde pijpen zien!' Hij wees op een acht jaar oude Charlie in vol jaren-zeventigornaat.

'Niet kijken,' gilde Charlie terwijl ze zich naar hem toe spoedde. 'Die afschuwelijke foto's.' Ze stak haar hand uit om de foto's te bedekken, maar Daniel pakte haar beet en begon haar te kietelen.

'Kindertjes.' Charlies vader kwam de keuken binnen. Hij deed zijn halvemaansbril af en keek zijn dochter bijziend aan.

'Hallo, pap,' zei Charlie, nog half lachend.

'O, wat zie ik nu? Blond? Wat krijgen we nog meer? Het is toch niet voor altijd, hè?'

Hij glimlachte toen Charlie op haar tenen naar hem toe liep en hem een zoen op zijn wang gaf.

'En dit is je nieuwe vrijer, neem ik aan,' zei hij terwijl hij Daniel langs zijn neus heen aankeek, als een dominee die een verdwaalde, naar urine stinkende parochiaan aankijkt.

'Papa, dit is Daniel.' Charlie pakte Daniel beet en trok hem naar voren.

'Je doet toch wel voorzichtig met haar in die rammelkast van je, hè Daniel?' vroeg Charlies vader. Hij was opgeschrikt uit de golfpagina op Teletekst toen Daniels Porsche het zorgvuldig aangeharkte grind alle kanten had doen opspatten.

'Zo voorzichtig als een egeltje,' zei Daniel effen terwijl hij Donalds hand schudde.

Donald knikte en gromde. 'Wie wil er een aperitiefje?' vroeg hij en ging hen voor naar de zitkamer. Charlie werd opeens nerveus en ze wenste dat ze haar ouders niet had gebeld om te zeggen dat Daniel meekwam. Als ze Rich had meegenomen, zou Hazel naarstig in de tuin aan het werk zijn en Donald zou met de barbecue bezig zijn geweest met zijn oude spijkerhoedje op het hoofd.

'Had ik een blazer moeten aantrekken?' vroeg Daniel plagend toen hij naast Charlie aan de mahoniehouten drankkast stond.

Ze schudde haar hoofd, bezorgd dat hij zich misschien uit de toon voelde vallen terwijl Donald gin en tonics inschonk en Daniel een kom pinda's overhandigde.

'Ik dacht dat we maar in de eetkamer moesten eten, die is een stuk comfortabeler,' zei Hazel en loodste iedereen door de dubbele deuren heen.

'Moeder,' siste Charlie. Ze kreeg opeens een droevig gevoel over zich. Ze zou het verschrikkelijk vinden als haar ouders een show aan het opvoeren waren. Daniel was geen visite, hij was haar vriend.

En ja hoor, de tafel was gedekt alsof er koninklijk bezoek zou plaatsvinden. Het Royal Doulton-servies van oudtante Betty stond uitgestald op het damasten tafellaken, naast Donalds onvolprezen kristallen Edinburgh-glazen en verzilverde bestek.

'Waar zal ik gaan zitten, mevrouw Bright?' vroeg Daniel terwijl hij zich aan de achterkant van een stoel vasthield. 'O, noem me alsjeblieft Hazel,' antwoordde ze. 'Het maakt niet uit.' Ze wapperde met haar hand alsof het eten met de Franse slag was klaargemaakt en ze er niet, wat waarschijnlijk dichter bij de waarheid was, de hele ochtend op had staan zweten.

'Ik dacht dat we maar een fles rode uit Australië moesten openen,' zei Donald. 'Ik ben een groot fan van de wijnen uit de Nieuwe Wereld. Een groot fan.' Hij liet het etiket aan Daniel zien, die de fles van hem overnam.

'Ga je gang, jij mag hem ontkurken,' zei Donald en overhandigde Daniel de oude kurkentrekker met het handvat van boombast overhandigde. Toen hij nog maar halverwege de kurk zat, brak het ding al af.

Hazel stond meteen naast Daniel. 'Dat gebeurt nou altijd.'

Charlie probeerde haar ergernis te bedwingen. 'Waarom gooien jullie dat ding dan niet weg?'

'Dat kan toch niet zomaar? We hebben hem al sinds ons trouwen,' zei Hazel.

Donald haalde zijn Zwitserse legermes uit zijn zak. 'Hier.' Hij pakte de fles en trok de vervloekte kurkentrekker eruit. 'Machtige uitvinding, dit,' zei hij, wat gespannen omdat hij het rode handvat van het legermes beetnam, de fles ontkurkte en de kurk van het metalen spiraal bevrijdde. 'Heb jij ook zo'n mes, Daniel?' vroeg hij, duidelijk met zichzelf in zijn sas.

Charlie bedekte haar gezicht met haar handen. Natuurlijk had Daniel geen Zwitsers legermes in zijn zak! Dit was één grote vergissing. Ze pakte de wijn van haar vader af.

'Laat Daniel maar even proeven,' zei haar vader joviaal terwijl hij het mes begon te slijpen.

Charlie schonk gehoorzaam een slokje wijn in Daniels glas en wierp hem een blik toe die zoveel wilde zeggen als: 'Ik weet het, het spijt me.'

Als antwoord vormde hij geluidloos de woorden: 'Neuk me' met zijn mond en daagde haar met zijn ogen uit terwijl zij bloosde. Hij liet de wijn rondgaan in zijn glas en snoof eraan.

'Dat zal best gaan,' zei hij en zette het neer zonder ervan te hebben geproefd.

Charlie glimlachte terwijl ze de wijn inschonk. Hazel liet de heerlijke gebakken aardappeltjes rondgaan terwijl Donald de rosbief uitdeelde en eindelijk waren ze dan klaar om te gaan eten. Toen nam de elegante manier van verhoren die Charlies ouders tijdens hun leven steeds verder hadden geperfectioneerd, een aanvang.

'Zo, Daniel, en wat doen je ouders?' Donald ging als eerste van start met zijn favoriete schot hagel. Charlies ogen flitsten waarschuwend naar haar vader, maar hij deed of hij het niet zag en trok zijn wenkbrauwen op naar Daniel.

'Mijn vader is onlangs met pensioen gegaan uit het corps diplomatique,' zei Daniel bereidwillig, 'en mijn moeder was balletdanseres.' Hij keek naar zijn bord.

'O, ze danst!' zei Donald, die kennelijk even had gemist dat Daniel 'was' had gezegd. 'Hazel en ik zijn dol op dansen. We dansen nog steeds op "Rock around the Clock" met kerst. Ik moet zeggen dat het er met de jaren niet gemakkelijker op is geworden!' gaf hij gniffelend toe terwijl hij zijn ogen in de richting van zijn vrouw liet rollen.

Hazel maakte 'tut-tut'-geluidjes tegen haar echtgenoot en richtte toen haar aandacht op Daniel. 'Waar komen jullie vandaan?' vroeg ze.

'O, van overal, maar mijn vader woont tegenwoordig in Schotland,' antwoordde Daniel.

'Schotland! Mary Rose woont in Schotland,' riep Hazel uit alsof ze bij Daniels vader in de straat zou wonen.

'Hoe gaat het met Mary Rose?' wilde Charlie weten.

'Nog net zo gek als altijd,' gromde haar vader.

'Niet zo onaardig,' zei Hazel streng. 'Het gaat goed met haar. Heeft het heel druk op de boerderij. Ze is mijn beste vriendin van de universiteit en Charlies peetmoeder. Charlie en Rich logeerden vaak bij haar in de zomervakantie. Ze kwamen dan altijd helemaal verwilderd terug. Je zou kunnen zeggen dat Mary Rose een vrije geest is,' vertrouwde ze Daniel giechelend toe.

Donald vond kennelijk dat de ouderlijke ondervraging moest worden voortgezet. 'Je bent ontwerper, hoorde ik van Charlie?' vroeg hij, luid bulderend.

Charlie zat als vastgenageld op haar stoel. Ze had haar familie altijd als een veilige, warme thuishaven gevoeld maar nu leken er opeens overal voetangels en klemmen op te duiken. Ze deed een van haar schoenen uit en strekte haar been onder de tafel om Daniel in een troostend gebaar aan te kunnen raken. Daniel bracht zijn hand onder de tafel en tilde haar voet op tot aan zijn kruis. Ze begon met haar tenen te wriemelen en voelde tot haar opluchting zijn penis groeien onder zijn linnen broek.

'Wil iemand nog peultjes?' Hazel glimlachte op dezelfde manier als haar dochter en Daniels penis klopte onder Charlies betastende tenen. Daniel had eerder gezegd dat als je wilde weten hoe de dochter er over twintig jaar uitzag, je naar de moeder moest kijken. Charlie zag hem nu de vragende wenkbrauwlijn van haar moeder bestuderen die Charlie van haar had geërfd.

Tevreden met de informatie die Daniel hun had verstrekt en nadat Charlie kort had verteld wat zich bij Bistram Huff afspeelde, begon Donald aan een gedetailleerd verslag van de geplande route voor hun komende golfvakantie in Australië.

'Schat, help je me even met de borden?' vroeg Hazel toen ze er eindelijk in slaagde ook iets te zeggen, en Charlie had geen andere keuze dan de tafel en Daniels opgerichte lid in de steek te laten. Ze boog zich voorover om Daniel het voorrecht van haar decolleté te vergunnen en keek hem in de ogen.

'Dat was verrukkelijk,' zei Daniel.

Charlies moeder stapelde de borden op. 'Heb je genoeg gehad?'

'Ik ben een moeilijk man om tevreden te stellen, Hazel.'

'Dan kan ik je misschien verleiden tot een stukje fruittaart?' Hazel keek hem met schuin hoofd aan. Daniel leek overstag te gaan. '... met slagroom?' drong ze aan, alsof ze hem een ultieme traktatie voorschotelde.

'Hazel! Je verwent me!'

'Speel je golf?' vroeg Donald aan Daniel terwijl Charlie achter haar moeder aan liep en de hardgebakken stukjes van de bodem van de aardappelschaal pakte. Charlie maakte een grimas tegen haar spiegelbeeld in de gangspiegel. Arme Daniel.

'En? Wat vind je van hem?' vroeg Charlie haar moeder toen ze de vaatwasmachine volstouwde.

'Hij lijkt me een heel aardige jongeman,' zei Hazel en reikte haar een opdienschaal aan.

'O, God! De kus des doods!'

'Alleen, nou ja, het lijkt alsof hij zich een beetje... anders voordoet dan hij is. Dat is alles, schat.'

'O, en jullie niet, dan?' vroeg Charlie verontwaardigd.

'Je hoeft niet zo beledigd te zijn, liefje. Als jij maar gelukkig bent.' Hazel moest het deurtje van de vaatwasser een aantal keren dichtslaan voor hij echt dicht was.

'Ik ben gelukkig, mam. Het is zo'n stuk en hij is fantastisch in bed.'

Er gleed een schaduw over Hazels gezicht. 'Als je maar voorzichtig doet. Neem je passende voorzorgsmaatregelen?'

'Ja, mam,' zong Charlie. 'Je moet me niet als een kind behandelen – ik ben een grote meid.'

'O, maar ik blijf bezorgd om je.' Hazel gaf haar dochter een beschermende knuffel.

Charlie gaf haar moeder een zoen en snoof het Nina Ricci-parfum in waar ze zo van hield. 'Maar dat hoeft niet.'

'Ik kan er niets aan doen, je bent nog steeds mijn kind.' Hazel gaf een hartelijk kneepje in haar neus.

'We wilden straks eigenlijk naar het strand,' zei Charlie terwijl ze zich van haar moeder losmaakte.

'Natuurlijk, schat. Doe maar waar je zin in hebt. Misschien kunnen we met z'n allen gaan?' zei ze, opgetogen bij het vooruitzicht.

'Ik denk dat ik met Daniel naar Devil's Dyke ga. Hij heeft een vlieger in zijn auto liggen.'

Hazel knikte en Charlie voelde zich schuldig toen ze de teleurstelling in haar ogen zag, maar het idee dat haar vader zou rijden terwijl haar moeder hen de bezienswaardigheden van Sussex liet zien, stond haar tegen.

'Nou ja, het geeft niet. Hoewel jouw Daniel me niet echt een type lijkt om te gaan vliegeren.'

'Mam, je moet niet op iemands uiterlijk afgaan,' lachte Charlie.

'O, maar dat doe ik ook niet,' zei Hazel terwijl ze slagroom in een kannetje van fijn porselein spoot.

Op de top van Devil's Dyke, een glooiende heuvel, stond een fris, stimulerend windje. Charlie stond op de rand van de klip, tegen de wind in, en voelde het waaien in haar mond, het tintelen van haar tanden. Daniel kwam op haar toe lopen met de stuntvlieger in zijn handen. Hij riep naar Benson, die de andere kant op liep. Charlie kromde haar tenen rond het zachte gras en strekte haar armen uit naar de horizon, waardoor haar haren in een krans om haar hoofd gingen staan. Ze draaide zich om naar Daniel.

'Vind je het niet prachtig, hier?' schreeuwde ze terwijl ze een windvlaag in haar rug voelde die haar een paar passen naar voren deed wankelen. Met glanzende ogen veegde ze een haarlok weg die over haar mond was gewaaid.

'Blijf eens staan. Ik wil een foto van je maken,' zei hij terwijl hij knielde en een zoeker met zijn vingers vormde. Charlie lachte en poseerde voor hem.

Hij gaf haar de veelkleurige vlieger. 'Hou 'm goed vast,' zei hij. Ze drukte de vlieger tegen zich aan terwijl Daniel wegliep en het touw van de bochtstok van rood plastic af liet rollen.

Ze zag hem langzaam achteruitlopen en omkijken terwijl hij de glooiende helling taxeerde en probeerde niet op Benson te stappen die in rondjes om zijn voeten heen liep. Ze hield de vlieger vol genegenheid tegen zich aan. God, wat was hij prachtig. Ze wilde hem liefkozen en hem voor altijd bij zich houden.

'En nu loslaten,' schreeuwde Daniel vanaf de voet van de helling, het touw strak tussen hen in. Charlie gooide de vlieger met een sprongetje van vreugde in de lucht terwijl de vloeiende rode staart om haar heen wapperde en omhoogschoot.

Ze huppelde naar Daniel toe.

'Dit is erg leuk,' zei ze toen ze bij hem was. 'Ik heb dit in geen jaren gedaan!'

Daniel glimlachte en keek omhoog naar de vlieger. 'Hier, ga je gang,' zei hij en gaf haar de bochtstok. Hij ging achter haar staan met zijn handen op die van haar, terwijl ze samen de vlieger tot lange duikvluchten en strakke spiralen verlokten. Charlie voelde zich veilig en gelukkig, haar hart bij de vlieger boven haar. Ze lachten als kinderen terwijl hij dook en flakkerde tegen de blauwe lucht.

'Ben ik door de keuring gekomen?'

'Mam zei dat je haar een "heel aardige jongeman" leek.'

'O, nee! Zei ze niet dat ik een seksgod was?' lachte hij.

'Nee. Dat heb ik haar verteld, maar ik weet zeker dat ze het wel heeft gedacht. Het spijt me als ze je in verlegenheid hebben gebracht met hun gevraag naar je familie.' Ze keek hem over haar schouder aan.

Daniel keek naar de vlieger boven haar. 'Het geeft niet.'

'Je hebt het weinig over je familie, hè?' Ze liet zich in de warmte van zijn lichaam omsluiten om hem aan te moedigen.

Daniel zuchtte. 'We hebben allemaal een heel verstoorde jeugd gehad. Ik heb Angelica en Benson kunnen redden uit de mishandelende klauwen van mijn vader,' zei hij met een trieste stem.

'En je moeder?'

'Mijn vader heeft mijn moeder weggekaapt van datgene waar ze het meest van hield. Ze had zo kunnen doorstoten naar de top van de balletwereld, maar toen werd ze zwanger van Matthew. En na de scheiding kreeg ze kanker.' Daniel klonk verbitterd en Charlie was geschokt.

Ze was gefascineerd en haalde hem over verder te vertellen, en ze zuchtte meelevend toen hij vertelde over zijn jeugd met zijn stervende moeder en alcoholische vader.

'Matthew heeft het het zwaarst te verduren gehad en tegenwoordig leeft hij min of meer als een kluizenaar. Ik heb geprobeerd een beetje op hem te letten, maar hij is net zo'n koppige excentriekeling als mijn vader. Als ze nog *on speaking terms* waren, zouden ze het waarschijnlijk heel goed met elkaar kunnen vinden.'

'En jij?' vroeg Charlie zachtjes.

'O, ik red me wel.'

'Maar je vader dan? Familie is en blijft toch familie?' hield ze vol. Ze kon zich niet voorstellen dat ze nooit meer met haar vader zou praten.

'Bloed kan rotten,' zei Daniel morbide. 'Kom, laat mij eens even.' Opeens klaarde zijn gezicht op en hij nam de bochtstok van Charlie over.

Eindelijk was hij wat opener tegen haar geworden. Ze ging naast hem staan, haar armen over elkaar tegen de frisse bries die er stond, en voelde een steek van moederlijke bescherming. Ze had Rich zo vaak verteld dat de manier waarop een man het hart van een vrouw kon veroveren het tonen van zijn kwetsbaarheid was, en ja hoor, de snaren van haar hart schalden nu als een strijkkwartet.

'Je kijkt niet,' zei hij terwijl hij een blik op haar wierp. 'Ik schrijf een boodschap in de lucht.' Charlie keek vol vreugde toe hoe Daniel de vlieger liet vieren waarbij de vloeiende staart letters in de lucht vormde.

Ze keek hem aan. Haar hart klopte in haar keel.

'Ik wil heel graag de jouwe zijn,' zei ze toen ademloos.

De vlieger hing nu stil in de lucht, optornend tegen de wind. In de tere stilte die tussen hen was gevallen zag Charlie haar vervormde weerspiegeling in de lenzen van Daniels zonnebril.

Ze dook onder het vliegertouw, sloeg haar armen om hem heen en kuste hem met heel haar hart terwijl de vlieger boven hen fladderde. Benson kwam op hen af rennen en begon blaffend om hun voeten te dartelen, en ze keken allebei omlaag en lachten.

Toen werd de vlieger door een windvlaag gepakt en maakte een duikvlucht. Toen hij in het groene gras te pletter viel, brak het kruis in stukken.

Charlie geeuwde en kreunde. Ze moest het uitpraten met Rich. Ze rekte zich uit terwijl ze zich herinnerde hoe het op maandagmorgen gewoonlijk toeging.

'Dekbedmonster nummer één – ben je klaar?' riep Rich altijd vanuit zijn kamer.

Charlie trok dan haar dekbed om zich heen. 'Klaar,' riep ze dan terug, terwijl ze nog iets harder begon te giechelen toen ze naar de deur liep.

'AF!'

Dan rende ze haar kamer uit, de huiskamer in, gehuld in haar dekbed terwijl Rich zijn kamer uit kwam rennen, al even blind, en brullende geluiden maakte. Ten slotte botsten ze op elkaar en belandden lachend op de grond.

Oasis speelde op de radio en Rich was zijn tanden aan het poetsen. Charlie leunde tegen de deurpost van de badkamer.

'Waarom heb je me niets verteld over Pix?' vroeg ze, en verwonderde zich erover dat ze zo boos was.

Rich had zijn mond vol tandpastaschuim en wilde iets zeggen, maar ze verstond hem niet, dus spuwde hij het in de wasbak. 'Ik zie haar nog niet zo lang.' Hij spoelde zijn tandenborstel af onder de kraan. 'Het stelt niet zoveel voor.'

Hij liep vlak langs haar de badkamer uit en Charlie staarde hem na. Waarom begreep hij niet dat het verraad was om zulke belangrijke informatie achter te houden? Hun leven lang hadden ze elkaar alles verteld. Daar waren vrienden toch voor? Ze had hem ook alles verteld over haar eerste dagen met Daniel, en ze moest een dikke prop wegslikken toen Rich zijn das in de spiegel strikte.

'Ze lijkt me aardig.'

'Dat is ze ook.'

'Ik ben blij voor je,' zei ze terwijl ze het koord van haar kamerjas wat strakker trok en zich allesbehalve blij voelde.

Rich keek haar aan, maar toen sloegen ze allebei hun ogen neer, een muur van onuitgesproken gevoelens tussen hen in. Charlie wou dat ze een stapje dichterbij kon doen om hem te omhelzen, maar er was iets wat haar tegenhield. Zij was degene die de boel tussen hen op zijn kop had gezet, dus zij zou ermee moeten leren leven. Ze schuifelde de badkamer in.

Rich staarde naar de dichte deur en luisterde naar het liedje in de keuken. 'Zoveel dingen die ik je zou willen zeggen, maar ik weet niet hoe...'

Charlie liet de papieren met de opdruk van Bistram Huff, waarop het contract en het uiteindelijke tijdschema van de Up Beat-actie stonden, door de fax glijden terwijl ze het ondertussen recht hield. Eigenlijk had ze de cijfers nog met Philippa moeten doornemen, maar zelfs als haar bazin in de buurt was geweest, zou ze het niet op prijs hebben gesteld. Ze had pijnlijk duidelijk gemaakt dat die promotie geheel op Charlies schouders rustte.

De fax piepte en spuwde een ontvangstbewijs uit toen Charlie de papieren verzamelde en ze op de receptiebalie recht schudde. Ze bekeek de clausules die ze had uitgetikt nog een keer. Het was te laat om nog iets te veranderen, maar uit gewoonte keek ze de paragrafen nog eens na op spelfouten. Het leek er allemaal prima uit te zien, maar toch voelde ze haar geweten nog knagen.

Ze stopte de papieren in een plastic mapje. 'Sadie, jij weet ook niet wanneer Philippa terug is, hè?'

'Nee. Ze zit bij Up Beat, denk ik,' mompelde Sadie terwijl ze een bladzijde van *Ms London* omsloeg.

Charlie was verbaasd. 'Welnee. Ik heb de hele dag met Nigel Hawkes in vergadering gezeten en hij heeft Philippa niet gezien, noch dat hij iets met haar heeft afgesproken.'

Sadie haalde haar schouders op en ontweek zwijgend Charlies blik. 'Sadie?' Ze ging naast haar achter de balie staan en boog zich dicht over haar oor heen. 'Kom op, je kunt het mij toch wel vertellen? Waar houdt die kenau zich schuil?'

Sadie wierp Charlie een zijdelingse blik toe. 'Beloof je dat je het aan niemand vertelt?'

'Geen haar op mijn hoofd.'

'Ze is naar Chayney. Ik heb om twee uur een massage voor haar geboekt,' zei Sadie.

Charlie wist niet of ze moest gaan lachen of gillen om Philippa's brutaliteit.

'Niets zeggen. Ze krijgt het op haar heupen als iemand erachter komt,' zei Sadie smekend.

'Natuurlijk zeg ik niks.' Charlie klopte Sadie op de schouder. 'Maar wat een lef! Ik loop hier het vuur uit mijn sloffen om allerlei akkoordverklaringen te krijgen en de enige keer dat ik haar nodig heb, zit ze de hele dag in een gezondheidsclub!'

'Sst. Hou je koest,' drong Sadie aan met een glimlach om Charlies uitbarsting. 'Waarvoor had je haar trouwens nodig?'

'Een paar dingen die ik haar wilde laten nakijken.' Haar stem stierf weg. Ze dacht aan Philippa en aan hoe vaak ze Up Beat moest hebben gebruikt om het kantoor uit te komen. Als Charlie niet met Nigel Hawkes had gesproken, had niemand behalve Sadie ooit geweten van Philippa's bedrog. Terwijl ze weer naar haar bureau liep, vroeg ze zich af of Philippa, nu bleek dat haar 'zo-weer-terug-vergaderschema' één leugen was, niet nog meer te verbergen had.

'Ik heb tegen Bob gezegd dat hij de job voor de *Reporter*-kraskaarten heeft,' zei Bandit. 'En mijn aanstekeractie is ook goedgekeurd. Ik denk dat het een knaller gaat worden. Morgenavond ga ik met Bob een borrel drinken om het te vieren. Ga je ook mee, Pete?'

'Kan niet,' mompelde hij.

'O?' zei Bandit geïnteresseerd.

'Ik heb Sharon beloofd dat ik met haar naar een bevallingscursus ga.'

'Je meent het!' lachte Bandit.

Pete fronste zijn wenkbrauwen en stak zijn handen op. 'Zeg maar niets, zeg maar niets!'

'En jij, Charlie?'

'Nee, ik kan niet, het spijt me,' zei ze afwezig. Ze had met Daniel afgesproken dat hij mee zou gaan naar de 51 om Dillon en Kate te ontmoeten en was daar zo mee bezig dat ze de lunch van die dag had afgezegd om nieuwe kleren te gaan kopen. Nu was winkelen wel het laatste waar ze zin in had. Misschien ging ze wel in haar eentje een broodje eten in het park.

'Wat is er met haar?' vroeg Bandit toen hij Charlie zag vertrekken.

'Onvoorspelbaar? Irrationeel? Humeurig? Volgens mij is haar voornaamste klacht dat ze een vrouw is,' grapte Pete. 'Doe maar net of je het niet merkt,' voegde hij eraan toe terwijl hij opstond en naar Toff achter zijn bureau liep, die hij denkbeeldig rond zijn hoofd begon te knippen omdat hij patience zat te spelen.

Als Philippa de hele middag was gemasseerd, was dat niet aan haar te merken. Ze zag er gespannen uit en de lijntjes om haar mond tekenden zich af alsof ze zojuist in een verrot nootje had gebeten.

Charlie zag haar aankomen terwijl ze achter haar bureau zat en een lijstje opstelde van alle calorieën die ze die dag naar binnen had gewerkt. De kant-en-klare sandwich met salade was weggewerkt met een gebakken aardappel met bonen en kaas. Ze stond op toen Philippa met de kopie van het Up Beat-contract begon te zwaaien die Charlie op haar bureau had gelegd.

'Zou je misschien kunnen uitleggen waarom deze promotie zonder mijn toestemming is ondertekend?' vroeg Philippa streng. Ze zoog haar wangen in en begon veelbetekenend met haar voet te tikken.

Charlie kromp in elkaar. Ze had wel verwacht dat Philippa kwaad zou zijn, maar op zo'n directe confrontatie had ze niet gerekend. Zacht legde ze uit dat ze met een deadline te maken had en dat ze de inschrijving van Bob voor het drukken had moeten gebruiken met de gebruikelijke winstmarge voor Bistram. Ze zouden veel minder winst maken dan Philippa had verwacht, maar Charlie had geen andere keuze.

'Stom, incompetent rund,' zei Philippa, trillend van woede. 'Heb je nooit van onderhandelen gehoord?'

'Ja,' zei Charlie stekelig. 'Maar we zitten tegen een strak schema aan te kijken.'

'Dus jij dacht dat je de winstmarge maar om zeep moest brengen – zomaar! Ik wil dat je een andere drukker zoekt.'

Charlie keek naar Bandit om steun te zoeken. Ze had hem nodig om Philippa te vertellen dat Bob de opdracht had gekregen, maar Bandit sloeg zijn ogen neer en zei niets.

'Daar is het te laat voor,' zei ze rustig. Philippa draaide zich langzaam om met een dreigende rimpeling tussen haar wenkbrauwen.

Charlie haalde diep adem. 'We drukken aan het eind van de week, dus ik had geen andere keuze dan met de drukker die Bob heeft gevonden in zee te gaan. We maken nog steeds winst...'

'Jezus Christus!' Philippa ontplofte zowat. 'Dit is ongelooflijk!' Ze begon te ijsberen, haar magere handen op haar heup, en trok daarmee de aandacht van iedereen in de ruimte. 'Eerst Daniel met zijn zielige grappen, en nu dit weer!' Ze gooide haar handen in de lucht. 'Jij bent zo stom!' beet ze Charlie toe, die haar wangen voelde branden in de stilte van het kantoor.

'Als je hier was geweest, zou de situatie nu misschien anders liggen,' zei Charlie schor terwijl haar kin begon te trillen. Ze keek naar de dubbele deuren en zag Sadie daar staan die Charlie met haar ogen smeekte het geheim niet te verraden.

'Je bent account director. Je wordt verondersteld rationele besluiten te kunnen nemen. Het moet niet uitmaken of ik er al of niet ben.'

Charlie zei niets. Ze voelde dertig paar ogen op zich gericht die toekeken hoe Philippa haar aanviel. Niet huilen – alsjeblieft niet huilen, smeekte ze zichzelf terwijl ze zo hard in haar vuisten kneep dat haar nagels in haar handpalmen stonden.

'Je had die promotie nooit mogen krijgen,' concludeerde Philippa, die zich bewust was van de kracht van haar woorden in dit vertrek dat vol zat met Charlies collega's. 'Hoe lang ben je nog van plan dit te verknallen? Kun je me dat eens vertellen?'

Charlie keek naar haar op en stak haar kin naar voren terwijl golven van vernedering in haar binnenste op de klippen liepen. Philippa wierp haar een walgende blik toe en beende hoofdschuddend terug naar haar kantoor. Het was of er een tornado had gewoed.

De stilte was verstikkend. Charlie haalde haar jasje van haar rugleuning, pakte haar tas en autosleuteltjes op en liep het kantoor uit. Toen ze de deur openduwde, legde Sadie een hand op haar arm.

'Het is een kreng, let maar niet op haar.'

Charlie knikte, niet in staat iets te zeggen.

De zon scheen fel door de ramen van het kantoor terwijl ze door de receptieruimte liep. Ze bracht het niet op om op de lift te staan wachten met knieën trillend van vernedering, dus wankelde ze naar de brandtrap. Ze rende de betonnen trap af, zich stevig vasthoudend aan de metalen leuningen, haar schoenen galmend als haar hart.

In de parkeergarage liet ze zich tegen de pilaar vallen en sloot haar ogen. Het was zo oneerlijk. Waarom was Philippa zo weinig professioneel? Woede en wrok streden in haar om de voorrang, en ze begon naar adem te snakken. Toen kwamen de tranen. Werd ze nu maar ziek.

'Kutwijf!' jankte ze door haar opeengeklemde kaken heen. Ze kon wel iemand slaan.

Het geluid van haar eigen stem in de donkere parkeergarage bracht haar weer bij zinnen en ze begon haar autosleutels te zoeken. Ze moest naar buiten; de zon in en weg van Philippa's venijn. Ze rende naar haar auto.

Ze stond plotseling stil toen ze het zag. De glanzende groene lak was bedekt met gele Post-it briefjes. Ze liet haar tas vallen en begon tegelijkertijd te lachen en te huilen terwijl ze de briefjes eraf begon te pellen en de boodschappen las die alleen maar van Daniel afkomstig konden zijn. 'Je bent de mijne... Kus me... Hou van je.' Hij hield van haar! Eindelijk had hij het gezegd. Ze trok alle briefjes eraf tot ze een grote prop geel papier in haar handen hield en opende toen glimlachend het portier.

Daniels liefde was haar schild tegen de wereld en door die liefde was ze niet langer kwetsbaar. Ze bekeek zichzelf in de achteruitkijkspiegel, maakte haar vinger nat en veegde haar uitgelopen mascara weg. Toen startte ze de motor en trapte het gaspedaal diep in. De auto brulde in de parkeergarage en reed bulderend naar buiten, de zon in. Charlie draaide de muziek wat harder. 'Schelden doet geen zeer, Philippa,' schreeuwde ze terwijl ze haar vingers opstak in een V-teken.

Rich stond nerveus op Pix te wachten. Het was het jaarlijkse zomerfeest van Mathers Egerickx Lovitt. De schraagtafels die op Fountain Court waren neergezet, waren gedekt met smetteloos witte linnen tafellakens en rijen bruisende flessen champagne. In het midden van de opstelling klaterde de fontein, kalm en betoverend, en de Tudorklok luidde zeven keer in de stille zomeravond. Alsof het afgesproken werk was, begon het strijkkwartet te stemmen en vulde de zwoele avondlucht zich met Elgars 'Chanson du Matin'...

En toch, ondanks het uitgelezen gezelschap en de verrukkelijke canapés, voelde Rich zich niet op zijn gemak. Hij had nooit moeten toestaan dat Pix zichzelf had laten uitnodigen, maar ze had vanuit een telefooncel op haar school gebeld en voor hij een smoes had kunnen verzinnen, hadden de piepjes al geklonken.

Nu draaide hij zich om en zag met angst en beven hoe ze op hem af stapte in haar Doc Marten's schoenen met stalen neuzen, die opvallend knerpten terwijl ze langs de onberispelijke vijver trippelde. Ze droeg een lange gebatikte rok en een veelkleurig fluwelen jasje met een bijpassend robijntje in haar neus.

157

'Je ziet er prachtig uit,' loog Rich. Hij zag dat ze haar best had gedaan en terwijl ze hem kuste merkte hij dat zijn eigen vooroordelen hem in de weg zaten. Hij hoorde de gefluisterde commentaren van zijn collega's al en zag voor zich hoe de conversatie stilviel doordat iedereen naar de kledij van Pix begon te staren. Alle andere meisjes droegen zonder uitzondering zwarte cocktailjurkjes.

'Wat is het hier mooi!' zei Pix ademloos. 'En jij werkt hier? Het lijkt Fantasy Island wel. Ik heb het gevoel of er elk moment een klein kereltje in smoking voor mijn neus kan staan.'

'Dat is ook zo,' zei Rich. Met een plotselinge steek van genegenheid zag hij dat Pix mascara en lippenstift op had.

Ze hield een langskomende ober aan, nam een volgeladen canapé van het blad en zei tegen Rich: 'Kun je me even door deze pakken heen loodsen?'

Rich probeerde haar aan het zicht te onttrekken door achter de fontein langs te lopen, terwijl hij aanwees wie zijn collega's waren en sir Oliver Egerickx, de hoofdvennoot in de firma, beschreef met een mengeling van respect en jaloers dédain voor zijn extravagante levenswijze. Pix leek verbaasd toen hij uitvoerig verhaalde over zaken als zijn privé-helikopter, dure skivakanties naar Klosters en het bijna veertig meter lange jacht dat sir Oliver gebruikte voor 'bedrijfsentertainment'.

'Wat een geluksvogel – en zo'n knappe man,' zei Pix met het oog op sir Olivers gebruinde gezicht, peper-en-zoutkleurige haar en de kuiltjes in zijn wangen als hij glimlachte.

'Alle meisjes van het bedrijf zijn verliefd op hem,' zei Rich. Zijn mond viel bijna open van verschrikking toen hij Pix brutaal naar sir Oliver zag glimlachen. Die kwam meteen naar hen toe lopen.

'Kom mee,' zei hij alsof hij haast had en greep Pix bij de arm, maar ze schudde hem van zich af.

'Niet zo onbeleefd. Hij komt even gedag zeggen. Dit is de kans van mijn leven.'

Het was te laat. Sir Oliver stond al voor hem en maakte een lichte buiging waarbij zijn handgemaakte pak soepel zijn door tennis getrainde lichaam volgde.

'Ah, Richard. Ik hoorde dat de PWL-zaak aardig vordert.'

'Ja, meneer, inderdaad.'

Sir Oliver boog licht voorover om Pix te kunnen aankijken.

'En dit is je charmante begeleidster, neem ik aan. Aangenaam, juffrouw...'

Pix, die haar wijsvinger in haar mond had gestopt om het vet eraf te zuigen, veegde nu haastig haar hand af aan haar rok.

'Pix, noem me maar Pix.' Ze glimlachte en het viel Rich op dat sir Oliver het stukje sla zag zitten dat aan haar voortand was blijven kleven. Pix zag hun gestaar aan voor een stille wenk om door te gaan.

'Lekker, dit spul,' zei ze, opnieuw grijnzend. 'Ik had laatst in mijn woongroep in Vauxhall ook zo'n soort borrel voor alle bewoners. We hadden dan wel geen strijkkwartet, maar het heeft wel een hoop geld gekost.'

Rich voelde zijn knieën verstijven.

Sir Oliver glimlachte minzaam en wreef over de zijkant van zijn gebruinde neus om zijn laatdunkende geamuseerdheid te verbergen. 'Ach, eh, nou, Pix, we maken ons hier niet zo druk om de kosten, snap je. Eens per jaar willen we onze waardering voor het personeel en hun partners voor hun steun en aanmoediging tot uitdrukking brengen.'

'Ik hoop dat u het niet erg vindt dat ik dit zeg, maar die waardering kunt u beter tot uitdrukking brengen door uw personeel wat minder hard te laten werken,' zei Pix terwijl ze een grote slok champagne nam. Ze hield haar neus vast en trok een gezicht. 'Ik krijg wat van die bubbels.' Ze keek sir Oliver aan, die haar nu met een intense blik aanstaarde, en Rich, die woest leek en rare, sidderende hoofdbewegingen maakte.

'Het is allemaal wel leuk en aardig om eens in de zoveel tijd een borrel te geven, maar die kunnen nooit alle overuren goedmaken die mensen in het bedrijf stoppen. Jij bent toch ook voortdurend de klos?' Pix keek naar Rich om bevestiging te krijgen, maar die stond alleen maar tot aan zijn haarwortels te blozen.

'Zo is het helemaal niet,' zei hij terwijl hij zichzelf wel kon slaan voor zijn kruiperigheid.

'Het is wel zo,' zei Pix, kennelijk blind voor het feit dat Rich duidelijk in elkaar kromp van verlegenheid. 'Dat heb je zelf gezegd.'

Sir Oliver sloeg zijn hielen tegen elkaar als een Duitse graaf en klemde zijn lippen tot een vreugdeloze glimlach. 'Ik ben bang dat ik weer moet gaan, ik zag zojuist de burgemeester aankomen. Het was uiterst...' Hij zweeg even om het juiste woord te zoeken.

'... leerzaam je te ontmoeten, Pix. Ik hoop van harte dat je het een aangenaam feestje zult vinden.'

'Hartstikke bedankt,' zei Pix met een brede glimlach terwijl hij zich afwendde. 'U ook.'

Rich bedekte zijn ogen. 'Wat een vertoning! Vertel me alsjeblieft dat dit alleen maar een nare droom is.'

'Hè?' vroeg Pix onschuldig terwijl ze haar handpalm weer vollaadde met wat er op het dienblad van de voorbijkomende ober lag.

'Besef je dan niet wie hij is?' siste Rich haar toe.

Pix stopte een gebakje in haar mond. 'Sir Oliver. Dat had je toch gezegd.'

Rich sloeg zijn arm om haar schouders en voerde haar haastig om de fontein heen. 'Dat soort mensen mag je niet vertellen dat ik een hekel aan mijn werk heb.'

'Dat heb ik ook niet gedaan.'

'Je zei dat ik de klos was. De klos! Dat kan je niet maken, Pix.'

Pix liet zich niet van haar stuk brengen. 'Maar je bent toch de klos? Je werkt je uit de naad, krijgt geen erkenning en als sir Oliver denkt dat hij je kan lijmen met een paar glazen champagne, dan kan hij nog wat beleven. Als hij zo nodig de wolken moet opzoeken in die helikopter van hem, dan moet iémand hem vertellen wat zich hier, in de echte wereld afspeelt.'

Rich was rood aangelopen en begon hulpeloos te jammeren.

'Doe niet zo melodramatisch. Ik heb hem alleen de waarheid gezegd. Het is een grote jongen, hij kan het echt wel aan.'

'Je kunt hem niet zomaar de waarheid vertellen,' barstte Rich los, nog steeds jammerend.

Pix trok haar wenkbrauwen naar hem op. 'Waarom wil je dan überhaupt nog voor dit zootje werken?'

Rich duwde zijn bril omhoog. Ze was om razend van te worden en hij wist niet wat hij moest zeggen, maar hij werd gered en hoefde niets te zeggen doordat James Lovitts geaffecteerde stem hem bereikte en nog een schepje boven op zijn ellende deed.

'Rich, jongen!' James klopte hem minzaam op de schouders. Rich voelde zijn nekharen meteen overeind komen. Hij kon James Lovitt niet uitstaan. De man was nog maar vierendertig en had zijn vennootschap op een aantal bijzonder slinkse manieren weten te verwerven.

'Hallo, James.'

'En dit moet de geruchtmakende Pix zijn. Sir Oliver vindt je geweldig, dus ik dacht: laat ik ook maar eens kennismaken,' zei James. Pix glimlachte triomfantelijk naar Rich.

'Ik ben verbaasd dat je Charlie dit jaar niet hebt meegenomen. Heerlijke spring-in-'t-veld, die Charlie.'

Rich kromp in elkaar. Hij wist nog goed hoe James tijdens alle bedrijfsfeestjes waar hij haar de afgelopen jaren mee naartoe had genomen, als een loopse herdershond bij Charlie had staan kwijlen.

'Ze heeft het erg druk,' mompelde hij.

'Dan is het maar goed dat Pix ons wat entertainment kan bezorgen,' snoof James. 'Kom mee, verstop je hier niet langer, ik stel je aan iedereen voor.' Hij voerde Pix weg naar het kritische publiek en liet Rich achter met zijn wens onder het oppervlak van de fontein te duiken en voor altijd te verdwijnen.

Het was vrijdagmorgen en Charlie voelde zich wat stilletjes.

'Kun je mijn zonnebril even geven?' vroeg ze aan Bandit. 'Hij ligt in het handschoenenkastje.'

Hij draaide het knopje op het notenhouten dashboard om en rommelde wat door chipszakjes en parkeerkaartjes voor hij de zonnebril te pakken had en het kleverige plastic van een bekeuring van de lenzen trok. 'Wat ben je toch een sloerie,' zei hij plagend.

'Ik weet het.' Ze pakte het stuurwiel beet en voelde haar hoofd kloppen terwijl ze zich de hoeveelheid cocaïne herinnerde die ze de afgelopen nacht met Daniel had gebruikt en aan hoe ze de hele nacht hadden gevrijd, tot ze hem had gesmeekt te stoppen. Ze voelde zich nu schuldig, bang over het feit dat ze de controle over zichzelf aan het verliezen was. Een halfjaar geleden had ze er nog niet over gedroomd om drugs te gebruiken, laat staan op een doordeweekse dag. Bandit had gelijk, ze begon een sloerie te worden. Daniel had ervoor gezorgd dat ze iedere voorzichtigheid in de wind sloeg. Ze las niet meer, zag haar vrienden en vriendinnen niet meer en keek zelfs niet meer naar soaps. In plaats daarvan had ze zich mee laten slepen door zijn levensstijl en had ze het gevoel in een achtbaan terecht te zijn gekomen. En ze werd er ontegenzeglijk duizelig van.

'Hier is het,' zei Bandit, wijzend op de ingang van het industriële pand in Zuid-Londen. Charlie keek uit het raampje naar de lelijke pui en met graffiti bespoten deuren, maar draaide het stuur te laat om zodat de band over de stoeprand scheerde.

Bandit bedekte zijn gezicht met de A-Z. 'Jezus, wat doe je gevaarlijk.'

Ze stak haar tong naar hem uit en reed een parkeerplaats op, waarbij ze het koppelingspedaal te snel losliet zodat de wagen heftig trillend tot stilstand kwam.

Bandit had een hele heisa gemaakt over het feit dat hij met Charlie mee wilde om de kraskaarten op de persen te controleren en nu, toen ze het pakhuis naderden, was ze blij dat hij had doorgezet. Boven het oorverdovende geratel van de machines uit schreeuwde ze naar een man in een groezelige overall die rook in haar gezicht blies en met een vuile hand in de richting van het kantoor wuifde.

Terwijl ze in de lege ruimte zaten te wachten, keken ze rond naar de smakeloze posters, de beige plastic bekertjes met natte peuken op de bodem en de rinkelende telefoon die door niemand werd opgenomen.

'Het is niet bepaald wat je chic noemt,' zei Charlie sceptisch.

Bandit ging onmiddellijk in de verdediging: 'Bob zegt dat ze goed zijn. En goedkoop, natuurlijk.'

Na de uitbarsting van Philippa had Charlie geen andere keuze gehad dan Bob over te halen een goedkopere drukker te vinden om er zeker van te zijn dat ze nog steeds een redelijke winst zouden halen. 'En als er nu eens iets misgaat?'

'Daarvoor zijn we hier. Als je de drukproeven eenmaal hebt getekend, kan er niets meer misgaan.'

Jack Marsden, de drukker, gaf Charlie niet bepaald het vertrouwen dat ze nodig had. Toen ze voor de enorme stalen machine stonden, begon hij vervaarlijk te rochelen en te hoesten. 'We drukken in twee porties en later mengen we de winnende kaartjes door de miskleunen,' zei hij.

'Weet je zeker dat het op die manier moet?' vroeg ze. 'Ik dacht dat ze willekeurig gedrukt moesten worden.'

De drukker veegde zijn vingers vol inkt af aan een oude lap. 'Nee, mop,' zei hij. 'Dat is te duur. We drukken ze voor iedereen op deze manier.' Hij knipoogde. 'Het mag natuurlijk wel niet, maar ik zal de laatste zijn die daar zijn mond over opendoet.' Hij knipte een lamp aan boven een versleten tekenbord en prikte er twee drukproeven van de Up Beat-kraskaartjes op. 'Het laagje zilverkleurige latex komt er na het drukken overheen,' riep hij terwijl Charlie naar de vellen stond te turen.

'Ziet er goed uit, volgens mij,' zei Bandit schouderophalend. Zijn aandacht werd afgeleid door de *Playboy*-kalender die boven de vuile gootsteen en de gedeukte fluitketel in de hoek hing.

Charlie haalde een stukje papier uit haar tas en inspecteerde het.

'Dit zijn de verliezende kaartjes.' Ze wees op de codes op de kaarten. 'Hier moet je er vijf miljoen van drukken,' instrueerde ze. De drukker knikte terwijl hij met zijn worstvinger een stukje van zijn ontbijt tussen zijn tanden vol nicotineaanslag vandaan peuterde.

Bandit keek even naar de winnende kaartjes. 'Deze zien er ook goed uit,' zei hij.

'Oké. Daar druk je er vijftienhonderd van,' zei ze tegen Jack Marsden terwijl ze naar hem wees. 'Je hebt mijn fax, je hebt alles precies op een rijtje, dus er kunnen geen problemen ontstaan?'

De drukker schudde zijn hoofd. 'Fluitje van een cent,' zei hij. 'Ze gaan vannacht op de pers.'

Charlie controleerde de voorraad en keek nog een keer naar de drukproeven. Ze keek fronsend naar Bandit, overmand door een bang voorgevoel. Ondanks het feit dat alles in orde was, leek de drukker te nonchalant voor zo'n belangrijke opdracht. Misschien voelde ze zich zo raar vanwege de afgelopen nacht.

'Weet je zeker dat Bob deze lui vertrouwt?' fluisterde ze voor de zekerheid.

'Maak dat mooie hoofdje nou niet van streek. Het komt allemaal goed.'

'Oké. Ga je gang. Als er problemen zijn, bel me dan even.' Ze gaf de drukker haar visitekaartje en even dacht ze dat hij een hoekje ervan als tandenstoker zou gaan gebruiken. Hij knikte.

'Mag ik deze meenemen?' vroeg ze terwijl ze de drukproeven begon op te pakken.

'Liever niet,' zei hij. 'Ik heb ze straks nog nodig om de kleuren te controleren.'

Bandit, die met zijn sleutels in zijn zak had staan rammelen, begeleidde Charlie naar buiten. 'Ik rijd, ik ben verzekerd,' zei hij.

Charlie wilde gaan protesteren, maar tenslotte was het een bedrijfsauto.

Hij stak zijn hand naar haar uit en eiste: 'Sleutels!'

'Nou, voor deze keer dan,' waarschuwde Charlie en ze wierp hem de sleutels toe terwijl ze zich afvroeg waarom Bandit zo met zichzelf in zijn sas leek.

's Avonds, in de 51, stond Charlie op het punt haar vriendin aan haar hoofd te gaan zeuren over de afgrijselijke week die ze achter de rug had, toen ze zag hoe chagrijnig Kate keek.

'Wat is er met je, zuurpruim?' vroeg ze.

'Het is Dillon. Hij loopt hier de hele tijd rond en ik krijg niet genoeg aandacht van hem,' kreunde Kate met een kwaaie blik op Dillon, die achter de bar stond. 'We zijn al in geen weken met elkaar naar bed geweest en ik sta op knappen. Maar goed, ik ga naar New York om de modeshow te verslaan en ik kan je wel vertellen: als de kat van huis is, zal ze het niet laten om daar gebruik van te maken.'

'Kate!'

'Doe niet zo moralistisch, zeg. Ik weet dat we het nooit eens zijn geweest over dat gedoe met trouw en ontrouw, maar volgens mij kun je er maar beter om lachen. Wat niet weet, wat niet deert, zullen we maar zeggen.'

'Wat walgelijk, jij zou toch beter moeten weten!' Charlie sloeg haar drankje naar binnen. 'Jezus, ik lijk mijn moeder wel.'

Kate stak haar hand op. 'Je bent je moeder.'

'Zoiets kun je Dillon niet aandoen. Alleen maar omdat je geil bent? Hij vertrouwt je,' zei Charlie terwijl ze haar armen over elkaar vouwde en zich over de tafel boog.

'Trouw heeft niets met vertrouwen te maken,' antwoordde Kate.

'Dat soort dingen zeg je alleen maar om me uit mijn tent te lokken en omdat je per se je zin wilt doordrijven.'

'Wat is daar mis mee? Vrouwen van tegenwoordig horen zo te zijn. Kijk niet zo raar! Ik zal altijd wel een stoute meid blijven. En om je de waarheid te zeggen ben ik waarschijnlijk nog stouter dan je ooit zou denken.'

Charlie fronste haar wenkbrauwen.

Kate werkte haar tweede wodka naar binnen en trok haar wenkbauwen op. 'En jij? Ik vermoed dat met Daniel alles naar wens verloopt, want ik heb je nauwelijks gezien.'

Charlie voelde zich schuldig. 'Ik weet het. Ik heb je gemist, maar ik zit tot over mijn oren in het werk en ik ben de meeste nachten bij Daniel geweest. Maar hij is zo'n schat. Gisteren stuurde hij me nog een ongelooflijk grote bos bloemen. Rich zei dat de plee de enige vaas was waarin hij paste!'

'Dat heeft hij ons verteld.'

Charlie was van haar stuk gebracht. 'O.'

'Hij is hier een paar keer met zijn nieuwe vriendin geweest. Ze is erg lief. Dillon kan het uitstekend met haar vinden.'

Charlie deed haar armen over elkaar en voelde een steek van jaloezie. Wat een rotstreek van Rich om Pix mee te nemen naar de 51 zonder het haar te vertellen! 'Daar heeft hij mij niets van gezegd.'

'Hij zei dat hij je niet had gesproken. In elk geval heb ik hem verteld dat we Daniel vanavond te zien krijgen.' Opeens greep Kate haar bij de arm, zodat Charlie met haar drankje morste.

'O, mijn god, is dat hem?'

'Ja,' zei Charlie en ze zwaaide. Ze rommelde in haar tas en wierp een korte blik op haar gezicht in het spiegeltje van haar poederdoos. 'O, nee! Het is weer zo'n dag waarop mijn haar niet goed wil blijven zitten.'

Kate rolde met haar ogen. 'Je bent een stuk.'

'Zo voel ik me anders niet.'

'Je hebt me niet verteld dat hij een tien waard is!' siste Kate terwijl Daniel op hun tafel af kwam lopen.

Charlie glimlachte, blij dat Daniel duidelijk indruk maakte op Kate. Hij boog zich over Charlie heen en kuste haar op de lippen. 'Ik werd opgehouden,' zei hij en streelde haar wang. 'Het is hier niet bepaald om de hoek.'

Kate keek toe hoe Charlies reebruine ogen als smeltende toffees naar Daniels glimlach-met-kuiltjes keken voor ze hem aan Kate voorstelde.

Daniel ging tussen de twee meisjes in zitten met zijn arm om de rugleuning van Charlies stoel. Terwijl Charlie achteroverleunde, zag Kate hoe Daniels vingers in haar haren tastten en in haar nek kietelden, en ze voelde een steek van afgunst. Charlie giechelde en Kate staarde haar verbijsterd aan toen de uitbundige persoonlijkheid van haar vriendin leek in te krimpen en werd opgeslokt door Daniels onverschrokken charisma.

'Zo, Daniel, ik hoorde dat je een fantastische minnaar bent,' zei Kate om het luchtige gekeuvel te doorbreken en in de hoop Charlies aandacht te trekken.

Daniel vertrok geen spier. Hij beantwoordde haar onschuldige kleine-meisjesgestaar door haar recht in het gezicht te kijken, als een openlijke uitnodiging. 'Men zegt het.'

Charlie stak haar handen naar hem uit en hield lachend de zijne vast.

'Let maar niet op haar,' zei ze tegen Daniel. 'Het is haar beroep om te proberen mensen te choqueren.' Ze boog zich naar Kate toe. 'Je zult beter je best moeten doen bij deze.'

'Je kunt nooit weten,' zei Kate nuchter. Ze dronk haar glas leeg. Als Charlie zich zo gedroeg, zat er niets anders op dan heel erg dronken te worden, maar toen ze zag hoe Charlie haar best deed haar goedkeuring weg te dragen, begon ze zich schuldig te voelen. Terwijl ze haar olijvenbroodje openscheurde, besloot ze haar uiterste best te doen.

Tegen de tijd dat de voorgerechten op tafel kwamen, zaten ze gedrieën hard te lachen. Daniel liet zich meezuigen in het voorrecht een woordje mee te mogen spreken in een meidengesprek en rolde om van het lachen tijdens Kates hilarische verhalen over wat ze allemaal met Charlie had meegemaakt, en toen ze het hoofdgerecht bijna achter de kiezen hadden, merkte Charlie dat ze genoot.

Ze had nog steeds een glimlach om haar lippen toen ze Kate naar de keuken zag lopen om een praatje met Dillon te maken. Ze keek naar Daniel, die juist een slokje wijn nam. 'Hoe vind je haar?' vroeg ze, wat licht in het hoofd.

'Is Kate altijd zo aan het flirten met jouw vriendjes?' vroeg hij.

Charlie ging rechtop zitten. 'Aan het flirten? Wat bedoel je?'

'O, je kent dat wel, van die blikken, hand op mijn knie, dat soort dingen.' Daniel liet zijn duim en wijsvinger op en neer langs de steel van zijn wijnglas glijden.

'Zo is ze nu eenmaal,' zei Charlie.

'O, ja?'

'Ze is nogal extravert, meer niet. Ze bedoelt er niets mee.'

'Nou ja, het maakt niet uit,' zei Daniel terwijl hij nog een slokje wijn nam.

Ze keken elkaar glimlachend aan. 'Wat vond je van het eten?'

'Verrukkelijk. Hoewel, als ik eerlijk moet zijn vond ik de zeebaars wat aan de zoute kant.'

'Laat Dillon het maar niet horen,' fluisterde Charlie.

'Laat Dillon wat maar niet horen?' vroeg Kate, die weer op haar plaats ging zitten.

'Niks,' zei Charlie.

Daniel wendde zich tot Kate. 'Ik heb genoten van Dillons kookkunst,' zei hij. 'Het moet een genot zijn om hem in huis te hebben.'

Kate trok een gezicht. 'Nee, hoor. Meestal kook ik.'

'Doe toch niet zo zielig,' zei Charlie.

'Ja, dat kun jij gemakkelijk zeggen,' antwoordde Kate en dronk haar glas leeg.

Charlie bekeek haar afkeurend. 'Ik ga naar de plee,' zei ze.

Daniel schonk Kates glas weer bij. Ze nam er een slokje van en ging achteruit in haar stoel zitten terwijl ze Daniel aankeek. 'Lekkere wijn. Je hebt een goede keuze gemaakt.'

'Ik zie dat je hem lekker vindt.'

Kate draaide haar haren rond tot een paardenstaart.

'En, hebben jij en Charlie ooit een minnaar gedeeld?' vroeg hij zodra Charlie buiten gehoorsafstand was. 'Je weet wel, een tri-ootje.'

Kate keek hem aan, blozend van de wijn. 'Ik geloof niet dat Charlie dat soort dingen erg op prijs zou stellen.'

'Je ontwijkt mijn vraag. Goede journalistieke tactiek.'

'Ik ontwijk de vraag niet.'

'En? Het lijkt je wel opwindend, nietwaar?'

'In principe zou ik er niet tegen zijn. Het draait er waarschijnlijk allemaal om of je de juiste persoon tegenkomt en of iedereen in de juiste stemming is.'

Daniel boog zich naar haar over en keek haar hypnotiserend aan. 'Je bent geil, hè?'

Ze bloosde.

'Ik weet dat je eraan denkt,' plaagde Daniel. 'Het zou je niet teleurstellen.'

Kate nam haar glas van tafel. Ze voelde zich wankel en dronken. Dit gesprek zou niet moeten plaatsvinden. 'Kijk, daar is Dillon,' zei ze, en ze begon uitbundig naar hem te zwaaien, waardoor haar wijnglas omviel en een kwart glas Vouvray in Daniels schoot belandde. Zenuwachtig en vol excuses pakte ze haar servet en begon de vlek op zijn broek af te vegen.

Daniel hield haar hand vast terwijl hij haar aan bleef kijken. 'Maak je geen zorgen.'

Kate keerde zich van hem af en begon in haar tas naar haar Filofax te zoeken. Ze trok er een blauw velletje uit en schreef er haar nummer op, waarna ze dat naar Daniel gooide zonder hem aan te kijken.

'Luister, hier heb je mijn nummer. Ik betaal de stomerij wel. Bel me maar en vertel me hoeveel het is.'

'Dat zal ik doen,' zei Daniel en pakte het velletje beet alsof ze zojuist met zijn voorstel had ingestemd.

Charlie stapte uit de wc en liep naar hun tafeltje. Ze zag dat Kate het been van Daniel aanraakte en ze rekte haar hals. Ze geloofde haar ogen niet. Ze hoorde alleen nog maar het kloppen van haar eigen bloed in haar oren toen ze zag hoe Kate Daniel een stukje papier gaf, zich glimlachend over hem heen boog en nogmaals zijn been streelde.

Opeens nam haar gesprek met Kate een gruwelijke nieuwe wending.

'Je hebt er geen gras over laten groeien, zie ik,' zei ze terwijl ze op de tafel toe liep.

Kates wangen verschoten van kleur. Toen keek zowel Kate als Charlie naar het papiertje in Daniels hand.

Op dat moment kwam Dillon naar hen toe. 'Hé,' zei hij toen hij abrupt stilstond en de sfeer tussen de twee vrouwen aftastte. 'Wat is er aan de hand?'

Charlie zag hoe Kates schuldige blos in intensiteit toenam. Ze griste het stukje Filofax uit Daniels hand. 'Wat was je precies van plan? Weer een van je trouweloosheden? O, dat zou ik bijna vergeten,' zei ze. 'Met vertrouwen heeft het niets van doen.' Ze scheurde het papiertje in stukken en smeet ze in Kates gezicht.

'Waar heb je het over?' vroeg Dillon kwaad.

'Dat moet je haar zelf maar vragen. Kom, Daniel.' Charlie begon aan zijn arm te trekken.

'Doe niet zo belachelijk!' zei Kate en sprong op. 'Dit is te gek voor woorden.'

'O ja?' siste Charlie.

'Daniel, vertel haar wat er gebeurd is,' smeekte Kate, en toen: 'Je hebt het helemaal mis, Charlie. Daniel is degene die je niet kunt vertrouwen.'

'Rustig, allemaal,' zei Dillon.

'Waag het niet om Daniel de schuld te geven!'

'Ik stel voor dat je vertrekt,' zei Dillon tegen Daniel. Hij was zich bewust van de andere gasten, die verstijfd zaten toe te kijken, hun vorken en glazen halverwege de tafel en hun mond.

Terwijl Daniel door Charlie werd weggetrokken, knikte hij tegen Kate, een zelfvoldane uitdrukking op zijn gezicht.

'Charlie, niet doen. Je maakt een grote fout,' smeekte Kate, maar Charlie was al stampvoetend op weg naar de deur. 'Charlie!' riep ze.

Charlie draaide zich om. 'Eigenlijk denk ik dat jij het bent die zojuist de grootste fout van haar leven heeft gemaakt,' zei ze en terwijl ze Daniel bij de arm pakte om haar trillende lichaam in bedwang te houden, stormde ze de 51 uit.

'Klootzak!' schreeuwde Kate Daniel achterna, maar Dillon greep haar wild zwaaiende armen beet en trok haar ruw naar de keuken.

In de auto sloeg Daniel zijn armen om Charlie heen.

'Ik heb je avond verpest,' snikte ze. 'Ik vind het ongelooflijk dat ze je heeft willen versieren. Ze is mijn beste vriendin.'

'Kop op, meisje. Het is het einde van de wereld niet. Je hebt mij toch nog?' zei hij terwijl hij haar kin optilde. Charlies wanhopige gehuil nam af tot wat onregelmatig gesnik, en Daniel wiegde haar tot ze weer wat gekalmeerd was.

'Ik maak je helemaal nat,' zei ze, zich van hem verwijdererend.

'Het geeft niet. Ik moet dit pak toch laten stomen.' Hij startte de motor.

'Ik vind het alleen zo erg omdat ze iedereen kan krijgen die ze maar wil, en dan gaat ze voor jou. Je bent natuurlijk ook onweerstaanbaar,' zei Charlie terwijl ze een stukje tissue ronddraaide.

'Sst,' kalmeerde Daniel. 'Jij bent veel mooier dan zij. En trouwens: ik zou nooit iets met haar beginnen. Ze is zo hard als staal. Absoluut mijn type niet.'

'Wat heeft ze tegen je gezegd?' vroeg Charlie, die weer wat bij zinnen begon te komen.

'Niet veel. Ach, je weet wel. Ze maakte duidelijke toespelingen en gaf me haar nummer.'

Charlie zuchtte hevig en snufte. 'Ik overdrijf toch niet, hè?'

'Doe niet zo belachelijk, je hebt alleen verdedigd wat je rechtens toebehoort.' Hij gaf haar een kneepje in haar knie. 'Weet je dat je heel, heel mooi bent,' zei hij terwijl hij, staande voor een stoplicht, de ronding van haar gevlekte wang streelde. Zijn woorden waren een pleister op haar gewonde ziel. 'Tenminste, dat vind ik.' Hij trok haar naar zich toe en kuste haar, maar voor hij bij haar lippen was aangeland, verscheurde het geluid van de mobiele telefoon het moment, en Charlie trok zich terug.

Daniel scheurde met grote snelheid weg van de stoplichten, zijn telefoon tegen zijn oor. 'Hai, schat,' kirde hij alsof er niets was gebeurd.

Charlie beet op haar lip en keek uit het raampje van de Porsche.

'Wat?' barstte Daniel los en Charlie keek hem aan.

'Oké, wat is er gebeurd?' Het was voor het eerst dat Charlie Daniel kwaad zag worden. 'De lul. Hoe durft-ie!' schreeuwde hij. 'Angel, schat. Blijf waar je bent. Nee, gewoon thuisblijven. Ik ben zo bij je.'

Charlie klemde haar handen tussen haar knieën.

'De klootzak,' fulmineerde Daniel terwijl hij zijn toestel uit-zette.

'Wat is er gebeurd?'

'Een of andere klootzak heeft Angelica vol waardeloze coke gestopt. Ze denkt dat het crack is of dat het is versneden met iets goors. Ze is ook nog dronken, dat maakt het er niet beter op. Ik zet je even af.'

Charlie staarde uit het raampje, woedend en teleurgesteld. Ze had Daniel op dit moment nodig en Angelica was oud genoeg om beter te weten.

Daniel keek Charlie aan. 'Hou op, hè!' snauwde hij.

'Waarmee? Ik heb niets gezegd!'

'Het is wel duidelijk wat je bedoelt. Ze is mijn zus, verdomme, kun je niet wat medeleven opbrengen?'

'Sorry,' zei Charlie, bang dat Daniel zijn woede tegen haar zou richten.

Hij draaide de stereo-installatie harder en de rest van de rit zeiden ze niets meer. Het was gaan regenen en er begonnen zich waterstraaltjes op het raam af te tekenen. Daniel stak een sigaret op en stopte voor de deur van Charlies huis.

'Ik denk dat we gewoon onze avond niet hebben,' zei ze boven het gebrom van de draaiende motor uit. 'Ik hoop dat alles goed is met Angelica.'

'Tot ziens,' zei Daniel ongeduldig. Ze sloeg het portier dicht terwijl de tranen achter haar ogen brandden. Ze boog zich voor-

170

over om door de zijruit te kijken, maar hij zag haar niet en reed brullend de avond in.

Bandit parkeerde zijn auto op dezelfde plek die Charlie twaalf uur tevoren had ingenomen, en glipte het pakhuis binnen. Het duurde even voor hij Jack Marsden had gevonden. Uiteindelijk trof hij hem in de achterkamer aan, kijkend naar een draagbare tv.

'Ja?' vroeg hij terwijl hij onbeholpen uit zijn stoel omhoogkwam.

'Het spijt me dat ik je moet storen,' zei Bandit verontschuldigend, 'maar er is iets met de kraskaarten.'

Jack kwam overeind.

'We hebben ze verwisseld, dus ik dacht: ik kom even langs om dat te vertellen.'

'Goed, goed,' knikte de drukker, zich op het hoofd krabbend.

'Het is vreselijk, ik weet het, maar we hebben de twee kaartjes verwisseld. Wat jullie dachten dat de winnende kaartjes waren, waren in werkelijkheid de miskleunen,' legde hij uit. 'Wat ik wou vragen is: kunnen jullie er vijftienhonderd van het eerste vel drukken en vijf miljoen van het tweede? Wordt dat een probleem?' Hij glimlachte en keek de drukker aan.

'Maar ik ben al bezig met de eerste lading. Het grootste deel is zelfs al gesneden,' protesteerde hij. 'Dat gaat jullie geld kosten.'

'Ik weet het. Maar je geen zorgen, ik teken wel voor de extra kosten die jullie hebben gemaakt.' Kun je vijftienhonderd exemplaren van wat jullie al gedrukt hebben apart houden en meteen doorgaan met het drukken van de andere vijf miljoen?'

'Dat moet wel gaan. Ik geloof dat het nog niet te laat is. Je hebt geluk dat je me aantreft,' gromde Jack.

Bandit knikte en begon op zijn vingers te tikken. 'Dit is een grote actie. Ik ben bang dat ik je moet vragen je zo discreet mogelijk te ontdoen van de kaartjes die al gedrukt zijn. We kunnen ons absoluut niet veroorloven dat iemand die te zien krijgt.'

'Geen probleem. Ik breng ze wel naar Covent Garden. Als de markt daar is afgelopen wordt alles wat in de vuilcontainer zit om twaalf uur vernietigd. Het is de enige plek in Londen waar je je van dingen kunt ontdoen, zelfs van lichamen, zegt men,' voegde hij er met een macabere grijns aan toe en haalde hij een Rothman-sigaret uit zijn borstzakje.

'Het spijt me van alle moeite,' zei Bandit verontschuldigend.

'Charlie zal opgelucht zijn dat ik het allemaal nog heb kunnen regelen.' Hij liep achter Jack aan door het pakhuis.

'Maak je geen zorgen, maat,' zei hij terwijl hij de grommende motor van de drukpers stopzette. Hij klopte op de zakken van zijn overall om zijn lucifers te zoeken.

Bandit haalde een van zijn promotieaanstekers tevoorschijn en gaf de drukker een vuurtje. De drukker keek hem aan, verbijsterd door een dergelijke beleefdheid. Hij haalde de aansteker uit Bandits vingers, draaide het ding om en om in zijn vuile handpalm en woog het zilver.

'Hou maar. Ik rook toch niet,' zei Bandit met een edelmoedig gebaar. 'Het is een duur ding.'

'Weet je het zeker?'

'Absoluut.'

Jack glimlachte, stopte de aansteker in zijn zak en zette de pers weer aan. 'Je wilt er dus vijf miljoen van het tweede vel?' vroeg hij.

'Ja. Ontzettend bedankt. Het is allemaal wat gênant. Ik zou het op prijs stellen als je niets zou zeggen. Je weet wel, beroepseer en dat soort dingen.'

'Hou maar op,' zei Jack knipogend. 'Dit soort dingen gebeurt nogal eens.'

Pix was de hand van Rich aan het lezen toen Charlie binnenkwam. Rich, die op de bank zat als een jumbojet die wordt bijgetankt, had zijn ogen dicht, zijn vingers lagen in de kleine hand van Pix terwijl zij naast hem op haar knieën zat.

'Je krijgt drie kinderen...'

'Wat God verhoede,' lachte Rich.

'Arme kinderen. Laten we hopen dat ze niet op jou lijken.'

'En wat nog meer?' Rich keek naar zijn handpalm alsof het een boek was dat hij uit zijn hoofd wilde leren. Pix trok een lijn over zijn hand en Rich giechelde.

'Dat kietelt!'

'Blijf stilzitten,' zei Pix terwijl ze zijn hand in de hare nam en ernaar staarde. 'Dit is je levenslijn. Die voorspelt een lang en gezond leven. Mijn intuïtie vertelt me dat je zevenentachtig wordt.'

'Jeetje.'

Ze hadden Charlie niet horen binnenkomen en toen ze haar keel schraapte, keken ze op.

'Hai,' zei ze schor en met het hoofd omlaag, zodat ze niet

172

zouden zien dat ze had gehuild.

Rich wrong zijn hand uit die van Pix en sprong van de bank af. 'Heb je een leuke avond gehad?' vroeg hij terwijl hij de hand waaraan zojuist zoveel aandacht was besteed in zijn zak stopte, alsof hij met een gestolen snoepje was betrapt.

'Nee, niet zo,' zei Charlie terwijl ze hem een blik op haar verwilderde gezicht gunde.

Rich raakte haar schouder aan. 'Wat is er gebeurd?' vroeg hij.

'Laat maar. Ik red me wel. Ik denk dat ik maar in bad ga en daarna naar bed. Hai, Pix.' Ze bracht nog net een beleefd lachje op voor ze naar haar kamer liep en de deur dichtdeed.

Rich begon door de kamer te ijsberen, buiten zichzelf van bezorgdheid. 'Er is iets heel erg mis. Ik heb haar nog nooit zo gezien. Wat moet ik doen?' fluisterde hij tegen Pix.

'Ga dan naar binnen en praat met haar.'

'Dat kan ik niet,' zei Rich, die de strijd opgaf en neerstortte op de bank. 'Laten we maar tv gaan kijken.' Hij zette de buis aan begon er nietsziend naar te staren.

'Je hebt toch geen rust voor je weet wat er met haar aan de hand is,' waarschuwde Pix terwijl ze naast hem ging zitten en haar armen over elkaar sloeg.

'Als ze wil praten, kan ze dat.'

'Jezus, wat ben jij een stijfkop.'

'Waar ga je heen?' vroeg hij gealarmeerd.

'Ik ga met haar praten.'

Charlie voelde zich net een vluchtelinge uit een of ander vreselijk rampgebied, zoals ze daar op haar bed zat.

'Charlie?' zei Pix terwijl ze voorzichtig haar kamer binnenkwam. Charlie ontwaakte uit haar wanhoop en uitputting en keek haar aan.

'Gaat het?' vroeg Pix die het nachtlampje aanknipte.

Charlie probeerde te knikken, maar schudde toen haar hoofd. Tranen brandden in haar ogen.

'Kom op. Spuien,' commandeerde Pix. Ze pakte de doos met Kleenex van de ladekast en gaf ze een voor een aan Charlie toen die Kates afgrijselijke bedrog memoreerde.

'Het spijt me dat ik jou hier mee belast,' huilde ze, maar Pix sloeg haar armen om haar heen.

'Je belast me helemaal niet. Huilen is goed voor je. Morgen ziet je huid eruit alsof je een metamorfose hebt ondergaan.'

Charlie snoot haar neus. 'Ik vind het afschuwelijk om me zo rot te voelen. Sinds ik met Daniel ben, lijk ik al mijn kracht kwijt te zijn. Eerlijk gezegd is het heel vervelend om een vriend te hebben. Daarvóór ging het uitstekend met me.'

'Ik weet wat je bedoelt.'

Charlie snufte. 'Maar tussen jou en Rich gaat alles toch goed? Jullie lijken heel gelukkig samen.'

Pix zuchtte. 'Ach, het is een ontzettend aardige jongen en we hebben het leuk samen, maar serieus zal het nooit worden.'

'Maar hij is heel erg dol op je.' Charlie keek haar onderzoekend aan.

Pix haalde haar schouders op. 'Nou, niet echt.'

'Zoek je niet overal iets achter?'

Pix schudde triest het hoofd. 'Nee. Het wordt nooit wat.'

'Hoezo?'

'Dat zou jij toch het beste moeten weten.'

'Wat moet ik weten?'

Pix zocht het onschuldige, gevlekte gezicht van Charlie af op zoek naar een teken.

'Niks. Let er maar niet op,' krabbelde Pix terug terwijl ze van Charlies bed opstond en langzaam naar de deur liep.

'Nee, wacht. Vertel het me. Wat is het probleem?'

Pix keek naar haar voeten. 'Hij is verliefd op jou.'

Haar simpele zinnetje bleef tussen hen in hangen.

'Wat?' Charlie was verbijsterd, en haar adem ontsnapte als een doorgeprikte voetbal uit haar longen. 'Verliefd op mij? Hoe weet je dat? Heeft hij dat gezegd?'

Pix keek naar haar handen. 'Het is gewoon duidelijk te merken,' mompelde ze. 'Ik dacht dat je het wel wist.' Ze keek Charlie zonder enige boosaardigheid aan.

'Nee, nee, ik wist het niet.'

Pix haalde haar schouders op en liep achteruit de kamer uit.

'Een, twee, drie...' BANG! Twaalf glazen tequila werden als een kanonschot op de houten tafel gezet. Het feestmaal in het Mexicaanse restaurant in een zijstraat van Oxford Street was in volle gang. In het smerige, met hout betimmerde eetgedeelte deelden twee meisjes met schortjes om de laatste tequila's uit zonder te letten op de verlekkerde blikken en het gegraai van de lawaaiige tafeltjes..

174

Sadie trok een zuur gezicht. 'Citroen, citroen,' riep ze met vlekkerige wangen uit, en ze gooide het schijfje naar Charlie.

Pete likte als een hond de laatste restjes zout van zijn hand. 'Waar blijft mijn biertje?' schreeuwde hij.

Charlie deed het schijfje citroen in haar mond alsof het een nepgebitje was en haalde een stukje salsa uit haar haren. Ze zat te duizelen op haar stoel en haar zicht was vertroebeld.

'Zullen we straks naar een club gaan?' stelde Poppy voor. 'Daniel zei dat hij ons wel bij Orgasm kan binnenloodsen. Jij komt toch ook mee, Charlie?'

'Ik dacht het niet,' zei ze, de nacht met Daniel in gedachten. Ze wilde de herinnering niet laten verpesten door Poppy's extravagante gedans. Ze hoopte maar dat Daniel hetzelfde voelde.

Bandit ging wankelend staan en bonkte met de pepermolen op tafel. Charlie zag de stukken tortilla op tafel op en neer springen.

'Stilte, stiilltte!' schreeuwde Bandit, terwijl hij wild met zijn armen begon te zwaaien. 'Ik wou effe wat zeggen,' zei hij met dubbele tong.

Er ging een collectief 'Sssjt' de tafel rond.

'Ik ben het wel niet gewend om in het openbaar te spreken...' begon hij. Er steeg een luid gebrul op. Hij stak verdedigend zijn armen omhoog en dook voor de rondvliegende schijfjes citroen. Hij gebaarde naar de verfomfaaide serveerster, die geduldig een blad vol bier midden op tafel zette. 'Zoals jullie allemaal weten, komt morgen de promotieactie voor Up Beat in de krant en het wordt retegoed en nu wil ik dat jullie allemaal het glas heffen op Nigel hier.'

Er klonk een applausje voor Nigel Hawkes van Up Beat, die ze met moeite hadden weten mee te krijgen en erbij zat of hij er niet bij hoorde. Hij was midden dertig, maar kon doorgaan voor vijftig in zijn grijze pak en met zijn lelijke dikke bril op. Hij bloosde en mompelde wat bedankjes.

'En laten we onze Charlie niet vergeten,' vervolgde Bandit.

Pete liet zijn vuist op tafel neerkomen. 'Absoluut, absoluut!'

'Opstaan, opstaan!' Bandit begon aan Charlies arm te trekken. 'Ze heeft het fantastisch gedaan, en dat ondanks Philippa. Ik wou maar zeggen: ze kunnen allemaal de pot op!' Hij hief zijn bierflesje en zwaaide het naar het midden van de tafel waar het stukviel te midden van de andere flesjes.

Charlie stond te wiebelen op haar sandalen met hoge hakken.

'Zonder jullie had ik het nooit gered,' schreeuwde ze boven de harde muziek uit terwijl ze haar bierflesje hief naar Pete, Toff en Sadie.

Bandit ging op de bank staan en klom over de tafel heen. Hij pakte een anjer uit de vaas.

'Wil je de laatste tango met me dansen?' vroeg hij aan Charlie en trok hij haar de dansvloer op, hoewel ze lachte en nee schudde.

'Doen, doen,' moedigden haar collega's aan terwijl ze met de muziek begonnen mee te klappen, en Charlie liet zich met tegenzin in Bandits omhelzing meevoeren. Hij stopte de anjer tussen zijn tanden en ze dansten de tango te midden van de luidruchtige menigte. Bandit gooide Charlie alle kanten op, bracht de bloem over naar haar mond en trok haar dichter naar zich toe. Toen het nummer ten einde liep, boog hij haar over zijn arm heen achterover in een dramatisch slot. Het was in deze omgekeerde positie dat Charlie Daniel bij de deur zag staan.

'Kijk, daar is Daniel,' schreeuwde Toff terwijl hij hem wenkte erbij te komen zitten.

Charlie ging wankelend rechtop staan en kneep één oog dicht om scherp te kunnen zien. Daniel was nuchter en zag eruit om door een ringetje te halen. Hij kneep haar even in haar bovenarm. 'Hai, Charlie,' zei hij. 'Ik zie dat je lol hebt.'

'Ik moet zó nodig,' zei Sadie zeurderig terwijl ze haar arm in die van Charlie haakte en haar meesleurde naar de damestoiletten.

Daar schortte Sadie haar korte rokje op en wriemelde wat met de drukknoopjes tussen haar benen.

Charlie keek in de spiegel naar zichzelf. Ze was verbijsterd door haar drie spiegelbeelden. 'Ik ben ladderzat.'

Sadie ging rechtop staan en zei: 'Anders ik wel.' Ze draaide haar zwarte handtas om. Een mascararoller en een poederdoos van Lancôme, een tampon, sleutels, een pakje met drie condooms, een haarborstel en een enorme roze nagelvijl kletterden in de wasbak. Sadie pakte de tampon op en ging de wc binnen.

'Ik ben blij dat Daniel er is, ik had de hoop al bijna opgegeven,' riep ze terwijl ze op de wc-pot ging zitten.

Charlie pakte Sadies haarborstel en haalde er een oorbel uit voor ze een poging deed haar haren te borstelen. Hikkend vroeg ze: 'Hoezo?'

'Ik vond hem eerst niet zo leuk, vooral niet toen iedereen zei dat hij alles naait wat los en vast zit,' vervolgde Sadie, 'maar je moet toegeven dat zijn uiterlijk een hoop goedmaakt. Vind je dat ik met hem moet vrijen? Ik bedoel, vraag je je nooit af hoe dat zou zijn?' Sadie spoelde de wc door en kwam het hokje uit. Ze zag Charlie blozen in de spiegel.

Charlie haalde haar schouders op en keek van haar weg.

Sadie trok de dop van de mascara en bewoog het borsteltje heen en weer in de flacon. 'Jij bent voor hem gevallen, hè?' zei ze terwijl ze haar lange wimpers begon bij te werken met het mascaraborsteltje en Charlie in de spiegel aankeek. Toen ze Charlies verlegenheid zag, leek haar een lichtje op te gaan. Ademloos vroeg ze: 'Heb je het met hem gedaan?'

Charlie begon heen en weer te schommelen en keek Sadie schaapachtig aan.

'Het is niet waar!'

'Sadie, zeg alsjeblieft niets,' smeekte Charlie terwijl ze aan haar arm ging hangen. Sadie wilde meer weten, maar Charlie snoerde haar de mond. 'Je bent de enige die het weet.'

Het mascaraborsteltje bleef bewegingloos in de lucht hangen. 'Jeetje! Ik had geen idee. Hoe lang is het al aan de gang?'

'Eeuwen.'

'Wat een verrassing! Jij bent wel de laatste van wie ik het had gedacht, weet je dat?' lachte Sadie terwijl ze Charlie in haar ribben porde.

'Sst. Zeg alsjeblieft niets, Sadie. Daniel zou over de rooie gaan als hij wist dat ik het je had verteld!'

'Dus jij was het – van die Tipp-Exkruisjes!'

Charlie schudde haar hoofd. 'Dat was een grap van de bewakers. Sadie, kijk niet zo. Je mag echt niets zeggen, hoor! Beloof je het?'

'Op het hart van mijn moeder.' Sadie grijnsde. 'Hier,' zei ze terwijl ze op Charlie toe kwam met de poederdoos. Ze opende hem en begon Charlies glimmende neus te poederen. 'Een pietsie poeier, een pietsie kleur, en dames kenne d'r weer mee deur.' Sadie knipoogde als een lonkende travestiet, waardoor haar natte mascara zwarte streepjes op haar jukbeenderen maakte. 'Gadver!' riep ze uit en deed wat spuug op haar vinger. Charlie streek haar rok glad over haar heupen, greep in haar beha om haar borsten op te lichten en sloeg haar hoofd achterover. Ze was vastbesloten zichzelf niet voor gek te zetten waar Daniel bij was, maar ze besefte dat dat wel eens moeilijker kon zijn dan ze dacht toen ze struikelde en in de armen van Nigel Hawkes viel.

Charlie droomde over de warme zomer van 1976 en haar schelpenketting terwijl ze over de zijkant van het rubberbootje keek. Ze ging geknield op de zachte bodem van het bootje zitten en draaide hem in het rond in de hoop bij Rich te kunnen komen als hij aan de andere kant weer zou opduiken, maar ze zag hem nergens. Ze keek achterom naar de kustlijn en naar Mary Rose, die boterhammen zat te smeren op de deksel van een blauwe koelbox.

'Rich. Kom terug,' riep ze met een stem die verloren raakte in de zon, maar hij verscheen nog steeds niet aan de oppervlakte. Het leek al uren geleden sinds hij erin was gedoken. Misschien was hij wel verdronken, en in dat geval was het haar schuld. Dikke tranen begonnen op haar oranje met paarse bikini te vallen. Toen sloeg de boot om. Ze gilde, sprong overboord en kreeg sloten zeewater binnen.

Toen ze proestend in de zon weer boven kwam, voelde ze een arm om zich heen. Rich lachte terwijl ze begon te hoesten en zich aan het glibberige, omgekantelde bootje vasthield.

'Jankepeeuw,' zei hij plagend.

'Ik dacht dat je was verdronken.' Ze keek hem aan, knipperend met haar ogen. Haar lange wimpers klonterden samen in het water.

'Doe niet zo raar, ik was aldoor bij je, je zag het alleen niet.' Hij stompte haar speels op haar armband.

'Wil je me nooit meer in de steek laten!' zei ze zogenaamd vitterig maar met glanzende ogen.

Charlie kwam bij bewustzijn. Ze liet haar droge tong over haar verhemelte glijden – het leek wel schuurpapier – en werd langzaam wakker op het gebonk van haar kater. Ze probeerde haar ogen te openen, maar het scharlakenrode zonlicht brandde op haar overgevoelige netvlies en ze kneep haar ogen weer dicht. Ze begon te kreunen terwijl haar vergiftigde lichaam met een groeiende pijn tot leven werd gewekt.

Voor de deur van haar slaapkamer begon een drilboor te denderen en ze dook nog wat dieper onder het dekbed. Rich was aan het stofzuigen. Nu ze wakker was, leek haar bed net een springmatras. Ze voelde zich beroerd, maar ging toch kreunend rechtop zitten, even later gevolgd door haar hersenen. Toen stond ze op, zich staande houdend aan het nachtkastje, en begon haar kleren van zich af te stompen en trappen, woest omdat ze de vorige nacht te dronken was geweest om zich uit te kleden. Ze draaide haar beha rond haar borstkas, maar haar gevoel van coördinatie liet haar in de steek en ze viel weer op haar bed. Het geluid van de stofzuiger hield op, maar het gebonk in haar oren bleef en Charlie kreunde vanuit haar buik en trok het kussen over haar hoofd.

'Ik heb thee en een antikaterdrankje voor je,' fluisterde Rich, die haar kamer binnen kwam sluipen en de mok en het bruisende drankje op het nachtkastje zette. 'Neem eerst dat drankje maar in.'

Charlie antwoordde niet. Hoe vaak had Rich dit niet eerder gedaan? Hoeveel zaterdagen had hij niet op deze vertrouwde manier voor haar gezorgd? Ontelbare keren. Nu Charlie echter wist dat hij verliefd op haar was, voelde het als een grove inbreuk op haar privacy. Normaal gesproken was ze zijn kant op gerold en was Rich op haar bed gaan zitten terwijl ze hem vertelde wat ze de vorige avond had gedaan.

'Charlie?' Hij legde zijn hand op haar schouder en ze kromp inwendig in elkaar.

Voelde hij dan niet dat haar schouder zijn aanraking afweerde? Geïrriteerd gromde ze een bedankje, zonder zich te verroeren, in de hoop dat hij zou worden afgeschrikt door haar lethargie.

'Dat klinkt niet best,' lachte hij terwijl hij het dekbed boven haar rechttrok en op zijn tenen haar kamer uit sloop.

Charlie rolde zich op haar rug en keek naar de warrelende stoom die boven haar lievelingsbeker uitkwam. Hoe had ze zo naïef kunnen zijn? Rich had haar elke ochtend thee gebracht, haar lievelingsmaaltijden klaargemaakt, had altijd voor haar klaargestaan, en zij had het, als een idioot, allemaal maar als vanzelfsprekend beschouwd. Nu ze erover nadacht, maakte zijn gedrag heel duidelijk dat hij verliefd op haar was. Waarom had ze het niet gemerkt?

Ze begon haar slapen te masseren. Haar hoofd suisde. Gewoonlijk was ze haar kamer uit gestommeld zonder ook maar een ogenblik stil te staan bij haar schaarse kledij. Had Rich haar lichaam al die tijd met verlangen bekeken? Ze trok haar kamerjas binnenstebuiten aan en greep op de tast naar de deurkruk.

'Goedemorgen, schoonheid!' zei Rich plagend terwijl hij naar Charlies vale gezicht, haar verfomfaaide haar en halfdichte ogen keek. Charlie bromde iets tegen hem en hij lachte terwijl ze haar misselijke lijf naar de badkamer sleepte voor een twintig minuten durende sessie met de closetpot.

Terwijl ze tequilakleurige gal in de pot braakte, hoorde ze Rich de radio aanzetten op *Any Questions* toen hij in de keuken rond-stommelde, en ze had hem wel willen toeschreeuwen dat ze rust wilde. Ze besefte, terwijl haar woedende maag samentrok, dat hij dit ieder weekeinde deed. Hij hing maar een beetje rond, wach-tend tot zij aankondigde wat haar plannen voor die dag waren, volgde haar bij alles wat ze deed en hing haar speelkameraadje uit. Wanneer was hij zo sullig en afhankelijk geworden? Ze trok de wc door en spoelde haar vieze tanden met zoet kraanwater.

Kate zei altijd dat mannen geen zachte plekjes voor vrouwen kenden, alleen maar één harde, en Charlie had haar cynisme sma-lend afgewezen. Ze had haar haar relatie met Rich voorgehouden als een stralend voorbeeld van een eerlijke vriendschap tussen een man en een vrouw, zonder dat daar seks bij te pas kwam. En nu voelde Charlie een soort geïrriteerde walging bij de gedachte aan de geheime bewondering van Rich voor haar. Gelukkig was Kate er nu niet meer om haar toe te bijten: 'Heb ik het niet gezegd?'

Ze moest zo gauw mogelijk zien weg te komen, en dus haastte ze zich terug naar haar kamer, trok wat bij elkaar vloekende kle-ren aan en stormde de keuken voorbij.

'Ik heb een boterhammetje met spek voor je gemaakt,' schreeuwde Rich boven het applaus op de radio uit en Charlie hield vloekend halt. Ze stak haar hoofd om de deur van de keu-ken.

'Hoe voelen we ons nu?' vroeg hij terwijl hij haar het verleide-lijke bord toeschoof.

Charlie staarde hem aan. Dacht hij haar liefde te kunnen kopen?

'Je ziet er niet al te best uit,' zei hij huiverend. 'Eet even wat, dan voel je je meteen een stuk beter.'

'Ik wil niets eten.'

Rich liet zich niet afschrikken en vervolgde: 'Nog steeds een beetje misselijk?' Hij knikte haar begrijpend toe. 'Wat jij nodig hebt is een paardenmiddeltje,' zei hij toen en stond op om een van zijn supersterke Bloody Mary's klaar te maken.

180

'Ik ga de deur uit,' zei Charlie. Zonder Rich aan te kijken liep ze naar de deur. De telefoon ging.

'Voor jou. Pix,' zei ze bot terwijl ze de hoorn naast de haak legde.

'O,' mompelde Rich. Hij staarde haar verslagen na toen zij naar buiten stampte.

Dillon wreef afwezig het zilveren laagje van de kraskaart terwijl hij de besprekingen van Londense restaurants in de zaterdageditie van de *Reporter* las.

'Ze snappen er geen donder van,' zei hij hoofdschuddend. Hij keek op naar Kate, maar zijn aandacht werd getrokken door zijn kraskaartje.

'Hé, kijk! Ik heb een gratis cd gewonnen!' riep hij uit terwijl hij het kaartje aan Kate gaf. Ze nam het van hem aan, trok haar wenkbrauwen op en gaf het hem zonder commentaar terug. Dillon staarde naar het kaartje en draaide het een paar keer om en om.

'Hier heb ik er een hoop van in Covent Garden gezien,' zei hij. 'Ik heb een of andere gozer erbij geholpen. Weet je nog? Ik heb je erover verteld.'

Kate duwde de filter van de cafetière omlaag.

'We hebben ze in de vernietigingsbak gestopt. Massa's. Ik was aardbeien aan het kopen en raakte met hem aan de praat. Hij is drukker en gaf me zijn visitekaartje voor Pix. Misschien kan hij haar flyers voor haar drukken,' zei hij en legde het kaartje neer. Hij schonk een kop koffie in voor Kate plus een voor zichzelf. Ze negeerde hem en ging zwijgend door met het lezen van de krant.

Dillon keek haar even aan en brak een warme croissant doormidden. 'Gaan we er nog over praten?' vroeg hij.

'Waarover?'

Dillon werkte de croissant in zijn enorme mond. 'Over Charlie,' zei hij toen.

'Nee!' Kate spreidde haar krant uit en ging door met lezen.

Dillon zuchtte, hees zijn dreadlocks achter zijn hoofd en liet ze weer op zijn rug vallen.

'Toe nou,' zei hij. 'We praten al dagen niet met elkaar.'

'Nou en?'

'Leuk. Onze relatie is in gevaar, jij gaat weg en je wilt er niet

181

over praten. Leuk!' Dillon stond woedend op.

'Doe niet zo dramatisch,' zei Kate terwijl ze de krant neerlegde. 'Hoe bedoel je, "in gevaar"? Charlie is geobsedeerd door de grootste zak van het westelijk halfrond en zodra ze haar misstap inziet en zich verontschuldigt, zal ik erover dénken haar te vergeven. Dat heeft niets met jou te maken.'

'O nee? Hoe denk je dat ik me voel als jouw beste vriendin...'

'Voormalige beste vriendin,' onderbrak Kate hem terwijl ze een slokje koffie nam.

'Wat dan ook. Als je voormalige beste vriendin je beschuldigt van *alweer* een van je trouweloosheden? Moet ik dan net doen of ik dat niet hoor? Hoe denk je dat ik me voel?'

'Je bent een kerel, en kerels hebben geen gevoelens.'

'O nee? Nou, ik toevallig wel,' zei Dillon terwijl hij zich op zijn borst klopte, en voor het eerst besefte Kate dat hij echt van streek was.

Ze nam hem taxerend op.

'Nou? Ben je me ontrouw geweest?' Dillons stem klonk gekwetst.

Kate liet haar kruk achteroverhellen zodat die gevaarlijk op twee poten balanceerde. Ze pakte de bar beet om te zorgen dat ze niet achteroverviel.

'Nee,' mompelde ze, 'maar ik heb erover gedacht.'

Dillon ademde diep uit, alsof hij zojuist een stomp had gekregen. 'Wat?' bracht hij uit. 'Waarom?'

Kate liet de voorpoten van de kruk met een knal neerkomen. 'Omdat je nooit tijd voor me hebt. Je zou een prijs voor verwaarlozing moeten krijgen, niet voor koken,' begon ze, en naarmate haar klachtenstroom over hun relatie uit haar mond vloeide, begon ze meer lucht en zelfvertrouwen te krijgen. 'En we gaan ook bijna nooit meer met elkaar naar bed,' eindigde ze grommend.

'O, nou snap ik het. Dus weglopen en iemand anders neuken lost al onze problemen op?'

'Nee,' gaf ze toe terwijl ze haar duimnagel over de rand van de ruwe houten bar liet gaan. 'Maar je zou het niet eens merken.'

Dillon sloeg zijn enorme hand op het aanrecht. Hij pakte haar pols beet en keek haar in het gezicht, zijn gezicht verwrongen van passie. 'Hoe kun je me dit aandoen?' bracht hij uit. 'Waarom heb je niet eerder iets gezegd?'

'Dat had toch geen zin,' zei ze, bang geworden door de kracht van zijn houdgreep.

'Dus als Charlie niets had gezegd, zouden we dit gesprek niet hebben gehad? Is dat wat je wilt zeggen?'

Kate haalde haar schouders op. 'Daar lijkt het wel op,' mompelde ze. Dillon wierp haar pols vol afschuw van zich af en drukte zijn handpalmen tegen zijn voorhoofd.

'Ik geloof mijn oren niet. Ik kan niet geloven dat je me ontrouw kan zijn.'

'Nou, geloof het maar. Zo moeilijk zou het niet zijn!'

Hij keek haar met gekwetste ogen aan. 'Als je het overwegen kunt, geef je kennelijk niets om onze relatie.'

'Dat is onzin, en trouwens: ik ben je nog niet ontrouw geweest.'

'O, nou, laat je door mij vooral niet tegenhouden! Nee, ga maar gewoon door. Voel je vrij om je een weg naar buiten te neuken,' barstte hij uit.

'Schreeuw niet zo tegen me!' gilde ze. 'Ik heb nog niets gedaan en als ik het wel zou doen, had het niets met jou te maken.'

'Weet je wat dat is?' Dillon boog zich dicht over haar heen. 'Dat is pure kul! En dat weet je. Die kromme ideeën over trouw van je en die puberale feministische slogans zijn alleen maar een alibi om je bindingsangst te verbloemen.'

'Als dat geen kul is,' verweerde ze zich. Toen wees ze naar hem en zei: 'Jíj bent degene die bang is om zich te binden.'

'Nee, dat ben ik niet,' zei Dillon. 'Ik wíl me binden. Ik snak ernaar. Ik wil me erin wentelen!' Hij zwaaide dramatisch met zijn armen en liep om de bar heen.

Kate gleed van de kruk af en pakte een van de kranten op. 'Ik luister niet langer naar dat arrogante geleuter van je. Ik heb wel wat beters te doen,' verklaarde ze terwijl ze de deur uit begon te lopen, maar Dillon pakte haar beet en klemde haar armen tegen haar zij. 'Nee, dame. Dit keer loop je niet weg,' zei hij.

'Laat me los,' zei ze terwijl ze zich uit zijn greep probeerde los te rukken.

Dillon zweeg en keek omlaag naar haar boze gezicht. 'Trouw met me,' zei hij zachtjes.

'Hoe zei u?'

'Ik weet dat ik je er niet van kan weerhouden er met andere mannen vandoor te gaan als je dat wilt, maar ik wil dat je weet hoe serieus ik het met je voorheb. Ik wil dat je mijn vrouw wordt, Kate,' zei hij terwijl hij haar in de ogen keek. 'Ik heb altijd al het gevoel gehad dat we bij elkaar hoorden, al vanaf het begin.'

Ze zocht zijn gezicht af op sporen van bedrog.

'Nou?' drong Dillon aan.

Kates mond viel open van de schok.

'Je hoeft nu nog niet te antwoorden. Vertel het me maar als je uit New York terug bent,' zei Dillon terwijl hij achteruitliep, al net zo ondersteboven van zijn aanzoek als zij.

'Je bent gek geworden,' zei ze kwaad. En toch voelde ze een grote warmte in zich opbloeien.

Pix beet in een appel die ze bij een stalletje op de markt van Portobello Road had gekocht. Ze liet haar hand in die van Rich glijden om te zorgen dat ze elkaar in de menigte niet zouden kwijtraken.

'Wat is er aan de hand?' riep ze boven het lawaai uit. 'Je lijkt zo afwezig.'

Rich haalde zijn schouders op. 'Niks,' zei hij terwijl hij zich uit haar greep losmaakte.

Pix nam nog een hap en keek hem wantrouwig aan. 'Gelul. Je gezicht staat op onweer,' zei ze.

Rich negeerde haar terwijl ze de straat over slenterden om naar de straatmuzikanten te luisteren die 'Yesterday' speelden op steeldrums. Hij staarde somber naar de kleuren van de Afrikaanse wollen muts en zuchtte bedroefd.

'Volgens mij gaat het regenen. Zin om een biertje te gaan drinken?' vroeg Pix, die de rest van deze zaterdag vrij had nu ze de zak kleren die ze bij elkaar had geraapt bij het daklozencomité had afgeleverd.

'Niet echt,' antwoordde Rich. Hij had het gevoel of zijn stem van heel ver weg kwam.

'Wat is er?' hield Pix aan, oprecht bezorgd nu. Omdat ze geen reactie kreeg, bleef ze bij een kraampje staan om wat exotische sieraden te bekijken. Rich schuifelde gedwee achter haar aan. Pix hield een aantal oorbellen bij haar oren en bekeek ze in het spiegeltje. Ze zag hem achter zich in de spiegel en fixeerde zijn blik. 'Ben je nog steeds dronken van die stomme borrel?'

Rich schudde van nee. 'Nee, dat is het niet.'

Pix snoof ongeduldig.

'Het is Charlie,' gaf hij toe.

'Wat is er met haar?' Pix begon het fluwelen plateau met neus-stekertjes voor haar te bestuderen.

'Ik weet het niet. Ze doet zo raar. Ze praat niet met me en ik snap niet wat ik misdaan kan hebben.' Rich keek naar de grauwe lucht, die de kleur had van een gevangenisdeken. 'Heeft ze tegen jou niets gezegd? Je weet wel, die keer dat je met haar bent gaan praten?'

Pix maakte het jasje om haar middel los, want het was gaan regenen.

'Nou?'

'Wat nou?' vroeg Pix terwijl ze naar Rich opkeek en weer snel zijn blik ontweek. 'Het mooie weer is nu wel voorbij. We gaan de winter in!'

'Wat zei ze?' hield Rich aan.

'Geen idee. Gewoon.' Pix haalde haar schouders op. De marktkooplui begonnen opeens druk te doen, want het was har-der gaan regenen: ze verlegden zeiltjes van de ene kraam naar de andere en haalden stellingen binnen onder de beschutting van het zeildoek.

'Waarom doe je zo ontwijkend?' In een portaal haalde Rich Pix in.

'Dat heb ik je toen al gezegd. Ze was van streek over dat gedoe tussen Daniel en Kate.' Ze sloeg haar ogen neer.

'Jij hebt iets gezegd,' zei Rich, opeens wantrouwend. 'Jij hebt iets over mij gezegd, hè?' Zijn gezicht stond even serieus als het weer. Pix keek van hem weg, de menigte in die zich uit de voeten maakte omdat het begon te hozen.

'Pix? Zeg het. Wat heb je tegen haar gezegd?' Rich pakte haar bij haar arm.

Ze keek hem aan terwijl haar voorhoofd zich bezorgd in rim-pels plooide. 'Ik heb haar de waarheid verteld.'

'En wat is die waarheid dan wel?'

'Dat je verliefd op haar bent,' zei ze.

'Wat?'

'Je hebt me wel gehoord.'

Rich liep naar buiten, de regen in, en kwam toen weer terug terwijl zijn mond als een goudvis naar lucht begon te happen.

'Nou, het is tsch zo?' Ze liep achter hem aan, haar voorhoofd geplooid in de stromende regen die haar haren plat tegen haar schedel drukte. 'Daarom kun je niet met me naar bed. Daarom raak je elke keer van slag als ze in de buurt is. Je bent bezeten van haar en je gebruikt mij als smoes...'

Rich draaide zich om, greep Pix bij haar schouders en schudde haar woedend door elkaar. 'Hoe durf je? Hoe durf je verdomme?' schreeuwde hij. Ze liet zich als een lappenpop door elkaar schudden.

'Wil je me loslaten?' schreeuwde ze terwijl ze hem hard voor zijn schenen schopte.

'Dat soort dingen zeg je niet,' raasde hij met een stem schor van emotie.

'Dat jij de waarheid niet onder ogen wilt zien, heeft niets met mij te maken.'

Rich raakte bevangen door woede en vernedering.

'Hé! Laat haar met rust,' zei een vrouw met vingerloze handschoenen vanuit een van de kraampjes terwijl ze naar Rich uithaalde met een bezem en een uitval maakte naar zijn enkels zodat hij achterover dreigde te vallen.

'Alles goed met je, meiske?' vroeg ze aan Pix, die knikte en woedend naar Rich keek.

'Wegwezen, jij!' De vrouw kwam dreigend op hem af alsof hij een gevaarlijke hond was.

'Pix?' Rich stak zijn hand naar haar uit, doodsbang omdat hij haar door elkaar had geschud.

Ze deinsde van hem weg terwijl de tranen op haar wangen zich mengden met de regen. 'Laat me met rust. Je bent precies hetzelfde als al die anderen.'

'Pix.'

'Ik wil je nooit meer zien,' bracht ze nog uit. Toen stampte ze weg op haar hoge zwarte boots, haar tranen woedend uit haar ogen vegend.

'Goed zo, meiske, laat ze het maar weten,' raaskalde de vrouw terwijl ze Rich wegjaagde.

Rich voelde niet hoe de regen door zijn suède jasje sijpelde toen hij door de druipende antiekmarkt naar Notting Hill liep. Hij voelde zich als een door elkaar geschud sneeuwspeeltje. Hij had zijn gevoelens voor Charlie niet eens tegenover zichzelf willen toegeven, laat staan tegenover Charlie, en nu had Pix het verknald. Zoals hij had gevreesd walgde Charlie duidelijk van het hele idee en hij kon het haar niet kwalijk nemen. Hij was zo boos op Pix. Wat gebeurde er toch met hem?

Tegen de tijd dat hij in Notting Hill aankwam, was hij afgepeigerd. Zijn haar was nat van het zweet en de regen en hij boog zich voorover, zette zijn handen op zijn knieën en begon hele wolken autogassen en ellende in te ademen. Toen hij zich omdraaide en een glimp van zijn eigen spiegelbeeld opving in een etalageruit kwam hij geschrokken overeind. Toen stelde hij het brandpunt van zijn ogen bij en zag achter het glas een bordje waarop goedkope vluchten naar India stonden. Hij ging naar binnen.

Een meisje in een rood-met-witte blouse stak haar kin omhoog in het spiegeltje van haar poederdoos om haar puistjes te bekijken. Ze zag Rich, zette haar automatische glimlach op en deed de poederdoos dicht.

'Kan ik je helpen?'

Rich schuifelde met zijn voeten, gegeneerd door zijn doorweekte uiterlijk. Wat deed hij hier trouwens?

'Ik zag die bordjes in de etalage.' Hij wees er onbeholpen naar en zijn stem stierf weg.

'We hebben een aantal mooie aanbiedingen.' Het meisje wees op de zachte stoel voor haar bureau en Rich ging zitten. Hij legde zijn handpalmen op zijn doorweekte broekspijpen.

'Heb je nog voorkeur voor een speciale bestemming?' Het meisje begon op de toetsen van haar computer te rammelen.

'Die ene in India, wat is dat precies?'

'Die vakantie naar Goa? Ik zal even kijken. Ik geloof dat u geluk hebt, en in deze tijd van het jaar is het er fantastisch.'

Rich voelde opeens een lichtpuntje verschijnen te midden van zijn wanhoop. Hij kon gewoon weggaan. Wie hield hem tegen? En waarom zou hij moeten blijven? Het was te ingewikkeld om met Charlie samen in de flat te wonen. Hij kon haar niet recht in de ogen kijken en Pix zou het hem nooit vergeven dat hij haar als een gek door elkaar had geschud. In zijn hoofd begon hij systematisch door te nemen wat hij voor zijn vertrek allemaal moest regelen.

'Wanneer wil je weg?'

Druipend en half dromerig zat hij het meisje van het reisbureau aan te staren. 'Zo snel mogelijk.'

'We hebben voor dinsdag een vlucht naar Goa. Dat is de eerste. Kun je op maandag je visum en je prikken halen?'

Rich hoorde haar van heel ver weg en knikte traag.

'Hoe wil je betalen?' De vingers van het meisje bleven boven haar toetsenbord hangen terwijl ze op zijn antwoord wachtte.

Hij stak zijn hand in zijn binnenzak en haalde zijn doorweekte portefeuille tevoorschijn. In de gleuven van het leer zaten een heleboel pasjes. Hij haalde de Visa-card eruit. Er zat een fotootje van Charlie achter, dat op zijn schoot viel toen hij zijn pasje overhandigde. Hij keek ernaar en uit zijn doorweekte haar viel een grote druppel op de foto, waardoor het oppervlak verkleurde en een vlek als een vervaagde inktvlek achterbleef op Charlies voorhoofd.

'Reis je alleen?' vroeg ze terwijl ze het nummer van zijn creditcard intoetste.

'Ja. Helemaal alleen.' Zijn stem was schor van de doffe pijn in zijn borst.

'Het is zaterdag, ja. En wat dan nog? Ik wil dat je hier als de gesmeerde bliksem naartoe komt. Nu!' schreeuwde Si door de telefoon tegen het mobiele toestel van Daniel, en hij smeet de hoorn op de haak.

Ondanks haar gebruinde gezicht zag Philippa bleek terwijl ze een in Armani geklede bil op de hoek van de vergadertafel liet neerstrijken. Si tikte met een bezweet worstvingertje op zijn lip en begon dreigend in zijn grote leren stoel heen en weer te draaien. Hij keek even naar de ingelijste marketingprijzen die de muur sierden.

'Dit kan ons faillissement betekenen,' zei Philippa terwijl ze zijn blik volgde. 'Als we het toestaan.'

Si zweeg en Philippa voelde de stilte voor de storm.

'Het is gewoon een kwestie van hoe we de pers weten te bewerken.' Ze sprong van de tafel en begon te ijsberen, haar armen over elkaar.

Si keek toe. Zijn wijsvingers vormden een driehoek boven zijn mond, die in een stoppelige smalle streep van woede was samengeperst.

'Je vindt dat het mijn fout is, hè?' zei ze alsof Si naar haar had zitten schreeuwen. Si haalde zijn schouders op en bleef haar aanstaren.

'Hoe kon ik weten dat de verkeerde kaartjes gedrukt zouden worden? Het is zo'n stomme vergissing. Maar jij was degene die erop stond dat Charlie de leiding zou krijgen.'

'Jíj had de leiding,' onderbrak Si haar, terwijl zijn wateroogjes haar indringend aankeken. 'Zij is nog maar een kind.'

'Ik...'

Si sprong uit de stoel en begon Philippa bijtend toe te spreken. 'Jij wordt verondersteld alles te overzien. Bijna elke kraskaart levert een cd op. Up Beat is bestormd door publiek en vandaag is nog maar de eerste ochtend. Ze lijden een gigantisch verlies en wij zullen verantwoordelijk zijn. Hier gaan koppen rollen. We zullen alles verliezen en ik sta voor paal. Verdomme, Pippa, hoe kan dit nou gebeurd zijn?'

'Ik weet het niet.' Philippa keek hem aan met een blik als een stierenvechter. Si ving haar blik en plotseling zuchtte hij en draaide zich van haar weg. Hij wist dat het geen zin had Philippa de schuld te geven. Ze moesten één front vormen. 'Het is verdomme een ramp.'

'Weet je zeker dat Teddy Longfellow de exemplaren van morgen niet wil terugtrekken?' vroeg Philippa. Ze kromp in elkaar toen Si haar een verachtende blik toewierp. Hij had de hele ochtend met de *Reporter* aan de lijn gehangen om ze over te halen de kranten terug te trekken zodat ze de kraskaartjes konden verwijderen, maar het was te laat. En wat nog erger was: Teddy Longfellow kende nu het hele verhaal en zou er zeker een van zijn andere kranten op zetten om de verkoop van de zondageditie van de *Reporter* te stimuleren. Uiteindelijk deed de vergissing die Bistram Huff had gemaakt de krant hoegenaamd geen kwaad.

Si's ogen vernauwden zich tot spleetjes. 'Heb je een kopie van het contract?' vroeg hij.

'Natuurlijk. Een ogenblikje. We hebben nog steeds de kopie van de klant hier,' zei Philippa. Een vonkje hoop had het vuurtje van een plannetje doen aanwakkeren.

Si ving haar blik op. 'Waar is die?'

'In mijn kantoor.'

'Nou, waar wacht je dan nog op? Ga hem halen. Jij en ik gaan eens lekker met Tipp-Ex aan de gang. Ik weiger dit kantoor ten onder te laten gaan.'

Daniel kwam binnenlopen. Hij was niet naar bed geweest en zijn pupillen waren verwijd van de nacht die hij met Poppy en Will in Orgasm had doorgebracht. Philippa schreed langs hem heen, bekeek hem van onder tot boven en trok haar neus op toen ze zijn kegel rook.

'Praat maar met Si. Hij zit in de vergaderkamer.'
Si keek hem aan en schudde hem de hand.
'Wat is er aan de hand?' vroeg Daniel.
'De Up Beat-actie is uit de klauwen gelopen.'

Charlie zat op Daniel te wachten, haar lippen samengeknepen van woede. Ze was vanuit haar woning rechtstreeks naar zijn huis gegaan en was onderweg alleen even gestopt voor een kop koffie om haar zeurende maag tot rust te brengen, maar hij bleek niet thuis te zijn. Hoewel ze te dronken was geweest om ook maar te overwegen mee naar de club te gaan, was ze nog steeds boos dat hij zonder haar was gegaan. Ze sloeg de bladzijden van het tijdschrift om en haar aandacht werd getrokken door het gesprek dat Angelica over de telefoon voerde.

'Papa, maak je niet druk, met mij is alles in orde,' zei ze en ondanks haar kater begonnen er alarmbellen in Charlies hersenen te rinkelen.

'Hoe gaat het met Matthew? Is hij daar? Ja, mag ik hem even? Hé, mop,' kirde Angelica. 'Zorg je een beetje voor die ouwe? Het klinkt alsof jullie het te gek hebben, met z'n tweeën. Ik wou dat ik erbij kon zijn. Ik mis je. Amuseer je maar en vergeet niet een cadeautje voor me mee te brengen. Mag ik papa weer even? Ja, jij ook. Dag!'

Even later kwam Angelica de keuken binnenslenteren terwijl ze de *Reporter* las. Ze trok de kraskaart van de voorkant en smeet de krant op de bar.

'Die heeft Daniel ontworpen,' zei Charlie terwijl Angelica met haar gelakte nagel over het zilveren laagje kraste.

Angelica bekeek het kaartje van dichtbij en kraste door. 'Ik heb een cd gewonnen!' zei ze.

'Laat eens kijken.'

'Ik heb hem gevonden, ik mag hem houden.'

'Natuurlijk. Ik ben alleen verbaasd dat je hebt gewonnen,' zei Charlie. 'Ik heb de promotie geregeld en er zijn maar weinig winnende kaartjes.'

Angelica trok haar wenkbrauwen op. 'Ik dacht dat jij secretaresse was?'

Charlie gaf haar het kaartje terug terwijl ze probeerde niet kwaad te worden. 'Nee, ik ben de account director.'

Angelica dribbelde naar de koelkast.

Charlie kon haar nieuwsgierigheid niet langer bedwingen. 'Was dat je vader die je aan de lijn had?' vroeg ze.

Angelica keek haar van top tot teen aan en trok een pak melk uit de koelkast. 'Ja. Hoezo?'

'Ik dacht dat jij en Daniel niet met hem overweg konden.'

Angelica likte haar melksnor af. 'O, ik snap het al, je bent in een van Daniels zielige verhaaltjes getrapt. Ha!' Ze lachte gemaakt. 'Wat heeft hij je nog meer wijsgemaakt? Nee, laat maar, waarschijnlijk zei hij dat Matthew een saaie excentriekeling was,' zei ze terwijl ze in haar handtas op de bar begon te rommelen, op zoek naar een sigaret. Ze smeet een leren chequeboekhouder en een hele stapel flyers op de bar. De bovenste flyer was voor Space Odyssey en Charlie staarde ernaar. Dat kon niet waar zijn. Of toch? Haar illustratie. Hoe...?

Angelica hees zichzelf op de kruk tegenover die van Charlie. 'Daniel hangt dat jankverhaal tegen iedereen op.' Ze rolde met haar ogen. 'Maar daar moet je niet naar luisteren. Matthew is een stinkendrijke advocaat in New York en dit huis is van hem. Hij zou in alle staten zijn als hij hoorde dat Daniel hier woonde. Hij en papa praten niet meer met Daniel,' zei ze, maar dat was duidelijk nog maar een voorproefje van waar ze naartoe wilde. 'Ik denk dat je wel weet waarom.' Angelica's gloeiende ogen boorden zich in haar toen Charlie opkeek.

'Nee, dat weet ik niet. Waarom?' Charlies stem sloeg over.

'Omdat Daniel op zijn zeventiende een verhouding met Pierre Derevara had en mijn vader hem zijn biseksualiteit niet vergeeft.'

Charlie legde de krant neer, die trilde in haar handen, en Angelica liet een stilte vallen om de betekenis van haar woorden tot Charlie te laten doordringen.

'Daniel? Biseksueel? Doe niet zo belachelijk.'

'Maak je geen zorgen, hij richt zich de laatste tijd alleen nog maar op vrouwen. Het verbaast me dat hij het je niet heeft verteld. Hij zei dat hij het wel van plan was.'

Charlie had het gevoel of haar benen het zouden begeven. 'Ik geloof er niets van.'

'Geloof maar wat je wilt. Het is mijn pakkie-an niet.'

Charlie gleed van de keukenkruk en hield zich staande aan de bar.

'Alles goed met je? Je ziet eruit of je wel wat frisse lucht kunt gebruiken. Waarom laat je Benson niet even uit?' vroeg Angelica.

Charlie was zo kwaad dat ze geen woord kon uitbrengen. Benson schraapte aan de achterdeur.

'Het is zo'n opluchting dat Benson het zo goed kan vinden met een van Daniels vriendinnen,' zei Angelica terwijl ze opstond om de deur te openen. 'Daniel had hem voor Tamara gekocht, maar haar hart brak toen het uitging en ze kon niets in de buurt verdragen wat haar aan Daniel deed denken. En trouwens: hij had haar aan de rand van het bankroet gebracht en ze kon het zich niet veroorloven de puppy te houden. Die arme Benson is sindsdien een beetje verweesd, nietwaar, jongen?'

Wegwezen, wegwezen, wegwezen hier, schreeuwde het in Charlie, maar ze zat in de val. Daniels sleutel werd omgedraaid in de deur en hij stapte naar binnen.

Charlies hand vloog naar haar mond om haar trillende lippen te bedekken.

'Doei!' zei Angelica terwijl ze langs hem heen de geopende deur uit stormde terwijl ze in het voorbijgaan haar tas over haar schouder gooide.

Daniel haalde langzaam zijn sleutel uit het slot. Hij keek Angelica na.

'Heb je het gehoord?' vroeg hij met gefronste wenkbrauwen.

Charlie knikte. 'Is het waar?'

Daniel liet het hoofd hangen en stond wat met de sleutels te wriemelen.

'Waarom heb je het me niet verteld?'

Daniel haalde zijn schouders op en keek haar aan. 'Vroeg of laat zou je er toch achter zijn gekomen.'

Er ontsnapte een snik aan Charlies keel. 'Dat ik het van Angelica moest horen!'

'Angelica? Hoe...' begon Daniel, duidelijk in de war, maar Charlie onderbrak hem.

'Je hebt tegen me gelogen over je vader en je broer, om over Pierre nog maar te zwijgen. Wanneer was je van plan om mij in te lichten?'

'Charlie?' Daniel stak zijn armen naar haar uit, maar zij duwde hem met geweld opzij en worstelde zich naar de deur.

Even kon Daniel niets uitbrengen en op zijn gezicht stond verwarring te lezen. Toen sloeg hij zijn armen om haar heen, trok haar bij de deur weg en omhelsde haar met zo'n kracht dat ze niet in staat was om terug te vechten.

'Laat me gaan,' huilde ze.

'O god, o god,' mompelde Daniel terwijl hij haar heen en weer wiegde en haar oren bedekte alsof hij haar kon beschermen tegen wat ze al had gehoord. 'Het spijt me zo, zo verschrikkelijk,' fluisterde hij. 'Geloof haar niet, alsjeblieft, geloof haar niet.'

Ze worstelde zich van hem los.

'Het is niet wat je denk. Hand op mijn hart.'

'Zeg dat het niet waar is,' smeekte ze met tranen in haar ogen. 'Zeg het. Zeg het me gewoon.'

'Oké, oké. Maar niet hier. Kom mee naar de auto.'

'Just another manic Monday, I wish it was Sunday,' zong Charlie terwijl ze de bocht naar kantoor nam. Ze was verbaasd dat er een aantal reporters voor de draaideur van het gebouw vol spiegelglas stond, maar niets kon haar vanmorgen deren, behalve misschien haar bankrekening. Maar als ze er goed over nadacht was dit weekeinde met Daniel zelfs dat waard geweest.

Ze hadden over de M40 gezoefd alsof Daniel door hard rijden de barrière van dreigend onheil kon doorbreken die hen in Londen had omgeven. Charlie had zich de hele tijd gedeisd gehouden, niet in staat de vragen te stellen die door haar hoofd tolden terwijl de stereo housemuziek dreunde.

Uiteindelijk knerpten de banden van de Porsche op een of ander grindpad en zette Daniel de motor af.

'Waar zijn we?' vroeg Charlie, starend naar de Bentleys en de Rolls Royces om hen heen.

'Daar waar niets ons kan deren,' zei Daniel, kijkend naar een treurwilg die over het keurig onderhouden grasperk hing. 'Ik wil dat dit een heel speciaal weekeinde wordt. Alleen voor ons.' Hij klopte op haar hand.

Ze trok zich terug omdat zijn aanraking haar tegenstond.

Hij deed het portier open, maar Charlie bleef zitten. Ze had precies geweten wat ze had willen zeggen, maar nu kon ze nog slechts uitbrengen: 'Hoe kon je? Hoe kon je tegen me liegen?'

Daniel zuchtte en leunde achterover. 'Luister, ik weet dat ik het een en ander uit te leggen heb. Je moet goed begrijpen dat dat met Pierre eenmalig was. Ik was in die tijd zo in de war. Misschien last van een middelste-kindsyndroom.'

Hoe moesten ze hierover praten? Charlie dacht aan Pierre en aan het geheim dat hij meer dan tien jaar met Daniel had gedeeld.

Ze kon niet om deze onontplofte mijn in Daniels verleden heen en ze keek hem aan terwijl ze bedacht hoe weinig ze eigenlijk van hem wist. 'Ga door.' Ze moest zichzelf ertoe zetten dat te zeggen.

'Het is zo moeilijk. Ik ben er nooit, zoals andere mensen, van uitgegaan dat mijn seksualiteit iets vanzelfsprekends was. En ik werd verliefd op Pierre. Ik dacht dat ik mijn leven lang homo zou blijven, maar mijn vader en Matthew zetten daar een rem op. Ze gaven me het gevoel dat ik niet deugde.' Hij keek Charlie aan. 'Ik weet nu wat zij toen al wisten – dat ik geen homo ben. Maar ze hebben me toen volledig overdonderd en nu zijn zij het die niet willen vergeven. Ik moest hen buitensluiten, dat moet je begrijpen.'

'Maar alles wat je mij hebt verteld, dan?'

Daniel wreef zich over het voorhoofd. 'Ik weet het. Ik weet dat ik je de waarheid had moeten vertellen. Ik heb een goed gerepeteerd verhaal in mijn hoofd en dat heb ik jou ook verteld. En trouwens: nadat ik jouw ouders had ontmoet, leek de waarheid zo smerig. Ik had ook nooit gedacht dat je erachter zou komen.'

'Echt niet?'

'Ja. Nee. Ik weet het niet. Ik heb het nog nooit aan iemand verteld. Het is niet iets wat je zomaar ventileert.'

Charlie liet haar hoofd tegen de leren hoofdsteun leunen.

Daniel boog zich over de versnellingspook heen en pakte haar bij haar arm. Hij dwong haar hem aan te kijken. 'Charlie, ik heb je begrip nodig,' smeekte hij. 'Jij bent de enige die het kan begrijpen. Ik heb het je niet eerder kunnen vertellen. Ik kon de juiste woorden niet vinden.'

Ze keek omlaag en ontweek zijn starende blik.

'Het leek niet belangrijk. Het is verleden tijd. Wat Angelica ook heeft gezegd, je weet dat ze het duizend keer zo erg heeft laten klinken dan het in werkelijkheid was.'

'Subtiliteit is niet bepaald haar sterkste punt.'

'Vergeet Angel, het gaat om ons.'

'O ja?'

Daniel zette zijn zonnebril af. 'Je hebt alles in mijn leven veranderd. Ik was zo alleen met mijn geheimen, maar nu heb ik jou.' Zijn stem klonk zacht. 'Ik had het je moeten vertellen, dat geef ik toe, maar het was niet belangrijk. Wat er in mijn verleden is gebeurd, kan ik toch niet helpen?'

Charlie raakte ontroerd.

Daniel keek haar aan. 'Het kan me niet schelen wat er gebeurt.

Het enige wat me kan schelen is dat jij nu bij me bent. Je begrijpt het niet, hè? Je bent alles voor me. Je bent alles waar ze in alle afgezaagde liefdesliedjes die ooit zijn geschreven over zingen. Geloof me. Je moet me geloven.'

Ze keek hem aan.

'Ik hou van je,' fluisterde hij en daar had ze geen verweer tegen. Zijn woorden en zijn handen streelden haar en ze was niet langer in staat ertegenin te gaan.

'Wil je nooit meer tegen me liegen? Ik kan het niet aan. Beloof je het?' vroeg ze.

'Ik zal het niet meer doen.' Hij kuste haar neus, haar oogleden en ten slotte haar mond met zo'n overweldigende tederheid dat ze zich overgaf.

'O, Daniel,' zuchtte ze terwijl ze hem in de benauwde auto onhandig omhelsde.

'Gaat het weer een beetje?' vroeg hij met zijn handen om haar gezicht.

Ze kreunde. 'Eigenlijk voel ik me beroerd. Ik heb een vreselijke kater.'

Daniel lachte en zette zijn voorhoofd tegen het hare. 'Kom mee. Dit is de beste plek ter wereld om een kater te vieren.'

Charlies mond viel open van verbazing toen Daniel haar door de entreehal van het luxe pension van de gebroeders Roux leidde. Ze ging bij een rijk opgemaakt bloemstuk staan terwijl Daniel met de manager ging praten en voor ze het wist liep ze achter de onberispelijke portier aan een eiken trap op naar de blauwe suite.

Zodra de deur openging, smolt haar angst als sneeuw voor de zon. Het was net een droom. In het midden van de gelambriseerde kamer, met uitzicht op de ommuurde rozentuin, stond een gigantisch hemelbed.

'Het is prachtig,' zuchtte ze terwijl haar voeten in de volle zijden vloerbedekking zakten. Ze draaide zich om naar Daniel.

'Vergeef je me nu?' vroeg hij.

Ze kon geen woord uitbrengen. De kamer was net iets uit een sprookje. Als in trance liep ze naar de marmeren badkamer en hield haar adem in toen ze het diepe ronde bad en de kast vol luxe toiletartikelen zag.

Daniel sloeg zijn armen om haar heen en knuffelde haar oor, waarna hij haar naar het bed droeg en haar erop legde, zodat ze in de zachte frisheid ervan zonk.

Hij trok zich terug, haalde zijn mobiele telefoon uit zijn zak en zette het af. 'Zo. Nu kunnen we niet meer gestoord worden,' zei hij.

Ze stak haar hand naar hem uit. 'Wat zullen we als eerste doen?' vroeg ze terwijl hij zich over haar heen boog en haar kuste.

Ze deden overvloedig badschuim in het bad, sprongen in de schuimpieken en schrobden elkaar met langstelige rugborstels. Ze gaf een klapje op Daniels achterste terwijl hij over de rand boog en in zijn broekzakken zocht. Toen legde hij twee lijntjes coke op de brede plank naast het bad en Charlie dook onder water toen het begon te werken.

Haar lichaam tintelde van genot toen Daniel haar in een dikke badjas hulde en ze ging op het bed zitten terwijl hij de eersteklas champagne ontkurkte die ze hadden besteld. Ze nam een slokje uit het glas, rolde boven op hem, nam hem in haar mond en liet de koude belletjes over zijn erectie bruisen.

'Draai je om,' fluisterde Daniel.

Ze knielde boven zijn gezicht terwijl ze haar tong over zijn stijve liet gaan en wiegde tegen hem aan terwijl haar genot toenam. Daniel wroette met zijn lippen in die van haar en ze leunde achterover tegen hem aan, voelde haar zenuwuiteinden ontbranden en hield zich vast aan de toenemende zinnenprikkeling die haar naar hun hoogtepunt trok.

Daniel gleed onder haar uit terwijl zij trilde in de naweeën van haar orgasme.

'Blijf daar,' zei hij schor. Ze boog zich op handen en voeten naar hem toe en hij kwam in haar, vulde haar terwijl hij haar vasthield bij haar heupen. Toen strekte hij zich uit op het enorme bed en klemde zich overal aan vast tot hij trillend en haar naam roepend klaarkwam.

De rest van de dag brachten ze luierend door, zich overgevend aan de luxe.

'Heb je honger?' vroeg Daniel terwijl hij zich over het bed uitstrekte om bij het roomservice-menu te kunnen.

'Zullen we naar het restaurant gaan?' Charlie streelde zijn strakke, zachte billen.

'Laten we dat nou maar niet doen. We zijn er niet op gekleed.' Hij ging zitten en begon aan haar tepel te zuigen. Ze lachte.

'Daar heb ik niet van terug.'

Ze nestelde zich in de holte van zijn arm en las het menu. 'Ik heb al in geen tijden meer gegeten. Gisteravond was de laatste keer. Het lijkt wel eeuwen geleden.'

'Jullie leken het allemaal erg naar je zin te hebben,' zei Daniel terwijl hij haar haren kuste.

'Ja, het was leuk. Het was goed om de Up Beat-actie te vieren. Trouwens, Angelica heeft vanmorgen een cd gewonnen.'

Daniel ging zitten en keek Charlie aan. Zijn ogen stonden ernstig. 'Weet je, we moeten het even over het werk hebben,' zei hij. Hij leek bezorgd.

Ze glimlachte en reikte naar zijn gezicht. 'O, schat. Wat ben je toch lief. Die actie is nu voorbij, dus ik heb er geen moeite meer mee om mensen te vertellen dat we iets met elkaar hebben. Maar jij moet het ook goedvinden.'

'Het heeft nogal wat consequenties. Onaangename reacties en...'

Charlie ging rechtop zitten en sloeg haar armen om hem heen. 'Ssst,' zei ze. 'Ik wil niets meer over het werk horen.'

'Maar...'

Charlie kuste hem. 'Laten we er maar over ophouden.'

Daniel probeerde zich terug te trekken, maar ze ging schrijlings op hem zitten. 'Ik zei ssst!' Ze ging omlaag langs zijn lichaam en likte hem. 'Goed, wat zal ik eens gaan eten?' Ze grijnsde ondeugend en ging nog verder omlaag om zijn prachtige penis te bewonderen.

'Wat is dit?' vroeg ze toen ze een rood vlekje zag en er haar vinger over liet glijden.

Daniel greep zijn penis van haar weg. 'Wat?'

'Hier, kijk.'

Daniel kreeg een gespannen uitdrukking op zijn gezicht. 'Ach, niets. Intensief gebruik, waarschijnlijk. Je bent ook zo'n seksgodin.' Hij tilde haar omhoog en omhelsde haar.

'Meer niet?' vroeg ze en liet haar vingers over zijn borst glijden.

'Wie weet,' zei Daniel terwijl hij zich terugtrok en naar zijn sigaretten greep.

Het was of ze zich in een tijdcapsule bevonden. De afzondering van de wereld had haar hele perspectief veranderd en terwijl ze haar armen en benen om Daniel heen sloeg, voelde ze zich net een koningin.

De tijd verliep in een soezerige wazigheid en ze kwamen nauwelijks het bed uit. Ze had geprobeerd met Daniel te praten, maar hij zei alleen dat ze stil moest zijn en hield haar stevig tegen zich aan. Zondag, toen ze op het punt van vertrekken stonden, voelde Charlie zich duizelig van liefde. Toen ze de brochure in de foyer doorbladerde, kreeg ze opeens spijt dat ze niet wat langer konden blijven en dat ze de mogelijkheden van deze plek niet beter hadden benut. Ze hadden een lange wandeling over de landerijen kunnen maken, ze hadden kunnen zwemmen of paardrijden, maar in plaats daarvan hadden ze de nacht doorgebracht met dronken worden, naar het pornokanaal kijken en sigaretten roken.

Daniel klopte ongerust op zijn zakken. 'Shit! Shit! Shit!'

'Wat is er?' vroeg Charlie met een verzaligde uitdrukking op haar ontspannen gezicht.

Daniel keek haar angstig aan. 'Ik ben mijn pasjes vergeten,' zei hij.

'Maak je geen zorgen,' zei ze terwijl ze haar hand in haar tas stak.

'Je krijgt het terug,' zei hij. 'Dat beloof ik.'

'Dat zal je geraden zijn,' zei ze. De astronomische rekening deed haar adem stokken en ze hoopte maar dat ze de cheque zouden accepteren.

Haar gedachten waren nog steeds bij het weekeinde toen ze maandagmorgen het doodstille gebouw binnenliep. Sadie zat niet aan de receptiebalie en de telefooncentrale stond roodgloeiend. Verward liep ze de kantoorruimte binnen, maar zodra ze haar gezicht liet zien wendde iedereen zich van haar af en stokten hun gesprekken.

In de stilte stond Philippa Charlie op te wachten. Haar vuisten spanden en ontspanden zich naast haar zij. Charlie keek even vragend naar Bandit, maar die werd geheel in beslag genomen door zijn computerscherm en negeerde haar. Toff sloeg zijn ogen neer en liep haastig weg. Heel even dacht Charlie dat Philippa haar zou gaan slaan.

'Leuk weekeinde gehad?' vroeg ze met ongewoon schrille stem.

Dat is het, dacht Charlie. Ze zijn er allemaal achter gekomen dat ik iets met Daniel heb. Ze voelde zich ongelooflijk opgelucht nu alles open en bloot lag.

'Ja, bedankt,' bracht ze uit. De woorden leken in haar keel te blijven steken. Ze knoopte haar jasje los en ontweek Philippa's blik toen ze het jasje op haar stoel hing.

'Kom naar mijn kantoor.' Philippa's bevel hing als een doodvonnis in de lucht.

'Oké,' zei Charlie en liep langs haar heen. Deze dramatische vertoning kwam haar belachelijk voor en ze voelde haar nekharen overeind komen. Wat was Philippa van plan – haar ontslaan, alleen maar omdat ze verliefd op Daniel was geworden?

Pas toen Si binnenkwam, werd ze bevangen door schrik en ze voelde haar hand klam worden. 'Hai.' Ze glimlachte naar hem, maar hij schudde zijn hoofd en liep ernstig achter Philippa's bureau. Hij droeg een zwart krijtstreeppak waarin hij er absurd uitzag, als een houthakker op een begrafenis. Hij spande zijn halsspieren binnen het nauwe witte boordje en vermeed het Charlie aan te kijken.

Philippa deed de deur van haar kantoor dicht.

'Wat is er aan de hand?' vroeg Charlie terwijl haar blik tussen haar twee bazen heen en weer slingerde.

Si en Philippa keken elkaar even aan.

'Laat mij maar,' zei Philippa, en terwijl ze Charlie met pythonachtige ogen aankeek, begon ze tot in detail te vertellen over de rampzalig verlopen Up Beat-actie.

Charlie zat stil te luisteren. Niets had haar op deze schok voorbereid. Er prikkelde een ijskoude paniekaanval door haar zenuwen. 'Ik heb die kaarten zelfs op de pers nog nagekeken,' stamelde ze zodra ze er ook maar een woord tussen kon krijgen. 'Bandit was erbij. Het waren de goede, ik heb ze gezien.' Haar ogen keken vragend naar Si, die met zijn hand op de rugleuning van Philippa's stoel stond.

Zijn snijdende stem legde haar protesten het zwijgen op. 'Het waren duidelijk niet de goede, nietwaar?' zei hij.

'Maar...'

Philippa stak haar hand op en boog zich voorover. 'Jij had de leiding.' Ze wees met haar vinger gevaarlijk dicht op Charlies borstkas.

'Kom nou toch. Dit kan toch niet mijn fout zijn?'

'Hoe heb je zo onvoorzichtig kunnen zijn?' vroeg Si.

Charlie raakte gevangen in het drijfzand van het onheil. Hoe ze ook met haar armen zwaaide, er was niemand in de buurt die haar hieruit kon trekken.

'Je gaat met Philippa mee naar een spoedoverleg met Up Beat. Ik zou erop willen aandringen dat je ons niet nog verder voor schut zet,' zei Si.

'Je gelooft toch niet dat ik het met opzet heb gedaan, hè?'

'Dat doet er niet toe. Je hebt geen promotie gekregen om opzettelijk *danwel* uit onverschilligheid fouten te maken. De puinhoop is er niet minder om. En nu moet ik me excuseren. Ik moet met de pers praten.' Hij liep statig het kantoor uit en Charlie voelde een golf van misselijkheid in haar ziel.

Ze liep onvast het kantoor van Philippa uit, rechtstreeks naar Bandit. Ze greep hem bij de armen alsof ze aan het verdrinken was. 'Zeg jij het dan. Zeg dan dat we de kaarten op de pers nog hebben nagekeken. Het waren de goede. De drukker heeft waarschijnlijk een fout gemaakt en de verkeerde aantallen gedrukt.'

Bandit klopte op haar arm alsof ze een raaskallende bejaarde was. 'Dat dacht ik ook. Maar ik heb met Jack gesproken en hij heeft je instructies tot in de puntjes uitgevoerd. Het lijkt erop dat de codes vanaf het begin door elkaar zijn gehaald. Het is niet zijn fout.' Hij haalde zijn schouders op en draaide zich om.

Pete fronste zijn wenkbrauwen toen hij zag hoe harteloos Bandit zich gedroeg. Hij keek Charlie meelevend aan. 'Zo erg is het niet, Charlie. Het waait wel weer over...'

'Niet erg?!'

'Ben je klaar?' Philippa's vernietigende stem joeg Charlie als een gekooide vogel in de val en ze keek gejaagd om zich heen naar de ijzige gezichten van haar collega's. Het leed geen twijfel. Iedereen dacht dat het haar schuld was.

Het was maandagmorgen en Rich kwam het kantoor uit lopen. Hij had zojuist een zielig verhaal over verzachtende persoonlijke omstandigheden tegen James Lovitt afgestoken.

'Het valt soms niet mee het tempo bij te benen, jongen,' zei hij neerbuigend. Rich kromp in elkaar.

'Dat is het niet...'

'En nu we het er toch over hebben: mondje dicht, maar waarschijnlijk laten we de PWL-zaak toch vallen. Jammer van al dat werk, maar de timing is goed. Neem jij maar een poosje vrijaf. Dat is goed voor je.'

Rich had zich niet de moeite gegeven zijn bureau uit te ruimen. Alsof hij het voor het eerst zag, zo had hij naar het afgescheiden hokje gekeken dat de laatste vijf jaar zijn werkomgeving was geweest. Er was zoveel prestige aan verbonden om in de afgescheiden ruimte naast de kantoren van de vennoten te mogen werken, maar hij zag het nu zoals het·was: kantoormeubilair. Er was niets dat hij hoefde op te ruimen, niets dat de ruimte als van hem persoonlijk kon aanmerken, behalve een aantal strips die hij uit de *Evening Standard* had geknipt, plus een restaurantgids.

En nu hij werd opgeslokt door de metro naar Blackfriars, was hij verbaasd over het gemak waarmee hij naar buiten had kunnen lopen. Een deel van hem wilde dat iemand hem tegenhield om te vragen waar hij naartoe ging en waarom, of dat een bezorgde collega hem een piepschuimen bekertje koffie in de hand zou drukken en hem zou vragen zijn hart uit te storten. Maar er was niemand die hem zag vertrekken.

Hij had zich elke dag op tijd naar kantoor gespoed, had in de weekeinden gewerkt en tot 's avonds laat, alles onder het mom van 'vooruitkomen'. Hoe meer zijn salaris was gestegen, hoe meer hij had geloofd dat hij een belangrijk radertje in de goedgeoliede bedrijfsmachine was. Hij had zich ellendig gevoeld, maar had altijd gedacht dat als hij zou gaan dwarsliggen en de boel in de steek zou laten, de hele afdeling in elkaar zou klappen en men het hem nooit zou vergeven.

Hij was dus geschokt toen bleek dat, toen het erop aankwam, hij in staat was geweest zichzelf in niet meer dan een uur tijd uit de houdgreep van de firma te worstelen. Niemand scheen zich er bijzonder druk om te maken dat hij er de eerstkomende maand niet zou zijn. Ze zouden zonder hem ook wel gewoon doormodderen. Terwijl hij de roltrap afging naar de metro, besefte hij dat zijn hokje nu waarschijnlijk alweer bezet was, voor zijn stoel ook maar koud was geworden.

De dokter had afkeurend gekeken toen Rich om zijn prikken had gevraagd en hij wreef over zijn zere arm terwijl hij zijn laatste spullen in een rugzak stopte. Hij voelde zich zo ellendig dat het hem niet eens kon schelen of hij tyfus zou oplopen. Hij had het gevoel stervende te zijn zonder dat iemand het in de gaten had.

Het enige wat hij nu nog moest doen was een briefje aan Charlie schrijven. Hij had het voor zichzelf al ontelbare keren geoefend. Hij kauwde even op zijn ballpoint voor hij achter op een giro-envelop schreef: 'Charlie – ik ben een poosje weg. Ik weet dat het plotseling is, maar gezien de omstandigheden is het maar het beste. Wat Pix je heeft verteld, is waar. Ik ben verliefd op je en ik weet dat je met Daniel gaat, dus ik moet er even tussenuit. Ik weet ook dat je denkt dat ik onze vriendschap heb verraden. Misschien is dat zo, en dat spijt me. Pas goed op jezelf. Begrijp alsjeblieft dat het enige wat ik altijd heb gewild is dat jij gelukkig zou zijn. R. P.S. Si van kantoor heeft het hele weekeinde gebeld.'

Charlie had het gevoel of ze een schietgraag vuurpeloton voor zich had gedurende de ruzie in de vergaderzaal van het Britse hoofdkantoor van Up Beat. Het enige waaraan ze kon denken was dat ze mooiere kleren had moeten aantrekken. Ze had de nacht bij Daniel doorgebracht en zich verslapen, waardoor ze alleen nog maar snel een spijkerbroek en een oud sweatshirt van hem had kunnen aantrekken. Ze had verwacht de dag door te zullen brengen met het plegen van persoonlijke telefoontjes en het sturen van gezellige e-mailtjes.

In de vergaderzaal van Up Beat had het gezicht van Nigel Hawkes een groenachtige tint aangenomen. Hij keek Philippa vuil aan toen ze binnenkwam, maar zij negeerde hem. Er ging van alles door Charlies hoofd. Steeds opnieuw ging ze terug naar haar bezoek aan de drukker. Ze herinnerde zich dat ze de drukproeven had gecontroleerd en zich ervan had vergewist dat de te drukken hoeveelheden klopten. Waarom was het dan toch misgegaan? Ze snapte er niets van.

'Dit gaat ons een gevoelig financieel verlies en een aanzienlijk gezichtsverlies kosten en het heeft onze reputatie binnen de markt aanzienlijk ondermijnd, om maar te zwijgen over het feit dat we de risee van de hele bedrijfstak zijn. Heb je de *Sun* van vanmorgen gezien?' tierde de managing director van Up Beat.

'Om je de waarheid te zeggen denk ik dat de publiciteit die het Up Beat heeft opgeleverd alleen maar een positief effect kan hebben,' ging Philippa in de tegenaanval.

'Onzin! Weet je hoeveel verlies we al geleden hebben?'

'Ik weet zeker dat de schade kan worden beperkt...'

'Dat haal je de koekoek! Ik eis volledige financiële compensatie van Bistram Huff.' Hij sloeg zijn vuist op tafel. Charlie schrok op.

Philippa verstijfde op haar stoel. 'Ik ben bang dat daar geen sprake van kan zijn.'

'Wie zegt dat?'

Philippa klemde haar lippen op elkaar. Langzaam, zonder zich te haasten, zette ze haar aktetas op tafel en opende een voor een de sloten. Het geklik weerkaatste door de ruimte alsof er een revolver werd geladen. Charlie keek wanhopig toe hoe Philippa de contracten uit haar aktetas haalde. Ze had ze zelf uitgetypt en ze wist dat Bistram Huff aansprakelijk was.

'Als u zo vriendelijk wilt zijn om naar paragraaf zeven te kijken, heren, dan zult u zien dat er heel duidelijk staat dat ons bedrijf niet verantwoordelijk is voor enige geleden financiële schade als gevolg van de actie,' zei ze terwijl ze kopieën van het contract over tafel schoof. Nigel Hawkes sloot zijn ogen en schudde het hoofd.

Charlie keek Philippa even aan. Was er iets waar ze zich niet toe zou verlagen? De MD begon het document aandachtig te bestuderen en keek naar de directeur van de Europese sectie.

'Jezus!' vloekte hij terwijl hij in zijn stoel achteroverviel. Hij wendde zich tot Nigel. 'Heb jij dit getekend?'

'Ja, maar ik...'

'Volgens mij is het wel duidelijk dat Nigel zich volledig bewust was van wat er in het contract staat en dat hij beide kopieën heeft getekend,' kwam Philippa tussenbeide.

'Heb je dit met de juridische afdeling overlegd?' De MD liet het contract voor Nigels gezicht heen en weer wapperen. Nigel staarde Charlie ontzet aan.

'Ik...' begon hij.

'ERUIT!' tierde de MD. 'Wegwezen!' Hij wees naar de deur.

Nigel Hawkes stond op. Hij keek Philippa aan, maar die trok slechts een wenkbrauw op.

'We krijgen verdomme de ene ramp na de andere voor ons kiezen! Goed. Er komt een grondig onderzoek naar hoe dit gebeurd kan zijn. Hans hier zal dat onderzoek leiden.' De MD knikte naar de man in kwestie, die met Teutoonse charme begon te grijnzen tegen Philippa.

Charlie zag met kloppend hart hoe Nigel Hawkes de ruimte verliet. Dit was een nachtmerrie.

'We zullen natuurlijk ons uiterste best doen om jullie te helpen,' zei Philippa, zoetgevooisd als een spinnende kat. 'Uiteraard zijn we bijzonder verontrust over het gebeurde en ook wij zullen een onderzoek binnen het bedrijf instellen.'

Ze wendde zich met een boze blik tot Charlie. 'Jij had de leiding van deze actie. Heb je deze heren nog iets te zeggen?'

Alle ogen werden nu op haar gericht en Charlie kromp in elkaar onder de vijf woedende gezichten die haar aankeken. Er viel een korte stilte terwijl zij wanhopig naar woorden zocht. 'Ik begrijp niet hoe dit kan zijn gebeurd,' zei ze. Ze moest even ophouden omdat ze van de zenuwen moest hoesten. 'Ik heb de kaarten persoonlijk nagekeken bij de drukker.'

'Wie heeft de kaarten gedrukt?' vroeg de MD.

'Tja, we moesten ons aan de begroting houden en ik, wij, hebben een drukker in Zuid-Londen gevonden. Ik...'

'Jullie hebben een of andere charlatan een landelijke actie laten doen? Wie heeft die beslissing genomen?' onderbrak de MD haar.

Charlie keek naar haar handen. 'Ik,' zei ze zacht terwijl ze haar persoonlijkheid voelde wegvloeien in een onzichtbare poel rond haar voeten.

De MD richtte zich met bijtend sarcasme tot Philippa. 'Nu moet je me toch eens vertellen: stellen jullie altijd zulke competente mensen aan voor jullie grootste klanten?'

Philippa keek naar Charlie alsof ze een besmettelijke ziekte had. 'U kunt ervan op aan dat als we erachter komen dat iemand van het personeel in de fout is gegaan, we niet zullen aarzelen diegene onmiddellijk te ontslaan.'

Charlies hart ging in haar borstkas tekeer als een grasparkiet die een aanval van epilepsie heeft. Philippa had haar zo goed als ontslagen voor het oog van een klant. Ze had zich van haar leven nog nooit zo vernederd gevoeld.

Dat wil zeggen: tot ze Philippa hoorde zeggen: 'Zodra de situatie duidelijk werd, zaterdagmiddag, hebben we een spoedvergadering uitgeroepen van alle leidinggevenden en we zijn het er allemaal over eens dat we erachter moeten komen wat er precies is gebeurd. Onze creative director, Daniel Goldsmith, is er natuurlijk ondersteboven van. Hij is zich volledig bewust van de ernst van de situatie en heeft persoonlijk toegezegd het zo snel mogelijk uit te zoeken.'

Bob keek toe hoe Bandit chilisaus over zijn pizza quattro stagione in de Pizza Express goot. 'Wat gaat er nu gebeuren?' vroeg hij. 'Het is echt niet te geloven, hè?'

'Het is wel duidelijk dat Charlie in de fout is gegaan. En zo te zien is dat een dure grap geworden,' zei Bandit.

'Maar de drukker zei dat jij met haar mee was om de druk-proeven te controleren.'

'Ja.'

Bandit zag eruit of hij zo uit de pagina's van een modetijd-schrift was gestapt. Hij stonk naar aftershave en had zich een nieuw, glad kapsel laten aanmeten. Bob had het zijden Armani-label binnen in zijn jasje gezien. Bandit had duidelijk de indruk dat hij in de vaart der volkeren werd opgestuwd.

'Wat heeft Jack nog meer gezegd?' vroeg Bandit.

Bob spreidde voorzichtig het rode papieren servet op zijn schoot uit. 'Hij zei dat je hem daarna nog had opgezocht. Daarna. Nou ja, nadat alles was geregeld.'

'O? Nou, dat moet een vergissing zijn.'

'Nee, hij was heel zeker van zijn zaak,' zei Bob. Zijn nekharen begonnen overeind te komen.

Bandit boog zich over de tafel heen en begon Bob met hoofd-bewegingen duidelijk te maken dat hij dichterbij moest komen.

'Volgens mij moet je dat maar vergeten. Er is al genoeg tumult ontstaan, en je moet geen olie op het vuur gooien. En als ik merk dat je je mondje geroerd hebt, Bob, dan zal ik misschien mijn mondje moeten roeren tegenover Amanda. Snap je wat dat bete-kent?'

Bob keek naar zijn pizza. Zijn eetlust liet hem in de steek. Bandit keek toe. 'Kom op, eten. Ik zal je vanmiddag op een zake-lijk spoor zetten waar je erg rijk van kunt worden.'

Charlie stond voor de deur van de creatieve afdeling. Het kostte haar moeite om adem te halen. Daniel had haar tijdens het week-einde meegenomen en al die tijd had hij het geweten. Hij had geweten dat haar dit zou overkomen.

De afdeling was in volle gang toen Charlie de deur openduw-de.

'Waar is Daniel?' vroeg ze met een misselijk gevoel. Ze wan-kelde naar de keuken.

Poppy trok een gezicht naar Will en holde achter Charlie aan, maar het was te laat, Charlie had de foto's die de muur sierden al gezien. Boven de fotokopie van haar schaamlippen hing een groot bord waarop stond: 'Van Wie Is Deze...?'

'Het was een grapje,' zei Poppy schaapachtig.

'Wist je het? Wist je dat ik het was?' Charlie bekeek de foto's vol afschuw.

Poppy sloeg haar ogen neer.

Charlies knieën begonnen te knikken en even dacht ze dat ze zou flauwvallen, maar toen werd ze overvallen door een woede-aanval. 'Waar is hij?' vroeg ze kil.

Poppy stak haar duimen in de haken van haar legerbroek. 'Je mag niet naar hem toe, hij zit in de donkere kamer.'

Maar Charlie duwde haar al opzij. Ze holde naar de hoek van de studio en trok de deur van de donkere kamer open.

'Doe godverdomme die deur dicht,' riep Daniel, die in infra-rood licht baadde.

'Klootzak!' schreeuwde ze. 'Leugenachtige klootzak! Je wist het!' Ze pakte een van de plastic plateaus vol water en smeet dat in zijn gezicht. 'Je wist zaterdag al dat die actie was misgelopen en je hebt me er niets van gezegd!'

'Hou op! Nu!' Daniel klemde haar armen tegen haar zij om haar vernietigende woede te stoppen. Hij trok de deur achter haar dicht en ze keken elkaar in de rode gloed aan.

'Wat had het uitgemaakt als ik het je had verteld?'

'Alle verschil van de wereld. Je hebt tegen me gelogen. En dat na alles wat er gebeurd is. Je hebt tegen me gelogen!'

'Ik heb niet gelogen. Ik heb alleen informatie achtergehouden, dat is geen liegen.'

'Net zoals je informatie hebt achtergehouden over die Tipp-Exkruisjes? En over Pierre?' Ze begon te trillen en de woorden ontsnapten haar als uit een hortende machine. 'En over die kopieën van mij die aan de muur in de keuken hangen?' Ze zocht zijn gezicht af en voelde hoe haar hart begon te breken, begon te kraken als een smeltende gletsjer.

Daniel trok de verprutste foto's van de knijpers aan de lijn. 'Jij wordt ook hysterisch om niets.'

'Om niets!'

'Rustig. Ik had medelijden met je. Je weet hoe dol ik op je ben en...'

In de benauwde ruimte van de donkere kamer stond ze hem aan te staren over de enorme kloof die hen scheidde. 'Dol op me? Je zei dat je van me hield, maar dat zal ook wel weer zo'n leugen zijn geweest.'

'Tut-tut-tut,' zei Daniel en hij rolde met zijn ogen alsof ze zich vreselijk aanstelde. 'Charlie,' zei hij troostend. Hij stak zijn hand naar haar uit, maar ze trok haar arm buiten zijn bereik.

'Blijf van me af, klootzak,' siste ze terwijl ze hem van zich af begon te duwen. Daniel struikelde achterover, gleed uit over het water op de grond en verloor zijn evenwicht. In zijn val kreeg hij de bakken met chemicaliën boven op zich en haalde zijn hoofd open aan de hoek van de bank.

Charlie liet zich niet tegenhouden. Ze rukte de deur open en stormde langs Poppy en Will naar buiten. Daniel kwam wankelend uit de rode gloed van de donkere kamer vandaan en leunde tegen de deurlijst, zijn kruis doorweekt van de ontwikkelaar. Poppy wierp hem een grimas toe.

'Het probleem met dat meisje,' zei Daniel, 'is dat ze geen gevoel voor humor heeft.' Toen zeeg hij op de vloer in elkaar terwijl het bloed uit zijn achterhoofd begon te vloeien.

Will rende op hem af. 'Bel een ziekenwagen, Poppy. Snel,' zei hij.

Charlie zat in een weldadige stilte aan haar bureau zonder zich te bekommeren om de straaltjes mascara die over haar gezicht gleden. Ze snoof luidruchtig terwijl ze de e-mail aan Si afmaakte. Haar handen vlogen over de toetsen terwijl ze de feiten over haar promotie, de kopieën van de faxen aan de drukker, de kopieën van het originele contract, dat zij had uitgetypt maar dat door Philippa was veranderd, en de feiten omtrent Philippa's dubbelleven eruit ratelde. Als hij de feiten onder ogen kreeg, zou Si ongetwijfeld wel anders denken over Philippa's handelwijze. Ze werd echter gestoord door Bandit.

'Si heeft gevraagd of je op zijn kantoor komt,' zei hij.

Charlie draaide zich naar hem om, haar ogen samengeknepen van minachting. 'Je smult hiervan, hè?'

Si zat achter zijn bureau. Hij zat in het siliconenzakje te knijpen dat een bevriende chirurg hem had gegeven als bureauspeeltje. Vandaag vond hij er echter weinig troost in. Naarmate Poppy's dramatische verslag van Charlies aanvaring met Daniel in de donkere kamer vorderde, ging zijn medeleven met Charlie verder teloor. Ze was niet de vrouw die hij zich had voorgesteld. Ze was gewoon net zo'n domme, manzieke griet als alle anderen en het kwetste hem diep dat hij zich zo had vergist in haar karakter.

'Het zal een opluchting voor je zijn te weten dat Daniel er weer bovenop komt. Hij heeft alleen een gat in zijn hoofd en brandwonden rond zijn kruis.'

Charlie zuchtte diep. Ze hoopte dat hij littekens overal op die rotpenis van hem had, of nog beter: dat het ding was weggesmolten.

'Laat het me alsjeblieft uitleggen,' begon Charlie, maar Si's blik legde haar het zwijgen op.

'Gezien de omstandigheden heb ik geen andere keus dan je te ontslaan. Je hebt dit bedrijf ernstig geschaad. Ik ben zo teleurgesteld in je.'

Charlie staarde hem aan. Si had net zulke oogkleppen op als de rest.

'Je moet begrijpen dat ik de reputatie van dit bedrijf niet langer op het spel kan zetten. Je hebt ons vreselijk voor schut gezet, om over jezelf nog maar niet te spreken. Ik zou me er niet lekker bij voelen als je hier nog langer leiding zou geven. Niet na alles wat er gebeurd is.'

Ze krulde vol walging haar lippen en nadat ze de autosleuteltjes op zijn bureau had gesmeten, liep ze voor het laatst zijn kantoor uit.

Charlie voelde zich rustig, bijna sereen toen ze in de bus naar huis zat. Ze keek uit het raampje, de plastic tas waarin alle persoonlijke dingen uit haar bureau zaten stijf op haar schoot. Elke keer als er mensen instapten, viel ze bijna voorover, maar het kon haar niet langer schelen. Ze zag hoe de koude schemering zich verspreidde over het bumper aan bumper rijdende verkeer en merkte dat ze zat te neuriën.

Ze liet zichzelf binnen door de benedendeur van de flat en bleef staan in de deuropening. Iets aan het gevoel dat ze weer thuis was, bracht haar weer bij zinnen en de verdoving die ze had gevoeld leek bij iedere stap die ze naar boven zette te vervliegen. Eronder zat een angstaanjagend soort pijn.

'Rich?' riep ze met een stem nauwelijks harder dan een fluistering. Ze had hem nodig. Zijn warmte, zijn gezicht. Ze had het nodig te worden omhuld door zijn omarming, ze had zijn geruststellende woorden nodig. Ze had het nodig door hem te worden getroost en te worden overgehaald tot een lach.

De tas viel uit haar hand op de bank en ze liep de keuken in en draaide het licht aan. Ze keek op het prikbord en schudde haar hoofd. De kaart die ze voor Rich had gemaakt was verdwenen. Hij had haar tekening aan Pix gegeven zonder het haar ook maar te vragen. Ze hield zich staande aan de tafel en toen zag ze het briefje van Rich, schril afstekend tegen de nerf van het hout.

Ze pakte het op en las het steeds weer opnieuw terwijl de stilte om haar heen galmde en er een enorm gevoel van verlatenheid over haar kwam. Toen zakte ze op de grond in elkaar, haar rug tegen de tafelpoot, en er welden dikke, gekwelde tranen in haar op.

Acht uur later werd ze wakker, opgerold als een foetus. Ze rekte haar verkrampte nek en zag Kevin, die om haar heen liep te miauwen en met zijn natte neus tegen haar aan schurkte.

Ze keek naar hem op en aaide hem, en heel even leek alles normaal. Tot ze zich de gebeurtenissen van de vorige dag herinnerde: toen ontsnapte er een diepe zucht uit haar, alsof iemand haar zojuist een stomp in haar maag had gegeven.

'O, Kev,' fluisterde ze terwijl de tranenvloed die door de slaap was ingedamd opnieuw begon te stromen. 'Je bent de enige fatsoenlijke kerel die ik ken. En je bent een kat.'

III

Rich had er geen idee van dat Goa zo mooi was. Nippend van zijn Sandpiper biertje keek hij vanaf zijn hoektafeltje van de Good Luck bar uit over het strand van Baga. Het was twee uur en het werd nog steeds warmer. Heupwiegende vrouwen in felgekleurde sari's schreden met rieten manden op hun hoofd door de nevelige warmte. 'Ananas, mango, kokosnoot, watermeloen,' zongen ze, hun zachte stemmen verloren gaand in de hitte. Hier en daar bleven ze staan bij een zonaanbidder, zwaaiden in één gracieuze beweging hun zware manden op het zuivere zand en spleten het fruit op een doek van mousseline.

Rich zuchtte en keek toe hoe een bruine koe langs de bamboe haven sjokte, zijn zwarte neusgaten bedekt met zand. De koe snuffelde aan het opgedroogde zeewier, haar ribben zichtbaar onder haar uitgezakte vel terwijl ze met haar ogen knipperde om de vliegen van zich af te houden.

Hij dronk zijn biertje op en duwde de strooien hoed op zijn achterhoofd. Hij genoot van de manier waarop de heldere zon zijn ogen begoochelde en van de loomheid die de hitte veroorzaakte. Voor het eerst in jaren begon hij zich te ontspannen, en dat was een vreemd gevoel. In het begin was hij heel vroeg wakker geworden, in paniek omdat hij dacht dat hij de metro naar zijn werk had gemist of het rapport van een belangrijk juridisch dossier nog niet af had. Totdat het gekukel van het haantje in de tuin, het zoemende gejank en de toeterende claxons van passerende brommers, om nog maar te zwijgen van de babbelende tropische vogels in de kokospalm voor zijn raam hem eraan herinnerden waar hij was.

Hij had het dunne katoenen laken over zijn hoofd getrokken en geprobeerd weer in slaap te vallen, maar had zich moeten overgeven aan het rumoer buiten. Dus was hij opgestaan en langzaam over de duinen achter het pension naar het strand eronder gelopen, waar zijn oude gymschoenen zich vulden met fijn zand. Nadat hij netjes zijn handdoek had neergelegd, had hij zijn zonnebrandspullen klaargelegd en was, nadat hij het touwtje om zijn wijde korte broek had aangetrokken, in de golven gedoken. Hij had geprobeerd een zekere routine in zijn dag aan te brengen door elke ochtend twintig minuten te zwemmen en de rest van de dag vaste tijden uit te trekken voor het lezen van informatie, zonnebaden, het maken van dagtochtjes en eten.

Maar de zon had elke vorm van discipline terzijde geschoven en hij had zich eraan overgegeven en elke dag uren geslapen, slechts onderbroken door verkoeling in het water te zoeken en te eten. Zijn ochtenden waren steeds luier geworden en in plaats van te zwemmen merkte hij dat hij maar wat in de golven speelde. Hij voelde zich weer een kind als hij door de schuimend witte brandingsgolven sprong of zich op krachtiger golven liet meevoeren, golven die hem naar het strand droegen waar ze boven hem te pletter sloegen, hem lieten rondtollen tot hij in ondiep water opstond, gedesoriënteerd en met het zand in zijn neus.

Rich glimlachte in zichzelf toen hij zich herinnerde hoe hij die ochtend een uur lang had gespeeld. Een uur! Hij rekende zijn klanten honderdtwintig pond per uur voor zijn tijd. Hij voelde een steek van schuldgevoel. Wat deed hij hier, vluchtend voor Pix, Charlie en Mathers Egerickx Lovitt? Hij zag twee mannen badmintonnen bij de waterkant, hoorde het vriendelijke getiktak van de slagen dat door de wind werd meegevoerd als applaus in een cricketstadion.

Hij wist dat hij ruimte nodig had, maar afgezien van het spelen in de zee, als hij zich overgaf aan de kracht van het water, voelde hij zich niet vrij. Hij had deze vakantie voor een maand geboekt en nu besefte hij dat dat niet lang genoeg was. Over een maand zou hij terug zijn in Londen en dan was het nog maar twee weken tot de kerst. Hij gruwde van de gedachte aan de koude, druilerige motregen en de sombere decembermaand van Londen en hij wist dat hij niet terug naar huis wilde. Het zou nooit meer hetzelfde zijn. Charlie was waarschijnlijk bij Daniel ingetrokken, Pix had de pest aan hem en verder had hij niemand.

Wandelend langs het strand drukte hij zijn tenen in het natte zand. Het water zoog onder hem weg alsof zich een stralenkrans onder zijn voeten vormde. Hij probeerde na te denken over de gebeurtenissen van de afgelopen paar weken, over zijn leven dat onder zijn handen uit elkaar was gevallen.

Hij plofte neer op de raffia strandmat die hij die ochtend van een meisje met witte tanden en smekende ogen had gekocht, tuurde door zijn fladderende wimpers in de glanzende, witte flitslamp van licht, begroef zijn handen, tilde ze op en zeefde het zachte zand door zijn vingers. Hij zuchtte terwijl hij de zon tot zich voelde doordringen en zijn botten verwarmen, en terwijl hij zijn ogen sloot en zijn hoed over zijn gezicht trok, kon hij niet langer weerstand bieden aan de golf van slaap die hem overspoelde.

Charlie zat onderuitgezakt televisie te kijken. Ze liep al dagen rond in haar pyjama, een stel grote sokken van Rich en haar versleten ochtendjas. Ze staarde nietsziend naar de talkshow op de televisie en werkte bijna automatisch chips naar binnen. Ze vond deze smaak niet eens lekker! Men zei wel eens dat je mager werd van ellende, maar Charlie had zich de laatste dagen tegoed gedaan aan een constante stroom van junkfood. En toch was alles nog één grote warboel. Ze had het gevoel of ze met een houten hamer op haar schedel was geslagen.

Ze stond op en begon door de flat te ijsberen. Ze voelde zich ziek, dat was zeker, en er was nog iets. Iets waar ze niet langer aan voorbij kon gaan. Ze dacht dat de irritatie was veroorzaakt door het heftige gevrij met Daniel op zaterdag. Maar zaterdag leek ondertussen eeuwen geleden en het pijnlijke, tintelende gevoel was er nog steeds. Misschien kwam dat plekje van Daniel wel helemaal niet door te heftig neuken. Waarom was ze zo'n stomkop geweest? Ze bedekte haar gezicht, maar ze kon niet langer om de akelige waarheid heen: ze moest naar de SOA-kliniek, en snel ook.

Op de gynaecologische afdeling van het plaatselijke ziekenhuis trok Charlie een genummerd kaartje uit het rode apparaat naast de receptiebalie alsof ze een onsje kaas kwam kopen. SOA kon natuurlijk van alles betekenen, maar toch voelde ze zich een melaatse. Ze maakte zich zo klein mogelijk in haar stoel, waarvan ze wilde dat het haar doodskist was. Toen ze aan de beurt was, liep ze naar de receptiebalie.

Achter het glas zat de receptioniste in een tijdschrift te bladeren met een verveelde uitdrukking op haar gezicht. 'Gaat u maar in de andere wachtkamer zitten. U wordt zo opgeroepen,' zei ze zonder een spoortje interesse. Charlie had wel met haar vuisten op het glas willen bonken. Zag dat stomme mens niet dat ze stilletjes in elkaar aan het storten was?

Hou de wereld tegen, ik stap eraf, dacht ze terwijl ze het roze papiertje stijf vasthield, de dubbele deuren openduwde en zag dat de volgende wachtkamer al even vol zat. Een jong meisje zat in elkaar gedoken in de hoek te huilen op de schouders van de puistige jongen die met haar mee was. Naast haar zat, zonder ook maar enige aandacht aan het gesnuf te besteden, een vrouw van middelbare leeftijd met een plastic Co-op tasje op haar schoot. Een draadje zachtgele wol werd uit het tasje gerukt terwijl ze haar breinaalden tegen elkaar tikte.

Charlie liep omzichtig langs de file van opvouwbare wandelwagentjes en ging naast een keurig geklede zakenman zitten die grotendeels verborgen ging achter de *Independent*. Uit haar ooghoek las ze de kop van een van de artikelen op de voorpagina: 'Up Beat-actie fiasco' en ze pakte snel het exemplaar van de *Reader's Digest* zonder omslag. Het had de landelijke pers al gehaald. Als iemand haar nu eens herkende?

Ze bracht het niet op om te doen of ze las en ging trillend staan naast het wandrek met foldertjes. In de ruimte naast de lage tafel zat een stel vrouwen uit het Midden-Oosten, van hoofd tot voeten bedekt met zwarte chadors, in kabbelend Arabisch met elkaar te praten. Een klein jongetje kwam onder de tafel vandaan en begon aan de rokken van een van de vrouwen te trekken. Charlie zag een flits van woede in de ogen van de vrouw terwijl ze zich omdraaide en hem een mep verkocht. Ze zag hoe onrechtvaardig het jongetje zich behandeld voelde en toen hij begon te huilen, had ze wel een potje mee willen janken.

De vrouw ving de wanhopige blik van Charlie op en keek haar door haar rechthoekige opening boos aan. Ze begon met de andere vrouwen te praten, die allemaal Charlies kant op keken. Ze sloeg haar ogen neer naar het foldertje dat ze vasthield en waarop: 'Wat zijn genitale wratten?' stond, en ze schoof het haastig weer terug in het rek. Wat dachten al deze mensen dat ze had? Syfilis, gonorroe, hiv, genitale wratten? Ze wist het zelf niet eens. Ze wist alleen dat er in dikke vette letters boven haar hoofd moest staan dat ze waarschijnlijk de walgelijkste ziekte aller tijden had: stupiditeit.

Ze bladerde door de foldertjes over *safe sex* en herinnerde zich haar gesprekken met Daniël over hoe walgelijk condooms waren. Maar hoezeer ze ook een hekel aan Daniël had, zij was in de fout gegaan. Zij was degene geweest die de beslissing had genomen onbeschermd met hem naar bed te gaan omdat ze had gedacht dat Daniël teleurgesteld zou zijn als ze het niet deed. Ze had er geen moment over nagedacht, maar nu ze erachter was gekomen dat hij biseksueel was en dat hij de grootste leugenaar van de wereld was, kon ze wel eens aids hebben en God mocht weten wat nog meer. Angstaanjagende gedachten over alleen doodgaan in een ziekenhuisbed, of, erger nog, aan het feit dat ze het haar ouders moest gaan vertellen, joegen door haar heen en ze voelde de binnenkant van haar neus prikkelen van boze tranen.

'Nummer 51.' De assistent-arts stond in de deuropening van de spreekkamer en Charlie stopte het foldertje weer terug in het rek. Ze keek naar haar nummertje en dacht aan de ironie van het lot toen ze de spreekkamer binnenging om haar schaamdelen bloot te geven tussen de wachtende beugels.

Het was elf uur 's morgens en Rich deed zich in de kroeg op het eind van het strand tegoed aan een pannenkoek met ijs en banaan, toen hij haar zag. Ze stond een eind verder op de zandbank, haar rug naar hem toe, haar handen in gebedspositie boven haar hoofd gestrekt. Een dik touw van gevlochten, witblond haar hing over haar rug en Rich zag hoe ze zich naar voren boog, haar noten-bruine billen naar hem uitgestrekt vanuit de groene stof van haar blote gympakje.

Hij zuchtte van bewondering toen ze zichzelf omhoog hees tot een volmaakte handstand. Haar voorkant was nu zichtbaar, haar volle borsten vlijden zich in haar gympakje. Hij kon zijn ogen niet van haar afhouden terwijl hij zich terughaastte naar zijn strand-mat en op zijn buik ging liggen, niet goed raad wetend met zijn verlangen.

Hij probeerde zich op zijn boek te concentreren, maar toen hij opkeek, had ze haar benen horizontaal van elkaar gedaan. Hij was gehypnotiseerd. De azuurblauwe zee lag te glinsteren in de mor-genzon tussen de V van haar scherp afgetekende benen en hij stelde zich voor dat ze een zeegodin was die de vriendelijke gol-ven op het strand verleidde.

Hij kromde zijn schouders en liet ze achterover rollen. Hij was stijf van zijn gekwelde nacht en zijn verbrande huid had ervoor

215

gezorgd dat hij veel te vroeg uit de veren was. Hij had niet meer kunnen slapen en toen de generator werd opgevoerd tot een gorgelend gedreun, was hij opgestaan en had besloten een brommer te huren.

Hij was door de stad gelopen naar de kerk aan de andere kant van de baai, kijkend naar de vrouwen die hun kleren wasten en de plaatselijke bewoners die rondreden op hun oude fietsen. In de felle zon had krakend Bing Crosby's 'I'm Dreaming of a White Christmas' uit een luidspreker geklonken.

'U wilt brommer. Ik maak u mooi prijsje.' Een man in een smerig streepjesshirt, een grijze broek en gloednieuwe teenslippers kwam met een grote grijns op hem af gelopen. Rich knikte en werd meegenomen naar een stoffig fietsenkerkhof naast de hoofdlantaarn van het dorp.

De man vroeg Rich even te wachten, om twintig minuten later terug te komen met een stel sleuteltjes en een oude Honda met twee stickers op de plastic tank. De ene sticker zei: 'Jezus Loves You' en op de andere stond gewoon: 'Dream Lover'.

'Geweldig,' lachte Rich terwijl hij hem het geld gaf. 'Kunt u me leren hoe ik ermee moet rijden?'

'Geen probleem, geen probleem.' De man grijnsde. 'Gaat u maar achterop zitten, alstublieft,' zei hij terwijl hij de motor startte en Rich achterop klom. De man schoot de weg over, een greppel door en kwam slingerend tot stilstand op wat waarschijnlijk het plaatselijke voetbalveld was. Daar gaf hij Rich de sleutels.

'Rechts nog wat meer gas geven,' moedigde de man aan, en terwijl Rich snelheid maakte, begon de man 'broem-broem'-geluiden te maken.

Het was woensdag en hij was begonnen met een bezoekje aan de markt van Anjuna. Hij had door de drukke menigte gelopen, tussen muren van beddenspreien door die als wasgoed aan de lijn hingen, en hield de meisjes met hun breed lachende gezichten, die hem herkenden van het strand en hem wilden overhalen naar hun zilveren armbanden te kijken, van zich af. Hij bleef treuzelen bij de spijsstalletjes, die vol stonden met jutezakken vol kleurige poeders, en werd gevolgd door twee enthousiaste trommelverkopers, die hun harde, magere vingers over het vel van de trommels lieten gaan en een vegend, glijdend huid-op-huidgeluid veroorzaakten. Rich keek waarderend op.

'Ik zal een goedkoop prijsje voor u maken.' Ze wierpen hem een van de trommels toe.

'Nee, ik hoef geen trommel.' Rich werd omzwermd door kinderen die ruilhandel wilden bedrijven en hem kleurrijke katoenen lunghi's, zilveren sieraden, hoeden, strandmatten, beddenspreien, gongs, allerlei soorten decoraties en nog meer trommels voorhielden. Al snel werd het geschreeuw om zijn aandacht hem te veel en hij ontsnapte in de schaduw van een geïmproviseerd café, waar hij op een kussen in elkaar stortte.

Wat was hij stom geweest om zijn leven zo te verknoeien. Hoe zinloos leek zijn juridische carrière als hij de gretige gezichten van deze straatarme kinderen zag die hun waren voor een paar grijpstuivers te koop aanboden. En toch leken ze allemaal gelukkig. Ze hadden allemaal hun plek op de stoffige, kleurige markt waar niets al te zwaar werd opgevat.

'Wilt u *happy cake*?' vroeg een Amerikaanse stem achter hem. Hij draaide zich om en zag een slungelige bruine man die onder de hennatatoeages zat en een losse korte broek van Indiase bedrukte katoen droeg. Twee kleine speldenprikjes in het centrum van zijn irissen was alles wat er van zijn pupillen was overgebleven. Hij droeg een oude cassetterecorder waarop een bandje met trance-achtige sfeermuziek speelde en hij zwaaide heen en weer op de maat van de muziek.

'*Hey, man*. Volgens mij kun je wel wat *happy cake* gebruiken. Het is lekker en donzig. Je wordt er de hele dag lekker donzig van,' zei hij uitnodigend en draaiend met zijn torso, die net een wasbord leek. Hij wervelde om Rich heen.

'Nee, liever niet,' begon Rich preuts.

'Hey, niet zo stijf, broer. Wat heb je te verliezen?'

'Nee, ik gebruik, eh, nou, ik gebruik geen drugs,' stamelde hij. Rich voelde zich belachelijk.

De man lachte. 'Nou, dan kun je dit zeker gebruiken.'

Rich dacht erover na. Het was niet hetzelfde als die troep die in Londen circuleerde. Ze zeiden altijd dat dit spul heel zuiver was en wat stak er nou voor kwaad in een stukje bananencake met hasj? Waarom deed hij zo truttig? Impulsief gaf hij de man zijn vijftig roepies en stopte de in een stuk krant verpakte cake in zijn rugzak.

Omdat hij zich toch al roekeloos voelde, kocht hij meteen maar wat nieuwe kleren: een rood met geel geborduurde spiegeltjespet, twee lunghi's, een nieuwe wijde korte broek en een lila katoenen shirt. Het was de beste aanval van koopzucht die hij in eeuwen had gehad en hij voelde zich erg met zichzelf ingenomen toen hij op de hobbelige weg terug naar Baga reed.

Nu, terwijl hij naar de soepele bewegingen van de vrouw keek, herinnerde hij zich opeens weer het stuk bananencake met hasj en haalde het stiekem uit zijn tas. Hij ging achterover op zijn elleboog liggen, at de cake op en keek toe hoe ze haar yogasessie beëindigde.

Toen de Indiase man met de chocoladekleurige ogen hem op het strand benaderde en hem de prijs van zijn massage noemde, had Rich al een brede grijns op zijn gezicht. Waarom ook niet? Hij had zin zichzelf te verwennen. In de schaduw van de bamboehut voelde hij hoe de geoefende vingers van de man kokosolie in zijn uitgedroogde poriën kneedde en toen zijn hoofd begon te draaien en zijn lichaam zich ontspande, kreunde Rich tevreden en dacht dat hij in de hemel was.

Charlie was zo geschokt dat haar mond ervan openviel. 'En het is niet te genezen?'

De dokter schudde zijn hoofd. 'Nee, maar naarmate de tijd verstrijkt zul je beter in staat zijn met de symptomen om te gaan en worden de aanvallen minder frequent. Veel mensen hebben slechts één aanval. Als je deze tabletten vijf keer per dag inneemt, ben je binnen een dagje weer de oude.'

Charlie hoorde hem nauwelijks. Ze voelde zich ziek. Dit kon niet waar zijn.

De dokter klopte haar op haar hand. 'Alles goed?'

Ze had herpes. Een ongeneeslijke en blijvende herinnering aan Daniel. Blijvend! Eenmaal thuis staarde ze zichzelf in de badkamerspiegel aan. Ze herkende haar eigen gezicht niet. Herpes? Wie had er tegenwoordig nou nog herpes? Het was belachelijk. Ze zou nooit meer met iemand naar bed kunnen, dacht ze, terwijl ze ineengedoken in bad zat en haar lichaam waste, zo ruw alsof het haar had bedrogen. Ze wikkelde zichzelf in handdoeken en ging op de bank liggen, starend naar het afbladderende plafond. Ze had niet eens zin om zichzelf van kant te maken.

De telefoon ging vijf keer over voor het antwoordapparaat aanging en ze haar moeder op de vage buitenlijn hoorde.

'O, je bent er niet. Je bent zeker op je werk. Ik bel alleen even om te zeggen dat we het uitstekend naar ons zin hebben in

Australië. We zijn nu in Melbourne en je vader en ik gaan morgen naar Sydney. Ik hoop dat alles goed met je gaat. Doe Rich de groeten. Dag lieverd.'

Charlie trok zich terug in het uiterste hoekje van de bank. Als ze zich maar stil genoeg hield, zou de schaamte misschien vanzelf verdwijnen. Ze voelde hete tranen op het kussen vallen en begon naar Kate te hunkeren. Nu ze besefte wat voor klootzak Daniel was, kon ze zich niet voorstellen dat ze Kate van verraad had beschuldigd. Ze had Daniel boven alles en iedereen gesteld en ondertussen had ze de relatie met haar beste vrienden verknald. Hoe vaak had ze Kate niet beloofd dat ze belangrijker voor haar was dan welke kerel ooit zou zijn? En hoe snel had ze het niet allemaal vergooid? Nee. Ze kon onmogelijk van Kate verwachten dat ze haar zou vergeven.

Uren later werd Charlie door de bel gewekt uit haar gevoel van zelfhaat. Ze trok het kussen vol tranen en snot over haar hoofd en kreunde. Haar hoofd bonsde, haar rug deed zeer en ze huiverde. Maar de bel bleef maar gaan en het lawaai deed pijn aan haar hoofd. Ze hees zich overeind van de bank en liep naar de intercom in de gang.

'Pix hier, wil je me binnenlaten?'

'Rich is er niet.' Ze sprak in de microfoon met een stem die nauwelijks boven gefluister uitkwam.

'Laat me erin. Ik wil met je praten.'

Charlie klemde de hoorn tegen haar borst en haalde diep adem. Ze voelde zich gammel en ziek. Ze wilde absoluut niemand zien. Ze liet de telefoon bungelen aan zijn beige krulsnoer en begon weg te lopen terwijl de verscheurde stem van Pix door het kleine bloemenpatroon van de gaatjes in de hoorn begon te smeken.

Toen begon het gebonk. Charlie zette haar handen tegen haar slapen. Vond ze dan nergens rust? Ze ging terug naar de intercom, hing de hoorn op de haak en drukte op het knopje waarmee de deur openging. Ze had kunnen weten dat Pix te koppig was om iets normaals te doen, bijvoorbeeld haar met rust laten.

Pix bleef boven aan de trap staan en haar mond viel open toen ze Charlie schichtig bij de keukendeur zag staan in haar nachthemd vol theevlekken, haar haren in een warrig, piekerig knotje. Er zaten diepe zwarte wallen onder haar roodomrande ogen en haar huid zat vol vlekken. Pix staarde naar de vrouw die ze voorheen zo had bewonderd om haar schoonheid.

'Mijn hemel! Wat is er met jou gebeurd?'

Charlie wendde zich van haar af en liep de keuken in, waar ze zich vasthield aan het aanrecht. Pix liep achter haar aan, met hier en daar een sprongetje om de lege wodkaflessen, verkreukelde chipszakken, pizzadozen, achteloos uitgetrokken kleren en verscheurde foto's te ontwijken.

'Wat wil je?' vroeg Charlie met zulke vijandige ogen dat Pix ervoor terugdeinsde.

'Ik had ruzie met Rich en ik...'

Charlie schudde het hoofd en keek naar de grond. 'Ik wil er niets over horen.'

Pix liep behoedzaam op haar af. 'Wat is er aan de hand?'

'Rich heeft een briefje achtergelaten,' zei Charlie. 'Het ligt op tafel.'

Pix schrok toen ze het las. 'O, god. Het spijt me zo. Ik had geen idee. Door mij is hij vertrokken.' Ze legde haar hand op Charlies rug, maar die deinsde terug.

'Ik had geen idee dat je zo van streek zou zijn.'

Charlie begon bitter te lachen. 'Het was de druppel die de emmer deed overlopen. Maar ach, als dit nog het enige was.' Ze liep langs Pix en liet zich op de stoel vallen. 'Maak je geen zorgen, ik ben er al overheen.'

'Volgens mij niet. Je ziet er vreselijk uit.'

'Je wordt bedankt!'

'Sorry... Ik...'

'Zoals je ziet is Rich er niet en ik kan je niet helpen, dus misschien kun je maar beter vertrekken. En ik zou het op prijs stellen als je daarbij niet toevallig een van mijn illustraties mee zou jatten.'

'Dat kan ik uitleggen.'

'Hoeft niet,' zei Charlie bot terwijl ze met haar vingertoppen over haar slapen begon te wrijven en haar koude voeten op de rand van de keukenstoel legde.

'Kan ik iets doen?' vroeg Pix wanhopig. Ze had gemerkt dat Charlies stem een hysterische klank begon te krijgen.

'Je hoeft me niet te bemoederen.'

Charlie legde haar handen over haar oren toen Pix de kraan liet lopen in de tuit van de waterketel, en vroeg zich vertwijfeld af wat ze moest doen. Wat een arrogant mens, die Pix. Zag ze dan niet dat ze volledig de kluts kwijt was? Zag ze dan niet dat ze niemand nodig had...

'Wat is er aan de hand?' vroeg Pix terwijl ze Charlies schouder aanraakte.

'Ik wil naar mijn moeder toe!' snikte Charlie terwijl er dikke tranen over haar wangen begonnen te rollen. 'Ik wil mijn moeder,' jankte ze toen. 'Ik ben zo zielig!'

'Arm schaap,' troostte Pix. Ze wiegde haar heen en weer terwijl Charlie snikkend vertelde wat er de afgelopen week allemaal was gebeurd.

'O, Pix. Wat een bende. Wat een godvergeten bende heb ik toch van alles gemaakt.'

'Het is jouw schuld niet.'

'Ja, wel. Het is allemaal mijn schuld. De actie die in de soep is gelopen en Daniel. Ik snap er gewoon niets van. Het is een psychotische dwingeland en ik heb het niet eens in de gaten gehad. Ik ben zo'n oen.'

'Je mag jezelf niet de schuld geven.'

'Ik heb iedereen van me vervreemd, zelfs Rich. En ik kan er niets meer aan doen.'

Pix stond op. 'Je kunt wel iets doen.'

Charlie snoot haar neus. 'Wat dan? Vertel jij het maar, Pix, want ik ben aan het eind van mijn Latijn.'

De waterketel klikte af. Pix liep naar het raam en trok de jaloezie omhoog waardoor er een waterig zonnetje de bedompte keuken binnenkwam.

'Dat zal ik je zeggen. Je kunt kiezen. Of je wordt het slachtoffer van dit alles, of je kunt voor jezelf vechten.'

Charlie kreunde en liet haar ellebogen op tafel vallen, waarna ze haar hoofd in haar onderarmen begroef. 'Je begrijpt het niet.'

'Ik begrijp het wel. Je bent van grote hoogte naar beneden gelazerd, maar dat betekent nog niet dat je je leven hoeft op te geven.'

'Maar ik voel me zo'n stommeling.'

'Je bent geen stommeling. Die oenen op kantoor zijn stommelingen. Daniel is een stommeling.' Ze zette een kopje kruidenthee voor Charlie neer. 'Je bent het slachtoffer van iets onrechtvaardigs geworden. Het is walgelijk.'

Charlie nam een slokje thee. 'Dit ook.'

'Kom op. Ga lekker douchen en kleed je aan. We gaan samen een actieplan opstellen.'

Charlie kreunde. 'Dat kan ik niet. Laat me met rust. Ik kan niemand onder ogen komen.'

Pix begon aan haar arm te trekken om haar uit haar stoel te halen.

'Laat me met rust, zei ik toch!' Charlie rukte zich los van Pix en een rode guts bosbessenthee verspreidde zich over de brief van Rich.

Pix zette haar handen op haar heupen en schudde bedroefd het hoofd. 'Ik dacht dat je sterker in je schoenen stond.'

Charlie legde haar hoofd in haar handen. 'O ja? Nou, dat heb je dan verkeerd gedacht.'

'Er zijn zoveel mensen die om je geven en je graag zien komen...'

Charlie keek op. Haar bloeddoorlopen ogen stonden verbitterd. 'Zoals?'

'Zoals Rich. Je ouders. Een heleboel mensen. Ik!' zei ze beschuldigend. 'En ze zullen allemaal om je blijven geven, ook al heeft het leven je een paar klappen uitgedeeld. Je hebt zoveel pluspunten, maar je weigert die te zien.'

Charlie lachte een kort, cynisch lachje. 'O, is dat zo? Nou, hoe komt het dan dat alles wat ik aanraak in het honderd loopt?'

'Dat is niet waar. Je bent heel getalenteerd. Neem die illustratie van je. Die is een doorslaand succes gebleken. Ik weet dat ik hem niet zonder jouw toestemming had moeten overnemen, maar Rich zei dat je het niet erg zou vinden.'

'Nou, ik vind het wel erg.'

Pix haalde diep adem. 'Ik weet dat je van streek bent, maar als het in je hoofd eenmaal is opgeklaard, zul je zien dat je iets met je talent kunt doen. Dan wil je nooit meer voor dat soort haaien als Bistram werken, wat het ook verder waren.'

'En waarom zou jij verdomme weten wat ik wil?'

'Omdat ik ook een vrouw ben,' zei Pix rustig. 'Ik weet dat je erkenning wilt voor iets waar je plezier in hebt...'

Charlie stond bruusk op. 'Hou alsjeblieft op met dat feministische gelul. Wat weet jij er verdomme van? Donder op en laat me met rust.'

Pix zuchtte verslagen en stak haar handen op om haar nederlaag toe te geven. 'Als dat is wat je wilt.'

'Ga maar weg.'

Pix draaide zich op haar gymschoenen om en liep naar de deur, maar halverwege keek ze over haar schouder. 'Ik weet dat je om je heen slaat omdat je verdriet hebt, en dat snap ik wel. Maar ik kan je helpen en het lijkt erop of er niemand anders in de buurt is die dat kan.'

Pix was al bijna de deur uit voor haar woorden tot Charlie waren doorgedrongen en Charlie achter haar aan de trap af holde. 'Kom terug,' smeekte ze. 'Het spijt me. Ik ben een kreng. Het lijkt wel of ze mijn persoonlijkheid operatief hebben verwijderd.'

Pix glimlachte en Charlies ogen vulden zich met tranen bij het medeleven dat ze zag. 'Ik heb je nodig. Wil je me helpen? Alsjeblieft?'

Pix glimlachte weer. 'Natuurlijk.'

Rich had het gevoel alsof hij zweefde op het strand. Hij was stoned. Stoned en volledig ontspannen. Hij plofte op zijn strandmat en rolde met zijn hoofd. Hij voelde zich zo soepel en licht na zijn massage dat het leek alsof zijn hele lichaam een gedaanteverandering had ondergaan. De masseur had zelfs de spanning uit zijn oren weten te kneden!

De man op de markt had gelijk gehad. Het was lekkere donzige cake. Hij voelde zich magnifiek. Hij was te stoned om te lezen en daarom ging hij maar over de rotsen wandelen. Hij ging op zijn hurken voor een door de rotsen gevormd vijvertje zitten en staarde in·de heldere diepte. Het was net het podium van een toneelstuk: de schelpen zaten aan de zijkanten vastgeplakt als decors, terwijl verticale, geveerde stukken zeewier omhoogdreven naar het oppervlak.

'Hallo.'

Rich hoorde de stem achter zich en keek op. De yogavrouw stond voor hem en blokkeerde de zon. Vanuit zijn gehurkte positie liet hij zijn ogen over haar lange, stevige benen en het kruis van haar bikini gaan, en vervolgens via haar gespierde vlakke buik naar de rijpe, geoliede borsten in hun gehaakte cups. Was dit een hallucinatie?

'Ik zag dat je een massage nam. Ik dacht er zelf ook over me te laten masseren. Was hij goed? Die masseur?' Ze hurkte neer aan de andere kant van de rotspoel. Haar goudwitte haar was in het midden gescheiden en ze had de twee kanten van haar pony losjes gevlochten en om haar achterhoofd gebonden. De rest van haar haar hing in zachte golven over haar sproetige schouders, zodat ze eruitzag als een model uit de jaren zeventig, hoewel haar gezicht gegroefd was met diepe lachrimpeltjes.

Rich vroeg zich af of zijn tong zichtbaar uit zijn mond hing van lust. Het leek erop of hij in een vertraagde opname van *Baywatch* terecht was gekomen! Met een gevoel of het drie kwartier later was kreeg hij eindelijk zijn stem terug.

'Uitstekend. Alleen stink ik nu als een kokosmakroon!' Hij rook aan zijn arm en trok een gezicht en de vrouw lachte haar glanzende witte tanden bloot in de zon.

Rich had ruim een week in zijn eentje doorgebracht. Nu, terwijl hij de vrouw het ingewikkelde leven in de rotspoel begon aan te wijzen, besefte hij dat hij snakte naar menselijk contact. Hij bleef maar praten. Hij keek naar haar mond terwijl ze haar hoofd achterover gooide en lachte om zijn niet te stoppen woordenvloed.

Ze wandelden terug over het strand en Rich vond een oude, holle hoorn die uit het zand stak. Hij waste hem in de golven en gaf hem haar voor ze in een strandpaviljoen stopten voor een glas versgeperst mangosap. Iets aan de lekkere donzige cake begon te werken. Hij maakte de vrouw aan het lachen en hij vond het heerlijk om bij haar te zijn.

'Ik zag je vanmorgen yoga doen,' zei Rich. 'Ik vond het indrukwekkend. Ik zou zoiets nooit doen.'

'Waarom niet?'

'Ik ben op comfort gebouwd, niet op snelheid. Het lijkt me allemaal een beetje te atletisch.'

'Je vergist je. Yoga is niet atletisch. Het werkt van binnenuit en als je niet van snelheid houdt, zou het ideaal voor je zijn. Waarom kom je niet eens langs om het te proberen?'

Gekalmeerd door haar intrigerende accent stemde Rich in. Hij keek naar de zee. Hij voelde zich ontspannener dan hij zich ooit in zijn leven had gevoeld. 'Vind je dat niet prachtig? Zo laat in de middag, als de zon het water een gouden weerschijn geeft.' Hij wees naar de glinstering in het water en zij knikte.

'Waarom ben je hier?' vroeg ze zacht en hij besefte dat ze hem had bestudeerd.

'Ach, je weet wel. Ik had zin in vakantie en...'

De vrouw staarde hem aan en haar heldere groene ogen leken de waarheid van hem te eisen.

'Als je het wilt weten, ik ben op de vlucht.'

Ze knikte. 'Je hebt de goede plek uitgezocht om naartoe te vluchten. Als je maar in de gaten houdt dat je op een dag weer weggaat. Er zijn er heel wat die dat niet doen.'

'Ik begrijp best waarom.'

Ze stond op. 'Ik ga vanavond naar een feestje in Little Vagatour. Ga je mee?'

'Graag.'

'Dan zie ik je hier om negen uur. Ik wil nu mijn massage.'

Rich keek haar na en besefte dat hij niets over haar te weten was gekomen. 'Ik weet niet hoe je heet,' riep hij haar achterna.

'Maakt dat wat uit?'

Rich keek haar perplex aan en zij lachte. 'Ik ben Tanya,' zei ze en zwaaide voor ze wegliep, haar voeten wervelend door het zand.

'Tanya,' zei Rich bij zichzelf terwijl hij zijn ogen uitwreef. God, wat voelde hij zich raar.

Ze had nooit gedacht dat ze weg zou gaan, maar nu Pix haar op King's Cross op de trein zette, wist Charlie dat het een goed idee was. Ze hing uit het raampje van de treindeur.

'Beloof je dat je goed voor Kev zorgt?'

'Charlie!'

'Ik weet het. Het zit wel goed, maar onthoud dat hij de pest heeft aan Whiskas. Hij is de kat die anders durft te zijn!'

'Ga nou maar en ontspan je. En kom niet terug voor je je weer wat beter voelt. Kev is in goede handen bij mij.'

Charlie wreef in haar waterige ooghoeken. 'O, Pix. Je bent zo lief voor me geweest. Het spijt me dat ik zo rottig deed.'

'Ach, doe niet zo raar. Voor een stomme trut ben je zo akelig nog niet. En hou nu op met die spijtbetuigingen. Ga maar gewoon.'

De trein begon het station uit te rijden en Charlie zwaaide. Pix had haar tot actie aangespoord en alleen dankzij haar inspanningen zat ze nu in de trein. Pix had de flat opgeruimd terwijl Charlie ging douchen, en vervolgens had ze haar opgedragen haar adresboekje tevoorschijn te halen. Ze trok een van de leren bandjes van haar hals en hield hem tussen duim en wijsvinger. Het door draad omsloten kristal zwaaide als een pendule over het boekje.

'Wat ben je in godsnaam aan het doen?' vroeg Charlie, die een kam door haar haren rukte.

Pix sloot haar ogen. 'Het universum vragen je de juiste richting te wijzen.'

Charlie was te moe om ertegenin te gaan.

Toen begon Pix te bladeren en het boekje viel open. 'Wie is Mary Rose?'

'Mijn pleegmoeder.' Charlie keek naar het adres.

'Dan is zij het.' Pix gaf haar de telefoon en voor Charlie kon protesteren zat ze op de trein naar Aberdeen.

Charlie nam haar petje af voor Pix. Ze had haar afgedaan als een soort hippieachtig new age-type, maar als het erop aankwam was ze uiterst praktisch en nuchter. Terwijl ze slingerend naar de restauratiewagen liep, bedacht ze hoe akelig het was dat het tussen Rich en Pix niets was geworden. Waarom gaf Pix haar daar niet de schuld van, vooral nadat ze het sentimentele briefje van Rich had gelezen? Hoe kon ze zo vriendelijk blijven?

Terwijl de trein door de voorsteden van Londen reed, schopte Charlie haar schoenen uit en trok haar benen onder zich. Ze maakte de bruine papieren zak open op het tafeltje voor haar en haalde het broodje met spek en tomaat tevoorschijn, maar de geur was bedrieglijk. Het had de consistentie van karton en haar smaakpapillen schroeiden zodra ze er een hapje van nam. Waarom waren zelfs de simpele dingen in het leven een teleurstelling? Vertwijfeld legde ze het terzijde en liet haar hoofd tegen het koele glas rusten.

Wat was ze aan het doen? Ze had Pix graag al haar besluitvormingsprocessen laten overnemen, maar nu ze nadacht over haar besluit zich aan Mary Rose op te dringen, raakte ze verontrust over de vraag wat haar pleegmoeder zou vinden van haar mislukkingen in Londen. Mary Rose had altijd zulke hoge verwachtingen van haar gehad. Hoe kon ze haar uitleggen wat er was gebeurd?

Het was gaan regenen en Charlie staarde naar de kale bomen, denkend aan Daniel en aan alles wat ze was kwijtgeraakt. Toen ze haar eigen spiegelbeeld in het glas zag, waren haar tranen niet te onderscheiden van de regen op de ruit.

Rich bekeek zijn gezicht in de gebarsten spiegel boven de

Victoriaanse porseleinen wasbak in zijn appartement. Zou Tanya hem ooit aantrekkelijk gaan vinden? Hij wreef over de afschilferende huid op zijn neuspuntje en zocht in zijn toilettas naar zijn sandalwood aftershave toen zijn vingers op de maansteen stuitten die Pix hem had gegeven, de steen die hij volledig vergeten was. Hij waste hem af onder de kraan en hield hem vast. De gladheid ervan deed hem denken aan de geur van asfalt na een regenbui.

Arme Pix. Hij sloot zijn ogen, hield de maansteen stevig vast en zijn hart begon te bonken toen hij zich herinnerde met hoeveel pijn hij uit Londen was vertrokken. Hij moest er maar niet aan denken. Hij moest niet blijven stilstaan bij wat hij had verloren, anders zou hij nooit van zijn vakantie kunnen genieten. Hij keek zichzelf streng aan in de spiegel. Niet aan denken. Buitensluiten.

Tanya stond hem op het strand op te wachten. Ze was een plaatje in haar strakke hemdje en een damasten lunghi die nonchalant om haar soepele heupen was geknoopt, en Rich was blij dat hij zijn nieuwe korte broek had aangetrokken. Tanya zwaaide en liep naar hem toe. Toen Rich haar tingelende enkelkettinkjes hoorde, moest hij even aan Pix denken, maar hij zette de gedachte snel uit zijn hoofd.

'Zullen we op mijn brommer gaan?' stelde hij voor. 'Jij moet me de weg maar wijzen. Ik ben nog maar een beginner.'

Tanya sloeg haar armen om zijn middel. 'Het komt wel goed,' zei ze met zoveel overtuiging dat hij zijn adem inhield.

Ze hield zich aan hem vast terwijl ze op de brommer wegreden en Rich zag in hun schaduw hoe haar witgouden haren achter haar aan wapperden in de wind. Hij voelde zich alsof hij in een film zat en lachte. De warme wind teisterde zijn pasgeschoren wangen. Tegen de tijd dat ze bij de oude brug over de rivier aankwamen, was de zon achter de horizon gezakt en de avond stilletjes tussen de bomen geslopen.

'Hou je vast,' riep Rich. Hij verstevigde zijn greep op de versnellingshendel en hobbelde het uitgesleten pad af naar het onverlichte bosje palmbomen. 'O, mijn god,' gilde hij toen ze een schuiver maakten in het diepe zand en om de hoge boomstronken begonnen te zwalken, maar Tanya lachte alleen maar.

'Je doet het uitstekend,' zei ze terwijl ze hem geruststellend op zijn rug klopte.

Het nieuwe-maansfeestje in Little Vagatour was in volle gang.

Rich voelde zijn benen trillen terwijl hij stilhield op de top van de klip en de sleuteltjes uit het contact haalde. Op het strand beneden echode trancemuziek tegen de rotsen die afkomstig was uit de hutten van bamboe en leem. Op het donkere zand had zich een kleine menigte verzameld en op de rotsen stonden jongleurs en acrobaten brandende toortsen in de avondlucht te gooien.

Tanya sprong van de brommer en knoopte haar lunghi weer vast om haar strakke buik. Terwijl Rich toekeek kreeg hij de neiging haar huid te strelen en zijn handen onder haar hemd te laten glijden om de vorm van haar ribbenkast en de volheid van de onderkant van haar borsten te voelen.

'Wassende maan.' Ze knikte naar de lucht. Rich bloosde en stopte de contactsleuteltjes in zijn zak terwijl hij naar de volmaakte zilveren maansikkel en de heldere ster van Venus ernaast staarde. Hij herinnerde zich dat iemand hem eens had verteld dat de nieuwe maan geluk bracht, als je hem maar niet voor het eerst door een raam zag. Hij betastte de maansteen in zijn zak. Misschien was het een gunstig voorteken.

'Kom.' Hij keek om zich heen en zag dat Tanya hem stond op te wachten, haar hand uitgestoken om hem langs het kronkelige rotspad door het koude gras onder de zilveren palmen de menigte binnen te leiden.

Het was zeven uur en al donker tegen de tijd dat Charlie op Hill Farm aankwam.

'Zo, we zijn er,' zei Jamie, de taxichauffeur die Mary Rose had gestuurd om Charlie van het station te halen. Hij draaide de gedeukte Volvo de oprijlaan in en Charlie leunde naar voren om de lichten in de oude granieten boerderij te kunnen zien. Hij stopte met banden die knarsten op de ruwe kiezelstenen, en Charlie stapte uit, de bijtende wind en de spetterende regen in.

De zware eiken deur in de gevel van de boerderij zwaaide open en Mary Rose kwam naar haar toe hollen, haar hoofddoekje wapperend om haar kleine, blozende gezicht. Ze riep tegen de honden dat ze binnen moesten blijven, maar het had geen zin. Jakey-Boy en Spoof stormden haar korte beentjes voorbij en renden op Charlie af, die bijna haar evenwicht verloor toen ze tegen haar op sprongen.

'Hallo, jongens,' zei ze terwijl ze door de zachte oren van de bordercollies woelde.

Mary Rose zwaaide en kwam op Charlie af gestampt op haar oude groene rubberlaarzen. 'Zet maar op mijn rekening, Jamie.'

'In orde,' zei Jamie. Hij zette even zijn hand tegen de rand van zijn tweedpet en stapte weer in zijn auto.

Mary Rose begon te redderen. Ze pakte Charlies zware weekendtas in één sierlijke beweging op en zei: 'Hallo, schat, je zult wel uitgeput zijn. Kom maar gauw binnen, hoor.' Toen beende ze terug naar de deur en hoewel Charlie bijna tien centimeter groter was dan zij, had ze moeite haar bij te houden.

'Wat een rotweer,' zei Mary Rose terwijl ze Charlies tas in de grote hal zette. Zodra de deur dichtdeed, verstomden de geluiden van de stormachtige avond. Charlie keek naar het geweer dat in een hoek stond. 'Ze zeggen dat het nog erger wordt,' vervolgde ze, terwijl Charlie achter haar aan liep naar de keuken, langs het rek met de jassen en hoeden, de draaiende wasmachine en een knapperig bakje met kattenvoer op de vensterbank.

De keuken werd verlicht door een schelle neonlamp waardoor de kringen op het plastic tafelkleed fel werden uitgelicht. Een dikke zwarte kat sprong van de zijkant van het gammele gasfornuis, landde stilletjes op de plavuizen en verdween door het kattenluikje in de beslagen glazen deur. In de hoek floot een oude boiler; eronder stond een buffet dat hoog was opgestapeld met verschillende sleutelbossen, flessen en tuingereedschap. Potten met geraniumstekjes stonden op het grote aanrecht van roestvrij staal, waarnaast een enorm hakbord en een slagersmes lagen, en daarnaast stond een mokkenrek waaraan een merkwaardig assortiment gebutste bekers van Koninklijke Huwelijken hing.

Mary Rose knoopte haar hoofddoek los en klopte op haar gepermanente grijze krullen. Ze was nog maar eenenvijftig, dezelfde leeftijd als Charlies moeder, maar ze zag er ouder uit dan Charlie zich herinnerde. Haar ronde wangen waren door de jaren rood geworden, om haar scherpe bruine ogen zaten rimpeltjes terwijl de huid om haar rozenknopmondje vol lijntjes zat.

'Nu lust je zeker wel een glaasje gin!' Mary Rose draaide de schroefdop van een klein groen flesje en haalde twee glaasjes van de plank. Zonder Charlies antwoord af te wachten schonk ze een laagje van de olieachtige vloeistof in elk glas en voegde er een scheut tonic uit de koelkast aan toe.

'Ik heb geen citroenen, jammer genoeg.' Ze gaf een van de glazen aan Charlie. 'Proost.'

Charlie nam een slok van de gin. Haar ogen begonnen te tranen van de lucht. 'Ik was al helemaal vergeten hoe die gin van je smaakte,' hoestte ze en Mary Rose glimlachte.

'Laat me eens even naar je kijken,' zei ze terwijl ze haar in het scherpe licht onderzocht. Ze fronste haar borstelige wenkbrauwen. 'Wanneer heb jij voor het laatst groente gezien?'

'Telt pizza ook?'

'Absoluut niet,' zei Mary Rose terwijl ze haar in haar wang kneep. 'Maak je geen zorgen, we knappen je in een mum van tijd weer op.'

Het deksel van de borrelende pan op het fornuis begon te sissen en te klepperen en Mary Rose zette haar glas op tafel en liep erheen. Charlie nam kleine slokjes van haar drankje en keek om zich heen of ze ergens kon zitten. Op de stoel die het dichtste bij haar stond, lag een stapel kranten, op een andere een paardenhoofdstel.

'Ik hoop dat je het niet erg vindt dat ik hier zomaar binnenval,' zei ze.

'Doe niet zo raar. Ik vind het enig, en bovendien is er heel wat te doen voor je. Je mag zo lang blijven als je wilt, maar ik kan niet zeggen dat ik je veel amusement te bieden heb. Het is hier heel saai in vergelijking tot de pracht en praal die je in Londen gewend bent.'

'Zo zou ik mijn leven daar niet bepaald willen noemen.'

Mary Rose ving Charlies blik op. 'Daar geloof ik niets van. Hoe gaat het met Rich? Hij gedraagt zich toch wel een beetje, hè?'

Charlie stuntelde wat met haar glas. 'Het gaat wel goed met hem, denk ik.'

Mary Rose keek haar bezorgd aan.

'Hij is een poosje weg,' legde Charlie uit met een brok in haar keel. Nu ze Mary Rose zag, miste ze Rich en er kwam een golf van schuldgevoel over haar heen. 'We hebben min of meer ruzie gehad.'

Mary Rose hing de ovenwanten over de deur van de oven. 'O, jee.'

'Er is zoveel gebeurd. Het is allemaal nogal...' Charlie keek in haar glas met een gevoel of ze in tranen zou uitbarsten.

Mary Rose knikte. 'Ik heb je de slaapkamer boven gegeven,' zei ze. 'Als jij het je daar nu eens gezellig maakt, dan kunnen we straks even bijpraten.'

Charlie duwde de zware keukendeur open en boog daarbij haar knieën om te voorkomen dat de honden de zitkamer in zouden hollen. Een groot houtblok gloeide rood op en kraakte onder de granieten schoorsteenmantel. Een versleten, met chintz beklede bank, een schommelstoel en een ouderwetse Singer naaimachine bedekten het grootste deel van het tapijt. In de hoek tikte traag een oude opaklok. Charlie trok het dikke gordijn open om uitzicht op het dal te krijgen, maar alles wat ze aan de andere kant van het glas zag, was de pikdonkere nacht, en ze huiverde.

Het huis was minstens tweehonderdvijftig jaar oud en de treden van de stenen trap waren uitgesleten en zwart geworden. Boven was het koud en Charlie voelde haar tanden klapperen terwijl ze over de krakende planken naar de kamer aan het eind van de gang liep en haar zintuigen weer gewend raakten aan de sfeer. Ze voelde zich weer alsof ze negen was toen ze de klink van de slaapkamerdeur optilde.

Het was er kleiner dan ze zich herinnerde en ze moest bukken toen ze de kamer binnenkwam om te voorkomen dat ze haar hoofd tegen de balk stootte. Ze liep de trap af naar het schapenwollen tapijt dat met de jaren was vergeeld en zag dat de vertrouwde aquarel van een jachttafereel bedekt was met een flinke laag spinnenweb. Over het eenpersoonsbed met een ijzeren frame lag een verbleekte patchwork quilt. Ze ging erop zitten en zakte in de eendenveren zachtheid ervan terwijl de beddenveren begonnen te kraken.

De kamer was haar zo vertrouwd en toch zo vreemd. Ze was er als een ander mens teruggekomen. Ze keek naar de stoffige boekenplank vol verbleekte, blauwe en rode gebonden boeken en zag het versleten exemplaar van *The Magic Faraway Tree*. Ze liep naar de boekenplank en sloeg het jaarboek van de Gidsen open. 'Ik beloof dat ik mijn best zal doen mijn plichten tegenover God na te komen, de Koningin te dienen en andere mensen te helpen, en me aan de Wet van de Gidsen te houden,' las ze, en een verbitterd lachje ontsnapte uit haar verloren binnenste.

Toen ze weer de keuken in kwam, ging de telefoon. Mary Rose trok de gebogen antenne eruit en zette haar oor tegen de hoorn. Ze knalde hem in de muis van haar hand. 'Ja, Hamish, hallo.' Ze zette haar grote bril met het plastic montuur op en pakte een lekkende balpen die met plakband was vastgemaakt aan een stukje touw naast de keukenkalender, en bekeek de rijtjes minuscuul geschreven aantekeningen.

'Ja. Morgen halfnegen. Dan zie ik je daar. O, en ik neem iemand mee.' Ze keek naar Charlie. 'Mijn pleegdochter. Ja, ja. Ze is over uit Londen.'

Mary Rose glimlachte tegen Charlie terwijl ze het toestel teruglegde. 'Hamish, de dierenarts. We gaan morgen naar een veiling en hij gaat mee, als bescherming.'

'Bescherming?'

'Je ziet het wel,' zei Mary Rose. 'Je vindt Hamish vast aardig. Het is een enige man.'

'Ik ben van de mannen af.'

Mary Rose deed het neonlicht uit en zette een lamp op tafel zodat de warme gloed ervan de ruimte deed veranderen en de rotzooi werd verborgen door donkere schaduwen.

Charlie keek naar een foto aan de muur van Mary Rose op de paardenrennen van Burleigh. 'Kan ik ergens mee helpen?'

Haar pleegmoeder ging zitten en kwakte een pan met water en een zak aardappelen op tafel. 'Je mag deze schillen, als je wilt. Goed, vertel nu maar op.'

Charlie hield een aardappel in haar hand. 'Ik weet niet waar ik moet beginnen.'

Mary Rose zette de fles gin naast haar. 'Maakt niet uit, praat maar gewoon.'

En dus vertelde Charlie alles wat er maar te vertellen viel over de desastreus verlopen Up Beat-actie, haar relatie met Daniel, de vlucht van Rich, en het allerergste, het feit dat ze Kate kwijt was.

'Dat bedrijf, dat is volgens mij een onverbeterlijk zootje,' zei Mary Rose streng, terwijl ze Charlies glas bijvulde. 'En wat die Daniel betreft, nou, als ik die te pakken kreeg, dan was hij nog niet jarig.'

Charlies ogen vulden zich met tranen. 'Ik was verliefd op hem, en al die tijd heeft hij tegen me gelogen. Ik voel me zo'n stom rund.' Ze legde haar hand op haar voorhoofd, waardoor het aardappelmesje naar buiten stak.

Mary Rose ging zitten. 'Luister eens goed, jongedame. Zonder hem ben je veel beter af.'

Charlie schudde het hoofd en haalde haar neus op. 'Waarom heb ik zulke stomme fouten gemaakt?'

'Fouten maken we allemaal.'

'Niet zulke kapitale fouten.'

Mary Rose pakte de keukenrol en trok er een stukje af voor Charlie. 'Misschien ben je er ingeluisd.'

'Wie zou mij er nu in willen luizen?'

'Iedereen. Als je erover nadenkt, hebben ze allemaal een motief. Eén ding dat ik heb geleerd, is dat jaloerse mensen altijd problemen veroorzaken.'

Charlie keek haar zielig aan terwijl ze haar neus snoot, en Mary Rose keek met het hoofd schuin terug. 'Het was maar een of andere stomme actie in een krant. Het is niet het einde van de wereld.'

Charlie keek naar haar op, haar ogen vol tranen. 'Zo voelt het wel. Ik voel me zo vernederd. Ik begrijp niet dat ik iedereen zo heb vertrouwd, vooral Daniel.'

Mary Rose maakte een afwerend handgebaar. 'Poeh! Daniel. Je bent veel te goed voor hem. Een beetje boerderijlucht en je ziet het allemaal heel anders.'

Charlie ging door met aardappels schillen. Hoe kon Mary Rose dat nu zeggen? Haar leven was volledig in elkaar gestort. In één klap naar de afgrond. Alsof frisse lucht haar heen en weer schommelende emoties kon genezen.

'Ik weet dat je denkt dat ik hard ben,' zei Mary Rose, alsof ze haar gedachten kon lezen. 'Maar het helpt niet als je gaat lopen kniezen en medelijden met jezelf gaat hebben. Binnen de kortste keren ben je het vergeten.'

Charlie diepte met het mesje een zwart plekje uit de aardappel. 'Ik denk niet dat mijn bankrekening het zo snel zal vergeten.'

Mary Rose zette haar bril af. 'Problemen?'

'Daniel heeft me vrijwel bankroet gemaakt en nu ik mijn baan kwijt ben, weet ik niet wat ik moet doen.'

'Mannen! Ze zijn ook allemaal hetzelfde,' zei Mary Rose en schoof haar stoel achteruit. 'Zeg maar om hoeveel het gaat, dan schrijf ik een cheque voor je uit.'

Charlie bloosde en keek op van haar karweitje. 'Mary Rose, doe niet zo belachelijk. Ik heb je dat niet verteld omdat ik wilde dat je me uit de penarie hielp.'

'Stil. Waar zijn pleegmoeders anders voor? Je ouders zitten aan het andere eind van de wereld. Wat wou je anders doen?'

Charlie schudde haar hoofd en veegde met haar pols een traan uit haar ooghoek.

'Precies. We sturen wat geld naar je bank en dan betaal je me maar terug wanneer je kunt. Of beschouw het anders maar als levensonderhoud. Je zult er hard voor moeten werken, hoor!'

Charlie voelde haar onderlip trillen. 'En hou daarmee op,' viel Mary Rose uit.

'Sorry.'

'Je redt het wel. Als je maar onthoudt dat het leven op fietsen lijkt. Tenzij je ophoudt met peddelen, val je er niet af.'

'Hier.' Tanya gaf Rich de joint, terwijl ze het mousselinegaas over het mondstuk hield. Rich kneep zijn ogen tot spleetjes terwijl de bijtende rook naar zijn ogen kringelde. Hij zette zijn lippen aan het mondstuk en inhaleerde.

Hij hoestte de dikke grijze rook uit. 'Wat stoppen ze in godsnaam in dit soort dingen?' vroeg hij.

'Van alles. Ik denk dat hier opium in zit.'

'Ik ben niet gewend om te roken,' zei hij terwijl hij de joint doorgaf en met zijn vuist op zijn stekende borstkas stompte. 'Ik heb vandaag al wat hasjcake van de markt in Anjuna gehad. Het spijt me erg. Toen ik jou tegenkwam, was ik volledig van de wereld.'

Tanya lachte. 'Je was lief.'

'Ik vond het lekker. Ik voelde me heel ontspannen – vooral na mijn massage.'

'Zo zag je er ook uit. Maar de grootste drug van alles moet je nog ontdekken,' zei Tanya terwijl ze achteroverleunde en naar het sterrenuniversum keek dat kwellend dichtbij leek.

Rich volgde haar blik naar de maan, die begon te zwalken. Hij keek door één oog om hem weer in balans te krijgen. 'Bedoel je paddestoelen?

Tanya lachte en strekte haar volmaakt gespierde benen naar hem uit. Haar volle borsten drukten tegen de stof van haar hemdje terwijl ze naar hem opkeek.

Deze vrouw was zo begeerlijk dat het hem bijna de adem benam. Hij wilde alles van haar weten: waar ze vandaan kwam, waar ze woonde, wat ze de komende zestig jaar ging doen. En toch leek het vragenritueel dat hij gewoonlijk volgde als hij een meisje ontmoette, hier volledig misplaatst. Hij had geen andere keuze dan zich te laten meevoeren. En terwijl hij zo naar haar keek, wist hij dat wat ze ook had, of het nu haar mysterieuze uitstraling of haar rust was, hij het wilde hebben.

Ze trok haar knieën op en nam een slokje bier. 'Waar denk je aan?' vroeg ze.

'Dat ik niets van je weet.'

'Je weet meer dan je denkt,' zei ze cryptisch, alsof ze in zijn hoofd kon kijken, en Rich begon onverwacht te blozen.

'Eindelijk. Daar komt Jeff,' zei ze terwijl ze over zijn schouder naar de naderende menigte keek.

Jeff was waarschijnlijk de gaafste kerel die Rich ooit had gezien en toen hij rechtop ging zitten voelde hij zich net een idioot. Jeff plofte in lotuspositie op het zand en begon op een stel bongo's te drummen. Er zat geen onsje vet aan zijn lijf en Rich stikte haast van afgunst toen Jeff zich uitrekte om een meisje een kus te geven en een bruine, holle buik liet zien met zongebleekte, blonde krulhaartjes.

De bongo's van Jeff waren het sein voor zijn discipelen, en binnen een paar minuten had zich een hele groep om hem heen verzameld in het zand. Tanya legde uit dat Jeff al jaren in Goa woonde, in de vreemdsoortige tipi die hij tussen de palmbomen had gezien. Hij sprak Portugees en Hindi, kende iedereen, zorgde ervoor dat de drugs zuiver bleven, lette gedurende de moesson op de verblijven, gaf yoga en t'ai chi-cursussen, speelde op zijn bongo's, verwekte kinderen en bracht tatoeages aan in ruil voor bandjes van de nieuwste dansmuziek. Rich keek naar de biceps, enkels en ruggen van de verzamelde menigte. Ze hadden allemaal de bloeiende kunstvorm van Jeff ontvangen.

Jeff riep naar de deejay en toen klonk er een nieuw deuntje over het strand. Hij sprong op zijn voeten en de menigte juichte toen hij zijn armen naar de horizon uitstrekte en met zijn blote voeten in het zand trappelde. Rich keek aanvankelijk toe, maar het dansen werkte aanstekelijk en hij stond op, begon te hossen en probeerde de vloeiende bewegingen van Jeff na te doen. Zijn dans leek op een vorm van krijgskunst.

Tanya glimlachte naar hem en zwaaide met haar heupen. 'Vergeet dat maar! Wees gewoon jezelf!' riep ze boven de muziek uit.

Rich haalde zijn schouders op en volgde haar advies op. Daar gaat-ie dan, zei hij bij zichzelf, en hij gooide zijn armen opzij en draaide als een tol in het rond.

Duizelig maar euforisch kwam hij tot een wankelende stilstand. De horizon zigzagde voor zijn ogen.

'Hé!' De keelklanken van Jeff resoneerden Rich in de oren. Jeff legde een arm om zijn schouders en lachte. Rich voelde zich onmiddellijk in balans. Zo moest het voelen om te worden gezegend door de paus. Hij grijnsde naar Jeff die tot zijn ontzetting zijn arm, massief als van mahoniehout, om hem heen hield, en ze dansten samen verder. Rich hield zich aan hem vast en tilde zijn benen op zoals Jeff had gedaan, terwijl anderen hen volgden.

De muziek werd harder en de menigte bewoog zich naar de zachte rimpelingen van de golfjes. Opeens ontdeed Jeff zich van zijn korte broek en stond in het maanlicht, prachtig naakt, terwijl zijn zandkleurige krulhaar in een paardenstaart over de golvende spieren van zijn rug viel en hij zijn armen uitstrekte naar de maan. 'Kom op,' riep hij, en voor Rich het wist, was ook hij aan het gillen terwijl hij door de donkere golven dook.

Hij stak zijn hand uit naar Tanya, zijn verlangen vechtend met het koele water, en ze kwam naar hem toe zwemmen door de fosforescerende zee.

'Kom, we gaan drijven,' zei ze terwijl ze haar benen omhoog tilde. Rich zag hoe haar blonde haar zich uitspreidde in het water, haar prachtige borsten drijvend terwijl ze in de wieg van de zee lag alsof het haar eigen waterbed was.

Rich strekte zich achterover in de zachte golven en pakte haar hand. Zijn oren vulden zich met zout water en zijn ogen ontspanden zich in de melkweg van sterren boven hem terwijl zijn geest wegdreef naar de planeten. Wat voor zin had het je druk te maken over een juridische kwestie als je slechts een minuscuul stipje op de wereld was en de wereld slechts een minuscuul stipje in de melkwegstelsels?

Plotseling werden ze allebei door een golf overspoeld. Hij stak intuïtief zijn hand uit naar Tanya en trok haar rechtop, en heel even hield hij haar naakte lichaam tegen het zijne terwijl zijn tenen tegen het zeebed van zand dansten. Hij voelde haar lange benen om hem heen, zijdeachtig zacht in het water, en toen haar vrouwelijke buik tegen zijn kruis gleed, huiverde hij van verlangen. Maar in een mum van tijd had ze zich omgedraaid en verdween. Ze gleed door het water heen naar de anderen, en Rich had het gevoel of hij zojuist een zeemeermin had aangeraakt.

Later, weer op de brommer, zaten ze huiverend in het licht van de nieuwe dag, hun haar nog steeds vochtig. 'Hoe vond je het feestje?' vroeg ze toen ze weer de weg op draaiden.

'Fantastisch.' Rich ademde de koele lucht in en keek uit over de rijstvelden.

'Moet je kijken, wat mooi,' zuchtte ze. 'Ik ben dol op de zonsopgang.'

Rich bleef staan op een oude brug en terwijl hij de motor afzette, daalde er rust over hen neer. Tanya hield haar armen om hem heen en hij legde zijn handen over die van haar. Rich staarde door de bomenrij en voelde de aanwezigheid van de zilveren rimpeling van het getij op het strand.

'Mary Rose,' zei hij zacht. Hij reikte zijn hand naar achteren en liet hem geruststellend op Tanya's dij rusten. 'Het was Mary Rose die zei dat de nieuwe maan geluk brengt.'

Terug in Baga zette Rich de brommer bij het appartement neer.

'Waar zullen we naartoe gaan?' fluisterde hij. Hij wilde nog geen afscheid nemen.

'Naar het strand.'

Hij pakte haar hand terwijl ze door het rulle zand liepen. Ze huiverde in de ochtendmist. Rich liep naar een van de uitgeholde kokospalmen waarvan de plaatselijke vissersbootjes waren gemaakt en begon het verweerde zeil ervan af te pellen.

'Stop.' Tanya liet met een hoofdknikje blijken dat ze weg wilde.

'Maar het is ijskoud.'

'Sst. Je moet jezelf van binnenuit verwarmen.'

Ze voerde hem weg naar een wit stuk zand en vouwde haar soepele benen onder haar. Toen boog ze voorover en klopte op het zand voor haar, waar hij ging zitten.

'Wat een nacht,' zei Rich als begin om de stilte te doorbreken, maar Tanya legde haar vinger op haar lippen. Ze keek hem aan, haar ogen ernstig en toch zacht in het melkachtige licht, nam toen zijn handen en legde haar handpalmen tegen de zijne.

Rich giechelde nerveus en keek om zich heen. Alsof ze zijn gedachten kon lezen, drukte Tanya zachtjes tegen zijn handen. 'Niet twijfelen. Het werkt. Zie je wel?' En ze staarde hem aan tot hij haar blik werd binnengezogen. Hij voelde hoe haar warmte in hem kwam en hij was zo betoverd dat hij haar blik vasthield tot hij volledig met haar in contact was. Toen de zon hoger was geklommen, kwamen de vissersboten terug naar het strand. Hun buitenboordmotoren verbraken de stilte toen de dag begon.

Rich schudde zichzelf wakker als uit een trance. Tanya's wangen waren gaan blozen en hij streelde haar haren. De gouden lokken voelden zo delicaat aan dat ze van onschatbare waarde leken. Ze glimlachte naar hem met ogen zo helder als de hemel, en hij boog zich naar haar toe om haar te omhelzen. Hij had het gevoel of ze zojuist hadden gevrijd. Hij wist dat, in weerwil van hemzelf, zijn bevroren binnenste aan het ontdooien was.

Charlie had niet ontbeten en haar maag rammelde terwijl Mary Rose de ringweg af en de enorme parkeerplaats voor het veilinghuis op reed. Hoewel het nog maar acht uur was, was het stervensdruk en ze hadden moeite om een plekje te vinden tussen de Landrovers, vrachtwagens en paardentrailers. Het is me het landelijk leven wel, dacht Charlie.

Het lelijke betonnen veilinghuis was zo groot als een voorsteeds bioscoopcomplex en zat vol boeren met verweerde gezichten toen Charlie en Mary Rose de smerige deuren hadden opengeduwd.

Mary Rose pufte haar adem uit en instrueerde: 'Maak je borst maar nat en blijf in de buurt.' Ze zette een vastberaden gezicht op en liep naar de veilingring toe. Charlie had zich nog nooit zo in het oog lopend gevoeld en terwijl ze zich naast Mary Rose opstelde aan de rand van de ring, meende ze duidelijk een licht geroezemoes door het enorme lawaai te horen gaan.

Ze moesten de enige twee vrouwen in het hele gebouw zijn, met inbegrip van de schapen die luid blatend hun beurt afwachtten in de houten stallen. Charlie wreef in haar ogen. Ze voelde zich moe en raar, alsof ze in een autowasserette was en hulpeloos was overgeleverd aan de dominerende draaiende borstels van het leven die over haar heen schuurden. Hoe kwam ze in godsnaam op een schapenveiling terecht?

Op een hoger podium trok de veilingmeester zijn tweedpet recht en dreunde door de microfoon om de volgende portie aan te kondigen. Boven hem waren de rood met witte digitale cijfers al even onleesbaar als zijn stem onverstaanbaar was. Het stalen hek rammelde open en de tegenstribbelende schapen werden de met zaagsel bestrooide arena binnengedreven, vergezeld door het gemompel van de knoestige boeren die ze inspecteerden.

Opeens was het bieden en loven begonnen en de veilingmeester begon op duizelingwekkende snelheid een soort koeterwaals uit te braken. De prijs ging duidelijk omhoog, maar terwijl Charlie op haar tenen naar de menigte stond te kijken, kon ze onmogelijk vertellen wie er bood. Binnen een paar minuten klonk er een harde bel en de reusachtige boer dreef de schrikachtige schapen terug naar hun stal.

'Mary Rose! Hallo!'

Charlie draaide zich om, om te zien wie de eigenaar van de stem was en zag een lange man, die zich een weg baande door de menigte. Hij knikte tegen de boeren die met afgunstig respect opzij gingen.

'Sorry dat ik te laat ben,' zei hij terwijl hij zijn deukhoed afzette en zich door het kortgeknipte, rode haar wreef. 'Ik werd opgehouden in de praktijk. Hallo,' zei hij terwijl hij zijn besproete hand uitstak.

Hamish Hamilton had het accent van Sean Connery, vriendelijke, lichtblauwe ogen onder lange rode krulwimpers en hij droeg een geruit overhemd en een zachte Aran trui. Charlie glimlachte verlegen toen ze zich aan hem voorstelde.

'Angus Wilson heeft een mooie Border Leicester. Volgens mij moesten we daar maar op bieden. Wat vind jij?' vroeg Mary Rose.

Hamish keek in zijn programma. 'Het is een beetje een gok, maar we zullen zien wat we kunnen doen. Hij is zo aan de beurt. Ga jij bieden?'

'Wil jij het doen? Je weet hoe ze me kunnen negeren.'

Charlie keek haar vragend aan en Mary Rose legde uit dat de andere boeren haar negeerden omdat de ooien van Hill Farm het vrouwelijkst en dus het meest succesvol waren.

'En jij bent een dame, en het spijt me dus te moeten zeggen dat deze jongens nog in de Middeleeuwen leven,' voegde Hamish eraan toe.

'Waarom zou Charlie het niet doen?' vroeg Mary Rose opeens.

'Ik?'

Hamish grinnikte. 'Het is het proberen waard. Kom mee.'

Hij duwde zich een baan door de menigte. Charlie volgde hem en klom op de onderste stang van de stalen hekken. Het lawaai en de stank waren ondraaglijk en Hamish moest pal naast haar blijven staan om haar tegen de opdringerige boeren te beschermen.

'Wat moet ik doen?' vroeg Charlie volslagen perplex.

Hamish legde beschermend een arm om haar heen en greep de stang vast. 'Volg mijn instructies maar. Ik zeg wel wanneer je moet bieden. Gewoon knikken.'

'Zien ze me dan wel?'

Hamish zette zijn voet op de stang naast die van haar. 'Geloof me, ze zullen je zien,' lachte hij.

Charlie leunde over de relingen en krabde op haar hoofd zodat haar blonde krullen wijduit gingen staan. Ze zag hoe de boeren aan de overkant van de ring haar sceptisch bekeken, maar ze negeerde hen en keek toe hoe de grote ram naar voren werd gedreven. Hij had een forse Romeinse neus en een hoge gang en keek minachtend naar de veilingmeester terwijl hij naar het midden van het hok schreed.

De bel klonk en de veilingmeester ging van start. Hamish boog zich dicht over Charlie heen, sprak in haar oor en vertelde haar wanneer ze moest bieden. Charlie keek heen en weer tussen de veilingmeester, de menigte en de ram terwijl het bieden doorging. De lippen van Hamish kietelden nu bijna haar oorlelletje.

'Even wachten. We hebben hem bijna. Oké, nu,' zei hij. Charlie stak even haar hand op, de veilingmeester knikte tegen haar en de bel ging.

Mary Rose sloeg Hamish met haar programma op zijn borst toen hij aankondigde dat ze Finlay Macintosh, de chagrijnige buurman van Mary Rose, hadden overtroefd en dat zij nu de trotse eigenares van een nieuwe ram was.

'Je maakt me nog eens bankroet, Hamish Hamilton,' zei ze. 'Ik hoop voor jou dat hij bronstig is.'

Hamish keek naar Charlie. 'Zodra hij zijn nieuwe eigenaars ziet, weet ik zeker dat hij zo hitsig wordt dat hij je meisjes maar al te graag van dienst is.'

Mary Rose schudde lachend haar hoofd terwijl Hamish afscheid nam en zijn groene Barbour verdween in de menigte.

De nieuwe ram was echter verre van blij toen Charlie en Mary Rose hem uit het hok kwamen halen en ze moesten alles op alles zetten om hem via de houten plank de achterbak van de Landrover in te krijgen.

'Wil je zijn voor- of zijn achterkant?' vroeg Mary Rose, haar wangen rood van inspanning en woede. Ze negeerde hardnekkig het groepje boeren dat over houten hekken leunde en shaggies rokend toekeek.

Hun nieuwe ram keek Charlie boosaardig aan en ontblootte zijn witte tanden, en zij liep om hem heen naar achteren terwijl Mary Rose een touw om zijn nek bond. Ze voelde zich te uitgeput en te koud om dit aan te kunnen en ze verlangde ernaar haar ogen dicht te doen.

'Duwen,' zei Mary Rose terwijl ze in de Landrover sprong en aan het touw begon te trekken om de ram de loopplank op te krijgen. Charlie overzag zijn achterkant, zette vrolijk haar handen op zijn romp en begon te duwen.

'Harder,' riep Mary Rose. 'Duw maar met je laarzen.'

De boeren fluisterden terwijl Charlie het schaap de loopplank op sjorde en barstten in lachen uit toen hij uithaalde met zijn achterpoot. Charlie had het gevoel of ze een karateschop tegen haar scheenbeen had gekregen.

Zonder te laten blijken hoeveel pijn ze had, hielp ze Mary Rose de houten loopplank weer achter in de Landrover te leggen en keek dreigend naar de boeren terwijl ze naar het autoportier aan de passagierskant hinkte.

'Waarom doen ze zo vijandig?' vroeg Charlie.

'Let er maar niet op. Ze zijn jaloers,' zei Mary Rose terwijl ze de motor startte. De ram schopte en kronkelde in de achterbak en ze keek er door het traliehek naar.

'Hou je rustig daar achterin en gedraag je,' commandeerde ze en heel even was het dier stil. Ze schakelde in een hogere versnelling en reed de ringweg op.

Charlie legde haar laars op het slingerende dashboard en rolde de pijp van haar spijkerbroek op om haar scheenbeen te bekijken.

'Da's een kanjer,' zei Mary Rose.

Charlie keek somber naar de kloppende kneuzing. 'En ik was nog wel nuchter.'

'Wat bedoel je?'

'Als ik een avondje flink was wezen stappen, werd ik ook altijd wakker met kneuzingen en blauwe plekken. We noemden ze altijd UPO's.'

'Wat is een UPO?'

'Een Unidentified Party Object.'

Mary Rose lachte, maar Charlie staarde verloren naar de weg. 'Althans, zo noemden Kate en ik ze.'

Mary Rose keek haar even van opzij aan en ging toen over op een ander onderwerp. Ze begon levendig te vertellen over het dekken van de ooien en over alles wat er op de boerderij gedaan moest worden. Charlie had geen tijd meer om aan Kate te denken omdat Mary Rose haar bestookte met nieuwe informatie.

Tegen de tijd dat ze de hoofdweg af gingen en de oprijlaan in reden, bonkte de ram tegen de zijkanten van de Landrover en deed een zware aanslag op de vering.

'Hoe zullen we hem noemen?' vroeg ze.

'Laat me even denken.' Charlie tikte op haar lippen en haalde ze toen snel weer weg bij de gedachte waar haar handen aan gezeten hadden.

'Hoe noem je een dure, arrogante, geile, koppige, humeurige ram die je tegen je schenen schopt?'

Charlie keek uit het raampje en wendde zich toen tot haar pleegmoeder. 'Daniel, natuurlijk,' zei ze en barstte in tranen uit.

Tanya liep rond de oefenmatten onder het bamboe afdak.

'Goed. Nu gaan we Suryanamaskar B doen. Ga voor jullie matten staan en vergeet niet je te concentreren op de Mula Banda, Uddiyanna Banda en Uija ademhaling,' zei ze.

Het zweet druppelde Rich langs de slapen terwijl hij zich centreerde op zijn voetzolen en door de palmbomen naar de zee keek. Het was halfzeven 's morgens en de lucht was fris en koel. Het was zijn derde Astanga yogales en er zaten nog zes mensen in dit klasje.

Tanya deed het voor en hij keek vol ontzag toe hoe ze op welgevormde benen achteruit sprong en een gracieuze borstopdruk vormde. 'En inademen,' instrueerde ze terwijl ze over haar tenen rolde en haar lichaam in één vloeiende beweging vooroverboog. 'En uitademen.' Ze drukte zich op haar handen en voeten achterover in een adembenemende omgekeerde V.

Rich was vastbesloten goed in yoga te worden. Iets aan deze vroege ochtendsessies maakte dat hij zich spiritueel en gereinigd voelde, alsof hij 'Ohm' zeggend zou gaan rondwandelen. En misschien had hij op een dag wel net zo'n lichaam als dat van Jeff, dan zou hij nooit meer moeite hebben met het versieren van meisjes! Maar dat was nog heel ver weg. Na slechts twee herhalingen van de houding duwde Rich de zijkant van zijn gezicht in de blauwe mat en hijgde uit terwijl het zweet hem over het voorhoofd liep.

'Ik ben gebroken. Nee. Ik ben dood,' zei hij toen Tanya naar hem toe kwam. Hij rolde op tot zithouding en keek haar aan. Ze zou wel niet zo onder de indruk zijn van zijn fysieke conditie na deze rampzalige vertoning. Hij was hopeloos. Ze lachte en stak een van haar volmaakte tenen uit om hem in zijn buik te prikken.

'Je leert het wel.'

'Dit is nog erger dan rugbytraining.'

'Maar dit is veel beter voor je. Je doet het helemaal niet slecht. Onthoud: oefening baart kunst,' zei ze en trok hem aan zijn arm omhoog.

'Je bent een harde vrouw,' zei hij.

'En ik maak een harde man van je.' Ze trok haar wenkbrauwen tegen hem op en vervolgde haar les.

Was ze echt met hem aan het flirten? Rich boog zich voorover en keek tussen zijn benen door naar achteren, maar hij kreeg geen tijd om er langer bij stil te staan omdat Tanya doorging met de zithoudingen. Hij moest en zou dit yogageintje onder de knie krijgen, al werd het zijn dood.

Tegen de tijd dat ze bij de schouderstanden aankwamen, was Rich uitgeput maar voelde hij zich wonderbaarlijk goed. Tanya stond boven hem en trok aan zijn benen om ze recht te trekken.

'Dit heb ik niet meer gedaan sinds ik een klein jochie was,' grapte Rich moeizaam – zijn kin zat tegen zijn borst gedrukt.

'Dat is te zien.' Ze hees hem omhoog en Rich gaf een gil omdat zijn rug werd uitgerekt. Zijn arme lichaam wist niet wat er gebeurde.

Tanya glimlachte tegen hem terwijl ze hem losliet, en zwaaide zijn benen over zijn hoofd heen. 'Nu raak je met je knieën je oren aan.'

Rich krulde zich als een balletje achterover, zijn benen om zijn hoofd, zijn navel dichterbij dan ooit tevoren. Nog een paar centimeter en hij kon zichzelf pijpen.

'Zie voor je hoe je yoga doet,' zei Tanya toen ze eindelijk aan de laatste reeks toe was.

'Wie, ik? Na vandaag? Je meent het!' zei hij.

'Zie voor je hoe je op het strand de zon begroet.'

'Nooit.'

'Probeer je er een beeld van te vormen. Ga je gang!'

Rich sloot zijn ogen. Er zat alleen maar het welbekende beeld in zijn hoofd dat hij Tanya's gympakje uittrok en zich nestelde tussen haar borsten.

'Ik heb een probleem.' Hij keek met één oog dicht naar Tanya op, maar zij schudde haar hoofd en liep weg om aandacht aan de andere beginners te besteden.

Eindelijk waren de laatste houdingen geweest en kon Rich op de mat achterover gaan liggen uithijgen. Zijn lichaam tintelde van de inspanning van de eerste lichaamsbeweging die hij in jaren had gehad. Maar het was een begin. Toen begon het beeld vorm te krijgen. Hij zag zichzelf, bruin en gespierd, in lotushouding op het strand zitten terwijl hij uitkeek over de zee, naast een prachtige vrouw. En terwijl hij de wind op zijn gezicht voelde en het zand in zijn haar, wist hij dat hij vervuld was van een diepe tevredenheid. Hij glimlachte en wendde zich in zijn visioen tot Tanya, die naast hem zat. Maar het gezicht dat zich tot hem wendde was niet dat van Tanya, want zij was de vrouw in zijn visioen niet.

Mary Rose veegde juist haar ovenwant over het keukenraam toen de legergroene Range Rover als een tank het erf op kwam rijden. 'Het is Valerie,' zei ze. 'Snel. Haal dat kannetje uit de kast.'

Charlie trok het lattendeurtje open waarin het kannetje verborgen stond achter potten zelfgemaakte marmelade, bedekt met vetvrij papier dat vastzat met plakkerige elastiekjes. 'Het is walgelijk,' zei ze terwijl ze het uit de kast haalde.

'Ik heb het gewonnen in de loterij,' zei Mary Rose die het kannetje met een punt van haar trui afstofte en het midden op tafel zette. 'Als ik het niet te pronk zet, moet ik dat nog jaren horen.'

'Joehoe.' Valeries schelle stem werd vergezeld van een blaffende Jack Russell die als een raket de keuken in kwam stuiven. Mary Rose stormde op de achterdeur af en sloeg hem dicht. Bijna kwam de hond met zijn neus tussen de deur.

'Hier zijn we,' riep ze terwijl ze haar grijze krullen snel in model bracht en de hond aan haar rokzoom begon te snuffelen als een stofzuigerslang.

'Lancelot, kom hier!' Valerie kwam de keuken binnen. Ze was een boomlange, magere vrouw die met een enorme blauw dooraderde hand op de rug van de hond begon te kloppen. 'Lancy, je bent een stoute jongen!'

'Laat hem maar, hij is lief,' zei Mary Rose. Ze liep op Valerie toe, die haar mandje op tafel zette en haar een bepoederde wang toestak.

'Ik was toch in de buurt, dus ik dacht: ik kom even langs om gedag te zeggen,' zei ze terwijl ze Charlie van top tot teen bekeek. 'Ik ben Valerie Packenham,' voegde ze eraan toe en stak haar hand uit.

'Van het herenhuis?'

'Jij hebt je huiswerk gedaan!' zei ze waarderend, en Mary Rose knipoogde naar Charlie.

'Dit is Charlie, mijn pleegdochter. Ze is een poosje over uit Londen,' zei Mary Rose gewichtig, alsof Valerie niet alles wist wat er over Charlie te weten viel. 'Blijf je even een glaasje sherry drinken?' drong ze aan terwijl ze een stoel bijtrok zodat Valerie kon gaan zitten.

'Nou, goed. Eentje dan.' Ze ging zitten, nog steeds op Charlie gefixeerd. 'Marcus windt zich vreselijk op over de paardenrace en ik moet zo naar het dorp.'

Mary Rose pakte de afgebrokkelde sherryglazen van de plank terwijl Valeries geaffecteerde stem de keuken vulde met de laatste roddels. Ze toostte met Charlie en werkte de sherry vrijwel in één teug naar binnen.

'Hoe lang blijf je nog in Schotland?' vroeg ze. 'We houden namelijk een klein feestje met oud en nieuw. Ik stuur je nog wel een uitnodiging, maar je komt wel, hoop ik? Jullie moeten allebei komen.' Ze wees met een knokige vinger naar Mary Rose. 'Geen smoezen dit jaar.'

Charlie ging tegen het aanrecht staan. 'Ik weet niet of ik er dan nog wel ben,' begon ze, terwijl ze Mary Rose paniekerig aankeek.

Valerie deed een slag in de lucht. 'Wat stom van me. Sociale verplichtingen in Londen en een leuk vriendje, zeker?' vroeg ze terwijl ze klokkende geluidjes maakte tegen Mary Rose en af- wachtte of haar verdenkingen bevestigd zouden worden.

'Charlie zit dan waarschijnlijk in Los Angeles.'

'Los Angeles? In Amerika?' vroeg Valerie ademloos.

Mary Rose liet haar stem dramatisch dalen. 'O, ja,' zei ze. 'Haar verloofde is daar een hoge pief. Heel hoog.'

Valeries handen vlogen naar haar parels terwijl ze zich tot Charlie wendde met van roddel glanzende ogen. 'Nee maar!'

Mary Rose begon onbedaarlijk te giechelen toen Valerie keer- de op het erf. 'Dat zal haar leren hier te komen rondneuzen,' zei ze terwijl ze Charlie een afwasteiltje vol restjes gaf. 'Ze kwam waarschijnlijk kijken of je huwbaar was. Ze heeft een zoon die ze maar al te graag aan een of ander arm, nietsvermoedend meisje wil opdringen.'

'Wat is er met hem?'

'Vraag maar aan Hamish,' zei Mary Rose terwijl ze haar oude blauwe schort aantrok. 'Maar je blijft toch wel tot Kerstmis, hè?' vroeg ze toen. 'Ik kan best een paar extra handen gebruiken.'

Charlie zuchtte. 'Ik zal toch een keer terug naar huis moeten, hoewel ik niet meer zo goed weet waar dat is.'

'Je hebt altijd een thuis zolang je je bij jezelf thuisvoelt. Dan ben je nooit eenzaam,' zei Mary Rose.

'Ja, maar ik ben anders dan jij. Ik ben niet zo zelfstandig. Er hebben altijd mensen voor me gezorgd en nu ze allemaal weg zijn, weet ik niet meer hoe ik me erdoorheen moet slaan.'

'Jawel hoor. Je hebt pit.'

Kate had een vreselijke zaterdagmiddag. Op de bruidsafdeling van het warenhuis hingen de bruidsjurken als in elkaar gezakte heteluchtballonnen aan hun hangertjes en de blaasmuziek van Vivaldi kreeg er een trieste klank van. Achter het fluwelen gordijn worstelde ze met een rood gezicht en een slecht humeur met de rits van de dure jurk en vloekte.

'Kan ik u helpen?' De dunlippige verkoopster stak haar hoofd om het gordijn.

'Ik red het wel,' zei Kate boos terwijl ze nog eens aan de vastgelopen rits rukte.

De verkoopster kwam lomp het pashokje in, draaide Kate met de autoriteit van een hoofdonderwijzeres bij de schouders om en trok de zijden roos uit de rits.

'Wanneer is de blijde dag?' vroeg ze zuur terwijl ze het bandje van Kates beha in de lage ruglijn van de jurk stopte en het gordijn opendeed.

Kate stapte de met tapijt belegde verkoo5ruimte in en keek nijdig naar zichzelf in de spiegel. 'Dat weet ik nog niet,' zei ze terwijl ze de deinende ivoren rok opschortte, waaronder zich een stel Minnie Mouse sokken bevond.

De verkoopster begon aan haar te wriemelen. 'Hier gaapt het een beetje,' zei ze terwijl ze aan een paar centimeters van het met baleinen versterkte lijfje trok. 'Deze jurken zijn duidelijk maatwerk.' Ze haakte de witte centimeter van haar nek alsof ze Kate ermee ging slaan. 'Het ziet er prachtig uit.'

'Het is een verschrikking,' beet Kate haar toe. 'Ik lijk net een schuimtaart.'

De verkoopster zuchtte zo hooghartig dat haar conisch toelopende borsten onder haar uniformblouse bijna haar kin raakten. 'Het zal waarschijnlijk een stuk beter worden als de taille wat wordt ingenomen,' snauwde ze.

Kate kromp in elkaar toen de verkoopster aan de jurk begon te trekken en de stof begon af te spelden. Was ze hier maar nooit aan begonnen. Ze was veertien dagen in New York geweest en haar opgezette gezicht was te wijten aan onafgebroken nachtelijke braspartijen.

Het was een poging geweest te ontsnappen aan haar beslissing om met Dillon te trouwen. Ze wilde dan wel zo graag de wilde tante uithangen, maar ze wist nu dat ze van hem hield. En toch kon ze het nog steeds niet opbrengen hem dat te vertellen. Ze had elke dag met hem aan de telefoon gehangen zonder dat ze het over zijn aanzoek hadden gehad, en ze vroeg zich af of hij wist dat ze doodsbang was van de beslissing die ze had genomen. 's Nachts droomde ze over haar trouwplannen, het feest, de jurk, de taart, en ze had zelfs haar terugreis naar Londen vervroegd om trouwjurken te passen, alleen maar om te zien hoe ze zich zou voelen voor ze Dillon haar jawoord gaf. Ze had verwacht dat ze het leuk zou vinden, maar het omgekeerde was het geval.

Ze keek in de spiegel toe hoe een hoogzwanger meisje in een blauwe anorak liefdevol het witte gaas van een frivole bruidsjurk betastte. 'Moet je kijken, mooi hè?' zei het meisje terwijl ze de jurk tevoorschijn trok en hem voor haar uitpuilende buik hield.

Haar vriend zakte op een van de krukken in elkaar. 'Dat kunnen we ons niet veroorloven. We kunnen niet trouwen én een kind krijgen.'

'Waarom niet? De meeste mensen doen het.'

'Het geld groeit me niet op de rug.'

'Pete. Alsjeblieft?'

'Nee.'

'Maar je hebt beloofd dat we zouden trouwen.'

'We gaan ook trouwen,' zei hij vermoeid. 'Maar op mijn werk is het momenteel een heksenketel. Sinds Charlie weg is, houdt iedereen zich gedeisd. Ik weet niet eens wat er gaat gebeuren met het bedrijf. Misschien ben ik binnenkort mijn baan wel kwijt.'

'Denk je echt dat het zo erg is?'

'Die kraskaartenactie heeft een enorme crisis veroorzaakt.'

'Was het haar schuld?' vroeg Sharon terwijl ze de jurk terughing en nog wat andere jurken bekeek.

Kate liep zachtjes terug naar het pashokje en stond van ellende in elkaar gedoken te wachten tot de verkoopster de slappe rozen op de rug van de jurk had losgehaakt. Ze luisterde naar het gesprek achter het gordijn.

'Nee, niet echt. Ik geloof nooit dat zij een promotie met opzet zou verknallen. Ik snap er niets van. Ze was altijd zo consciëntieus en ze wilde hogerop komen bij Bistram Huff. Dat zag je zo. Kom op, schat, laten we gaan.'

Kate kreeg het koud.

'Je mist haar, hè?' vroeg Sharon terwijl ze weggingen.

'Ja. Ik had haar willen bellen, maar ik weet niet wat er met haar is gebeurd, niemand heeft iets van haar gehoord sinds ze ontslagen is.'

Kate hield haar adem in. Dit kon toch niet waar zijn? Ze hadden het toch niet over haar Charlie? Maar ze kreeg opeens zo'n raar gevoel in haar buik dat ze het inderdaad over haar hadden.

'Wacht!' gilde ze. Ze schoof de verkoopster aan de kant en holde, de bruidsjurk al half uit, achter Pete en Sharon aan. Ze nam de horde van het dikke rode touw dat de afscheiding van de bruidsafdeling vormde en struikelde bijna over de meters jurk om haar heen.

'Stop! Houd dat meisje tegen!' riep de verkoopster.

Kate keek verwoed om zich heen, maar Sharon en Pete waren verdwenen in het zaterdagse winkelpubliek. Toen zag ze hen een lift ingaan. De deuren gingen al dicht. Ze rende door de menigte heen en beukte met haar vuisten op de dichte liftdeur. Ze moest erachter zien te komen wat er met Charlie was gebeurd. Ze stormde de houten trappen af terwijl ze met haar handpalmen tegen de muren sloeg om zichzelf steun te geven.

Deinend als een spook kwam Kate tot stilstand toen de lift aankwam. Happend naar lucht greep ze Pete vast toen die Sharon de lift uit hielp.

'Wacht,' hijgde ze terwijl ze de opbollende schouders van de open jurk ruw over haar schouders trok. Haar ondergoed was voor het hele publiek op de afdeling sjaaltjes en ceintuurs zichtbaar. 'Charlie. Hadden jullie het over Charlie van Bistram Huff?'

'Ja, hoezo?' vroeg Pete verbaasd. Sharon trok hem aan zijn arm.

'Dat is mijn beste vriendin,' hijgde Kate moeizaam. Pete staarde haar aan terwijl de bewaker en de verkoopster een uitval naar haar deden en haar bij de arm grepen. Kate schudde hen van zich af.

De verkoopster zei met een walgend gezicht: 'Ze wilde er met die jurk vandoor.'

'Gaat u maar met ons mee,' zei de bewaker terwijl hij knopjes begon in te drukken op zijn walkietalkie. 'Roger. Roger. Dievegge ingerekend,' schreeuwde hij alsof hij een zware misdadigster oppakte.

Sharon trok aan de arm van Pete, verlegen met de situatie. 'Kom nou,' drong ze aan.

'Wacht,' riep Kate terwijl de bewaker haar de lift in sleurde. De verkoopster kreeg bijna een rolberoerte door de staat waarin de trouwjurk zich bevond.

'Ik ben Kate Freelan. Willen jullie alsjeblieft bij de hoofduitgang op me wachten...' schreeuwde Kate, maar de deuren van de lift gingen al dicht en geflankeerd door haar dienstkloppers van bewakers gingen haar woorden verloren.

'Waarom maakt u zo'n stampij?' vroeg de nijdige verkoopster. 'Over aandachttrekkerij gesproken, zeg!'

'O, flikker op!' zei Kate geïrriteerd. Ze liep met grote stappen de lift uit, terug naar de bruidsafdeling waar ze uit de jurk stapte en hem, nadat ze hem tot een grote ivoren bal had gestompt, de verkoopster toesmeet.

'O, Charlie, mijn Charlie, wat heb je nu gedaan?' mopperde ze terwijl ze wegholde om Pete te vinden.

Charlie zat onder de modder, haar haar zat in de war en haar gevoelloze vingers waren stijf toen ze haar handschoen onder haar oksel stopte en de met bont beklede lippenpommade uit de diepe zak van haar jas haalde. Ze haalde de stift over haar mond en probeerde haar lippen over elkaar te smeren, maar ook die waren stijf van de kou. Ze keek uit over het veld naar de zee van langzaam bewegende ooien die ze naar het lager gelegen veld leidde om door Daniel te worden gedekt.

Charlie schudde haar hoofd om het haar dat in de gierende wind aan haar lippen was blijven kleven, te verdrijven. De kale bomen stonden grimmig afgetekend tegen een grijze lucht en de velden ontrolden zich in een steile hoek naar de boerderij. Naar het westen was het zicht op het dal voor het eerst sinds dagen weer helder en Charlie zag de kronkelweg naar het dorp en de kolkende rivier. Aan de andere kant van het dal zag ze nog net de schoorstenen en de *folly* van het landgoed Packenham boven het dichte sparrenbos. Het enige teken van menselijk leven was de rook die uit de schoorsteen van de plaatselijke kroeg kronkelde en Charlie huiverde. Ze zou nu het liefst voor een knappend haardvuurtje zitten.

Ze voelde zich nog steeds verdoofd van binnen. Elke ochtend werd ze in het eenpersoonsbed wakker met de koude warmwaterkruik in haar armen en sloegen de stilte en haar eenzaamheid haar in het gezicht. Haar ledematen deden pijn en ze voelde zich te ellendig om zich te bewegen terwijl ze in het donker lag te staren in de leegte van haar leven, tot Mary Rose kwam binnenstommelen, het licht aandeed en haar eraan herinnerde dat ze nog leefde.

Vanmorgen was ze bij het krieken van de dag opgestaan om samen met Mary Rose het paringshok te maken. Ze had de huid van haar handpalmen opengespleten bij het hanteren van de houten hamer om de zware palen de harde grond in te drijven. En juist toen ze dacht dat het tijd was om te ontbijten, had Mary Rose haar een hooivork gegeven en had ze balen hooi moeten sjouwen om het hok mee te bekleden. Toch kon ze maar beter werken, want er was toch niets anders te doen. De zwart-wittelevisie van Mary Rose had een belabberde ontvangst, op de radio waren alleen de scheepsberichten te horen en het pittigste leesmateriaal dat de dorpswinkel te bieden had was de Boeketreeks, en zelfs daarvan moest ze nog huilen.

Spoof en Jakey-Boy waren uitstekende schaapshonden, maar toch duurde het nog eeuwen voor alle ooien veilig in het hok waren en Charlie stond te trillen op haar benen toen ze Mary Rose in de schuur vond.

'Als ik hem nu vasthoud, kun jij dan de honneurs waarnemen?' vroeg ze vanuit de hoekstal terwijl ze met Daniel stond te worstelen, die bijna even groot was als zij.

'Wat moet ik doen?' Charlie moest vechten tegen haar vermoeidheid. Mary Rose had zo'n uithoudingsvermogen dat het haar beschaamd maakte.

'Trek die handschoenen aan en pak die emmer met verf.'

Charlie deed wat haar gezegd werd. Het geblaat van Daniel

werd harder toen Mary Rose hem op zijn rug had gelegd. Charlie kwam opgewekt de stal binnen, maar haalde haar neus op bij de vreselijke stank en het walgelijke aanzicht van Daniels onderstel.

Mary Rose moest de ram uit alle macht in bedwang houden. 'Ik wil dat je hem tussen zijn voorpoten schildert.'

'Waarom?'

'Zodat we weten welke ooien hij heeft gedekt, want die hebben allemaal een blauwe kont.'

'Wat een idee,' zei Charlie. Ze pakte de kwast uit de emmer met verf en depte er met een vies gezicht mee op Daniels borstkas.

'Schiet op,' hijgde Mary Rose. 'Een beetje meer kracht zetten. Er moet genoeg verf zijn om alle schapen mee te merken.'

Charlie bedekte de humeurige ram met een dikke laag verf en sprong toen opzij. Ze drukte zich plat tegen de muur terwijl Daniel zich op zijn zij wurmde en woedend blatend weer op zijn poten ging staan.

'Mooi!' zei Mary Rose terwijl ze haar handen aan haar broek afveegde. 'Dit is het grote moment.'

Charlie hield nog steeds de kwast in haar hand. 'Het paren kan beginnen.'

Ze keken toe hoe Daniel de ooien terroriseerde, die naar de zijkant van het hok vluchtten terwijl hij hen achterna joeg.

'Arme schapen,' zei Charlie. Ze kromp in elkaar toen Daniel een klagende ooi besteeg.

Mary Rose lachte. 'Kom op, hij kan het verder zelf wel af. Wij gaan ontbijten.'

Charlie draafde met haar mee. 'Ik denk niet dat ik kan eten nadat ik dat apparaat van Daniel heb gezien.'

'Wat ben je toch onnozel! Niet zo teergevoelig, hoor. Het is de wet van de natuur.'

'Het is een mannenaangelegenheid.'

Mary Rose lachte. 'Precies.'

Toen Charlie Mary Rose zo zag lopen in haar ribbroek, vroeg ze opeens: 'Waarom heb jij niemand? Waarom ben je nooit getrouwd?'

Mary Rose keek over het dal naar de wolk met de kleur van een blauwe plek, die over de top van een heuvel hing.

'Ik heb een vergissing gemaakt,' zei ze simpel. Ze moest iets

wegslikken. 'Als de liefde aan je deur klopt, moet je je hart openen. Je moet je niet omdraaien en naar een ideaal zoeken dat
alleen in je hoofd bestaat.'

Charlie had graag meer willen horen, maar ze wist dat de discussie gesloten was. 'Ik geloof niet dat ik ooit nog verliefd word.
Het doet te veel pijn.'

'Onzin. Als je maar niet te hard zoekt, vind je heus wel iemand.
De kostbaarste juwelen zijn aan de buitenkant altijd vuil.'

'Denk na!' Kate liep te ijsberen op de witbetegelde vloer van de
51-keuken. 'Je zei dat je kraskaarten zag in die afvalcontainer.
Was dat toen je die cd won?'

Dillon draaide de deksel van een enorme pot olijven. 'Ja, ik
weet het weer. Het was in Covent Garden.' Hij stopte een olijf in
zijn mond.

Kate ging tegen het gepoetste roestvrij staal aan staan. 'Je luis-
tert niet. Ik denk dat Charlie in de problemen zit. Pete zei dat ze
heel getraumatiseerd leek toen ze vertrok, en ze is niet in haar
eigen huis.'

'Ook niet bij die lul van een Daniel?'

'Ik weet niet waar die woont.'

'Daar heeft hij mazzel mee. Ik zou niet graag in zijn schoenen
staan.'

'Wat een klootzak. O, arme, arme Charlie.'

'Je maakt je echt zorgen om haar, hè?'

Kate haalde haar schouders op. 'Ik kan niet trouwen als zij er
niet bij is.'

Dillon bleef stokstof staan en draaide zich toen naar haar om.
'Betekent dat dat je met me wilt trouwen?'

Ze keek hem verlegen glimlachend aan.

Dillon boog zich vorover en staarde haar aan terwijl hij haar
onderzoekend aankeek. 'Zeg het.'

'Dillon, ik zou graag met je trouwen. Als je me tenminste wilt.'

Hij slaakte een gil, pakte haar op en draaide haar rond door de
keuken. 'Ik hou van je, ik hou van je,' riep hij uit. Toen nam hij
haar gezicht in zijn gigantische handen en kuste haar zo teder dat
Kates knieën ervan knikten.

'We moeten Charlie vinden,' zei hij.

Kate knikte. 'En we zullen haar vinden,' hijgde ze. Toen hief ze
haar gezicht op naar Dillons mond voor nog een kus.

Hij kreunde, tilde haar op en schoof haar achteruit op het aanrecht.

'Wat ga je doen?' Kate liet haar vingers door zijn haar glijden, waardoor zijn muts op de grond viel.

'Een goed begin maken,' grijnsde hij terwijl hij haar rok opschortte. 'Ik zal je nooit meer als iets vanzelfsprekends beschouwen.'

Rich richtte zijn gezicht op naar de douche en vulde zijn mond met water tot het overstroomde. Zijn hoofd zat vol beelden van Tanya: ze boog voorover, strekte zich achterover, sloeg haar haar achterover, zwom naakt in het maanlicht, en hij dacht dat zijn ballen zouden ontploffen van verlangen.

Hij trok zijn korte broek en zijn shirt aan, deed een pakje roepie-biljetten in zijn zak en sloot zijn kamer af. Terwijl hij zich een weg baande door het puin op het erf, zag hij opeens zijn eigen spiegelbeeld in het glas van de riksja. Zijn huid was gebruind, zijn haar gebleekt door de zon en pluizig en hij straalde van gezondheid. Hij liep de straat af in de door sterren verlichte warmte van de avond.

De straatmarkt was nog open en kleine meisjes renden om hem heen, hielden hun handpalmen op, trokken hem naar hun stalletjes, probeerden hem te verlokken met hun gegiechel en hun teleurgestelde hertenogen. Hij stak zijn handen op ten teken dat hij zich overgaf en deelde een tiental beloften uit terwijl hij zich door het gedrang heen naar de bar begaf waar hij een verrukkelijk gekruide korma zou gaan eten in het gezelschap van Tanya.

Het was typerend voor hem dat hij bevriend met haar was geraakt. Hij had de afgelopen week gebaad in haar aardse seksualiteit terwijl ze wandelden in het maanlicht of zich op het strand ontspanden. Hij had zijn tijd met haar doorgebracht, had naar haar gekeken, op haar gewacht, net als haar willen zijn. Ze was zo ontspannen, zo vol zelfvertrouwen, ze gaf zo weinig om wat andere mensen zeiden, dat hij onwillekeurig veranderde in haar buurt. Afgezien van zijn zeurende verlangen om met haar naar bed te gaan, voelde hij zich harmonieuzer dan hij zich ooit had gevoeld.

Hij kuierde over de stoffige weg en begon aarzelend, alsof hij een herstellend been aan het testen was, aan Charlie te denken. Hij dacht aan het briefje vol zelfmedelijden dat hij had achtergelaten. Was het waar dat hij verliefd op haar was, of was het alleen dat hij haar niet kon krijgen? Hij stopte zijn handen in zijn zakken en dacht erover na. Toen dacht hij aan naar huis gaan en er ging een huivering door hem heen.

Als hij eerlijk was, moest hij toegeven dat hij Charlie miste. Hij dacht aan Daniel, die haar in zijn macht had, haar met zijn zogenaamde mondainiteit en zijn arrogantie gevangenhield. Hij had zo snel klaargestaan met zijn oordeel. Zo haastig en kinderachtig jaloers. Hij kende Charlie beter dan Daniel haar ooit zou kennen en had hij haar niet beloofd dat hij altijd voor haar zou klaarstaan? Hij begon vooruit te kijken. Wat als ze hem nodig had en hij er niet was? Maar aan de andere kant: er waren toch ook tijden geweest dat hij haar nodig had en zij niet voor hem had klaargestaan? Hij werd overspoeld door paniek en verwarring.

Hij was bij het restaurant aangekomen. Tanya zat onder een hanglamp naar de zoemende insecten te kijken die om de gloed van de lamp heen vlogen. Zij zag er zelf ook uit als een vlinder, met een doorschijnende blouse om haar schouders gedrapeerd. Rich bleef bij de muur staan om haar op te nemen en hij werd weer wat rustiger. Zoals gewoonlijk in contact met haar zesde zintuig keek ze op en glimlachte, waardoor de rimpeltjes om haar ogen samenknepen.

'Je ziet er afwezig uit,' zei ze. 'Wat zit er in je hoofd?'

'Behoefte.'

'Wat voor soort behoefte?'

'Allerlei soorten. De behoefte om curry in mijn maag te krijgen,' grapte hij terwijl hij het vel met het slordig uitgetypte menu oppakte.

'Die afweer van jou,' zei Tanya terwijl ze haar hand uitstak en de frisgeschoren kin van Rich aanraakte.

Hij keek haar aan. Opnieuw had ze hem onderuit gehaald. Het was onmogelijk ondeugend te zijn in haar aanwezigheid. 'Ik dacht eraan om naar huis te gaan.'

'O?'

'Ik moet eigenlijk over een paar dagen weg.'

'Wil je al naar huis?'

'Nee.' Hij legde het menu op de ruwhouten tafel. 'Maar dat doet er niet toe. Mijn ticket is geboekt en ik moet weg.'

'Als je naar huis gaat om weer precies dezelfde dingen te doen die je deed voor je vertrok, dezelfde fouten te maken en je net zo ellendig te voelen, ga dan niet. Ga naar huis als je iets voelt verschuiven.'

'Wat bedoel je?'

'Er zijn momenten in het leven waarin je iets vanbinnen voelt verschuiven. Je perspectief verandert en je raakt bevrijd van alles wat je gevangenhield.'

'Nou, misschien, maar ik verkeer niet in de luxe omstandigheid dat ik daarop kan wachten.'

'Waarom niet?'

'Omdat ik terug moet. Ik moet weer aan het werk.'

'Wie zegt dat? Wie is de baas van jouw leven?'

Rich begon te schuifelen in zijn stoel. Hij voelde zich onder druk gezet.

'Doe je dat werk graag?'

'Nee,' zei hij, verbaasd door de kracht van zijn gevoelens.

'Rich, dit is geen generale repetitie. Dit is jouw leven. Leef dat leven, voor het te laat is.'

Hij zuchtte en wreef over zijn hoofd. 'Je begrijpt het niet. Zo simpel ligt het niet.'

'Hoezo? Wat is er zo moeilijk aan?'

Rich keek van haar weg. Alsof ze zijn gedachten kon lezen, boog ze zich dichter naar hem toe. 'Ik zal je vertellen wat er zo moeilijk aan is.'

'Wat dan?'

'Angst!'

Rich voelde zichzelf rood worden. 'Onzin,' snoof hij.

Ze bonkte met haar vuist op tafel, waardoor de insecten om de lamp begonnen te fladderen. 'Wat is het probleem? Waarom kun je niet vertellen wat je echt voelt?'

Hij staarde haar aan, geschrokken van haar uitbarsting.

'Vertel de waarheid.'

'Dat kan ik niet... ik...'

'Waarom niet?'

'Je zult me een idioot vinden.'

Ze lachte van ergernis. 'Denk je dat? Heb jij iemand ooit veroordeeld omdat hij de waarheid vertelde?'

De ober kwam naar hun tafeltje toe, maar Tanya wuifde hem weg. Over de ruwhouten planken heen pakte ze zijn hand.

Rich dacht aan Pix en besefte dat Tanya gelijk had. Hij was bang voor de waarheid, maar terwijl hij haar aankeek, wist hij dat hij er niet langer voor kon weglopen. Hij zuchtte eens diep. 'Ik ben doodsbang om naar huis te gaan en doodsbenauwd om me elke dag naar mijn werk te moeten slepen, werk waaraan ik een hekel heb. Maar ik ben nog banger dat als ik hier blijf en alles opgeef waarvoor ik heb gewerkt, ik gefaald zal hebben...' Zijn stem stierf weg. 'Belachelijk, hè?'

'Nee,' zei ze rustig.

'Aan de ene kant heb ik het gevoel of ik mijn leven heb verspild. Ik heb gekozen voor de gemakkelijkste weg en nu ben ik ergens aanbeland waar ik nooit had willen zijn. Ik kijk naar iedereen die ik op mijn werk boven me heb, en ik wil over tien jaar niet net zo zijn als zij, maar aan de andere kant kan ik het ook niet zomaar laten vallen. Ik weet niet wat ik anders kan en ik ben gewend geraakt aan mijn levensstijl.'

'Welke levensstijl? Je klinkt niet erg vrolijk.'

Beelden van het kantoor, van de flat en van Charlie kruisten zijn gedachten. Hij schudde zijn hoofd. 'Ik heb verantwoordelijkheden.'

'En de verantwoordelijkheid jegens jezelf dan?'

Rich zuchtte vermoeid en keek omhoog naar de avondhemel. 'Het is allemaal goed en wel om dit te bedenken terwijl ik hier zit en Londen vreselijk ver weg lijkt, maar als je daar bent is het anders.'

'Je kiest ervoor om gevangen te blijven zitten.'

Rich trok zijn hand terug uit de hare. 'Je begrijpt het niet.'

Ze glimlachte. 'Natuurlijk wel. Je maakt jezelf bang met allerlei "wat als"-vragen. Wat als ik geen baan, geen geld heb, wat als, wat als, wat als! Net of je aan de rand van een duikplank staat en te bang bent om te duiken of naar beneden te kijken.'

'Misschien ligt er wel geen water op de bodem.'

'Er ligt altijd water op de bodem. Het is veel angstiger om te blijven treuzelen of je moet springen of niet. Je moet het gewoon doen. Gewoon wat vertrouwen in jezelf hebben.'

'Ik wou dat ik jouw optimisme kon delen.'

Tanya gooide haar handen omhoog. 'Waarom begin je niet met een aantal keuzes te maken voor jezelf? Begin met te zeggen wat *jij* wilt.'

'Dat doe...' begon hij, maar ze onderbrak hem met vlammende ogen.

'Nee, dat doe je niet.' Haar ogen daagden hem uit.

Er viel een gespannen stilte. Hij kon haar beschuldiging niet ontkennen. Hij was te bang om haar te vertellen wat hij voelde. Ze schudde teleurgesteld haar hoofd en draaide zich om op haar stoel. 'Maar ja, het is jouw leven,' zei ze vlak.

Rich greep haar bij de arm. Wat had hij te verliezen?

'Wacht. Je mag nog niet weg. Niet tot ik je heb verteld wat ik voel.'

Ze keek hem ongeduldig aan. 'Ik dacht dat dat juist je probleem was, dat je niet weet wat je voelt.'

'Jawel, ik...' Rich liet haar arm vallen en zuchtte diep. 'De waarheid is dat ik je fantastisch en wonderbaarlijk vind en vanaf het eerste moment dat ik je zag, wilde ik je zo graag dat het pijn deed.' Maar Tanya hield de rest van zijn woorden tegen door zich over de tafel heen te buigen en hem zachtjes op de lippen te kussen.

'Zie je, dat was helemaal niet erg,' zei ze zachtjes en ze leidde hem aan zijn hand het restaurant uit.

Charlie wreef haar handen, stampte met haar voeten en sloeg haar armen om zich heen in de kou nadat ze van de tractor omlaag was gesprongen, midden in een bevroren plas. Het was in één nacht veel kouder geworden maar Mary Rose wees erop dat het weer geen excuus mocht zijn om te luieren, en ze had Charlie opgedragen de ooien in het bovenste veld te gaan voederen.

Ze hees de zak met voer uit de achterbak. Haar adem kwam in wolkjes uit haar mond en haar knieën wankelden terwijl ze de zak over het bevroren gras naar de trog sleepte. Ze stond op, drukte haar handen in haar onderrug en keek naar de schapen, die tegen elkaar aan gekropen tegen de witgetopte bomen van het hakhoutbosje stonden. De lichten van Hill Farm waren nog maar net zichtbaar door de dwarrelende rijp en Charlie huiverde. Ze had het gevoel of ze op een andere planeet zat. Hier, in de bijtende lucht en het harde leven op de boerderij, leek haar leven in Londen een verre droom. Wie ben ik, dacht ze, terwijl ze zich probeerde te herinneren welke zorgen ze voor haar verbanning had gehad. Nou ja, er was één ding waar ze blij om mocht zijn. Ze was in elk geval geen schaap!

Ze haalde de druppeltjes op die aan haar neus hingen, spleet de zak open en goot de inhoud met moeite in de trog. De zak boog door en de helft van het voer viel in de modder, maar ze werd al

257

omgeven door een kudde schapen die tegen haar benen stonden te duwen.

Ze hield de zak boven haar hoofd en de laatste restjes voer vielen overal op de grond.

'Neem me niet kwalijk,' zei ze terwijl ze vrolijk door de massa schapen heen stapte, maar de koude schapenvachten persten zo hard tegen haar benen dat ze de ooien uiteindelijk opzij moest duwen. Ze vloekte, en strompelde weg. Toen ze achteromkeek zag ze hoe de schapen elkaar met hun blauwe achterwerken verdrongen. Ze trok haar anorak recht en liep naar de tractor.

Charlie had het zelfvertrouwen van een zenuwachtige beginner op de ski's terwijl de tractor onder haar schudde en rammelde. Hoe kreeg Mary Rose dit in godsnaam allemaal in haar eentje voor elkaar?

Onder aan het veld aangekomen zag ze de oude caravan staan en ze stapte af en liep ernaartoe. Het hek liet ze openstaan.

Binnen was het muf en rook het naar vocht, en ze kon haar adem in de koude lucht zien. De schimmel kroop langs de muren omhoog, een roestige emmer was overgelopen uit de druiplijsten in het plafond en had het tapijt drijfnat gemaakt. Ze liet haar hand over de vertrouwde bekleding met zonnebloemen gaan en boog zich voorover om op het onderste bed van het stapelbed te gaan zitten, maar daardoor begaf de kruk het en de caravan begon te slingeren. Ze werd achterover geworpen en haar armen sloegen tegen de muur. Ze gilde toen ze haar hoofd tegen een houten plank stootte. Even was ze verdoofd en te bang om zich te bewegen, en met bonkend hart keek ze naar de onderkant van het bovenste bed.

Ze strekte haar benen, wreef over haar hoofd en trok zichzelf juist omhoog toen ze het hoekje van een schetsboek zag uitsteken tussen het bovenbed en de muur. Waarschijnlijk was het door de schok losgeraakt. Ze pakte het en haalde de spiraalbinding voorzichtig van de hoes. De omslag was gescheurd en nat, en er stond een pasteltekening van een striphond op. Het was een van haar oude vakantiedagboeken. Ze ging in de hoek van het bed zitten en opende het relikwie uit haar jeugd.

De gelinieerde pagina's waren beschreven in een kinderlijk handschrift en haar ogen vulden zich met tranen en ze raakte overspoeld met bitterzoete nostalgie terwijl ze het boekje doorbladerde, glimlachend om de schetsen van strandtaferelen, Mary Rose en de honden.

Op de middenpagina's stonden verbleekte potloodaantekeningen. 'Vandaag zijn we naar een kasteel geweest. Als ik groot ben, word ik prinses en Rich wordt koning. Overdag eet ik ijsjes en maak ik schilderijen en zorg voor al mijn onderdanen en speel met mijn puppie.' Ze kon niet verder lezen – de tranen stroomden haar over de wangen en ze drukte het boekje tegen haar borst terwijl ze heen en weer wiegde op het bed. Waar was het misgegaan met haar? Wanneer had ze haar dromen verloren?

Ze deed het boek in haar zak en kroop van het bed af. Wat had ze dan verwacht? Dat ze terug zou komen bij Mary Rose en zonder meer zou terugkeren naar haar kindertijd, dat alle pijn en teleurstelling zomaar zouden verdwijnen? Boos klauwde ze zich een weg uit de caravan en keek naar de tractor.

De schapen hadden door hun ontbijt nieuwe energie gekregen en waren de heuvel af gelopen naar het geopende hek. 'Nee!' riep Charlie. Ze rende naar de hekken, uitglijdend over de bevroren plassen. Toen ze bij het hek aankwam, moest ze zich een weg banen door het gedrang van de schapen om het hek dicht te trekken. Eén schaap was naar het lagere veld ontsnapt en toen Charlie achter haar aan wilde gaan, smeerde ze 'm de andere kant op.

'Kom hier!' riep ze terwijl ze op de enorme ooi af rende, maar ze bereikte alleen maar dat ze bang werd. Ze gleed uit en viel voorover. De modder spatte in haar gezicht en in haar haar. Vloekend van frustratie hees ze zichzelf omhoog en op dat moment zag ze Hamish het veld op lopen, warm en vrolijk.

Hij moest lachen toen hij Charlies verhitte wangen en boze gezicht zag. 'Hulp nodig?' vroeg hij.

Charlie zoog haar wangen in en zette haar handen op haar heupen. 'Ik ben geen bijster goede schaapherder.'

Hamish kneep haar zachtjes in haar schouder. 'Er is een trucje voor.'

Met tergende kalmte leidde hij het schaap terug naar de rechterkant van het hek, joeg de ooien weer het veld op en reed de tractor voor Charlie door het hek.

Hij sprong uit de cabine. 'Je moet ze in de gaten houden, het zijn koppige klerelijers als ze willen.'

Charlie kneep de modder uit haar haar en Hamish trok een gezicht.

'*Wash and Go* volstaat hier niet, ik kan beter zeggen: Ga je Wassen,' zei hij. Charlie lachte. Het was voor het eerst in weken dat ze iets amusant vond.

'Je hebt gelijk. Ontzettend bedankt, Hamish,' zei ze. Ze schudde zijn uitgestoken hand en klom weer op de tractor.

Hamish glimlachte en tilde als een echte heer even zijn hoed op. 'Graag gedaan. Het duurt even voor je aan dit soort dingen gewend bent.'

'Ik raak er nooit aan gewend.'

'Nou, misschien is het een aardige onderbreking van de sleur als je morgen iets met me gaat drinken?'

Charlie keek omlaag naar zijn aardige gezicht. 'Weet je, Hamish, dat zou ik heel prettig vinden,' zei ze. Toen reed ze weg, iets rustiger nu het zwakke winterzonnetje de mist had verdreven en ze zich weer kon oriënteren.

Rich staarde naar de lucht door het rotan dak van Tanya's hut. Hoewel hij zich als een veertje voelde dat zachtjes afdaalt naar de aarde, wilde hij tegelijkertijd opspringen en als een gorilla op zijn borst trommelen.

Hij keek naar de soepele rondingen van Tanya's bruine achterwerk en voelde zich tevredener dan hij zich ooit in zijn leven had gevoeld. Ze knielde naast hem neer, haar blonde haar in de war en krullerig van het zweet, en ging met haar vinger over zijn neus naar zijn lippen. Hij kuste haar vingertop.

'Ga maar slapen,' fluisterde ze.

'Waar ga jij dan heen?'

'Ik wil een sessie doen op het strand.'

'Jij gaat yoga doen na zoiets als dit?' Rich geloofde zijn oren niet.

'Natuurlijk.'

Hij zakte weg in het kussen. 'Mij kun je wel vergeten. Ik ben afgepeigerd.'

Ze glimlachte mysterieus en hij rolde op zijn zij en keek naar haar terwijl ze haar gympakje aantrok en haar haren kamde. Ze doopte een stukje mousseline in een aardewerk kommetje met water en kneep het uit.

Rich liet zijn hoofd op zijn arm leunen. 'Wil je dat ik meekom?'

'Nee. Ik moet weer in contact met mezelf komen en daarvoor moet ik alleen zijn.'

260

'Lijkt me logisch.'

Ze klopte met het vochtige doekje op haar borst. Rich zag het waterstraaltje tussen haar borsten omlaag sijpelen en raakte weer opgewonden. 'Je bent net Eva,' zei hij terwijl hij haar streelde. 'Je bent de aarde, de wind en het vuur, maar je bent vooral het vlees...'

Ze keek hem aan. 'Is dat een lied?'

'Nee, het is het begin van een walgelijk sentimenteel gedicht dat ik voor je aan het schrijven ben,' zei Rich. Hij omarmde haar middel en trok haar weer tegen zich aan.

Uiteindelijk vertrok ze, nadat de zon was opgegaan en de onverzadigbare schoot van Rich zich ootmoedig had teruggetrokken. Hij ging achterover in de geborduurde kussens liggen en zuchtte als een sultan die zojuist zijn harem heeft weggestuurd. Er hing een aura van seks om hem heen en hij streelde zijn pluizige navel terwijl hij zich afvroeg waarom hij er zo lang over had gedaan om de vreugden van de seks te ontdekken.

Hij lachte en keek om zich heen naar wat Tanya haar magische cirkel had genoemd. Aanvankelijk had hij zich wanhopig gevoeld toen ze hem in het strandhuis had binnengevoerd. Hij was zo gretig geweest toen hij had geprobeerd haar te kussen, maar Tanya had hem van zich af geduwd. Ze liet hem in kleermakerszit op het lage matras zitten terwijl zij een uitgesneden houten doosje opende. Ze had er zeven felgekleurde sjaals uit gehaald, die ze in een cirkel om het bed had gedraaid.

'Deze vertegenwoordigen elke chakra,' zei ze terwijl ze de sjaals had neergelegd.

'Wat?' vroeg Rich perplex.

Ze had naar hem geglimlacht. 'Je ziet het wel.'

Toen haalde ze vier grote stenen tevoorschijn om de sjaals mee te verzwaren.

Rich krabde op zijn hoofd. 'Waar zijn die voor?'

'Die stenen vertegenwoordigen het noorden, het zuiden, het oosten en het westen, zodat we het centrum van het universum vormen en we met het astrale netwerk kunnen resoneren.'

'Met het wát?'

Tanya negeerde hem. Op de oostzijde van het bed legde ze een lage houten doos met een ingewikkelde Indiase katoenen sjaal, waarop ze een belletje legde, plus wat veren en een goedkoop boeddhabeeldje, zoiets als wat Rich op de markt van Anjuna had gezien. Vervolgens had ze de hoorn gepakt die ze van Rich op het strand had gekregen en hield hem boven haar hoofd voor ze hem op tafel legde. Ze reikte omhoog en haalde twee kaarsen van de vensterbank.

'Deze vertegenwoordigen onze geesten,' zei ze terwijl ze ze aanstak.

Ze rangschikte de voorwerpen en keek nog eens goed naar haar werk.

'Is het zo goed?' vroeg Rich met een stem die was doortrokken van geamuseerdheid.

'Ik heb nog een kristal nodig,' zei ze terwijl ze de eenvoudige ruimte bekeek.

'Hier.' Rich haalde de kleine maansteen uit zijn zak en gaf hem haar. Ze draaide hem om in haar handpalm.

'Perfect,' zei ze en legde ze het aan de voeten van de boeddha. Toen haalde ze het laatste voorwerp uit de doos – een zonderling beeldje van iets wat op een personage uit de *Kama Sutra* leek die zijn enorme penis vasthield.

Rich deed zijn hand voor zijn mond om zijn gegiechel te onderdrukken.

Tanya boog plechtig voor het altaartje. 'Laten we de magische cirkel energie verlenen,' zei ze met een hese stem.

Rich streek zich over zijn wangen in een poging zijn glimlach weg te vagen. 'Luister, Tanya,' zei hij terwijl hij ging staan. 'Dit is allemaal leuk en aardig, maar ik geloof niet zo erg in dit soort gedoe en...'

'Volg me,' zei Tanya en pakte de trommel bij de deur. Ze liep om de sjaals heen terwijl ze op de trommel sloeg.

'Tanya!' protesteerde Rich, achter haar aan sluipend.

'Laat alle negatieve energieën verdwijnen,' verklaarde ze luid. 'Laat woede, pijn en onzekerheid vervliegen.' Ze stopte bij het altaartje, pakte een belletje en gaf het aan Rich.

'Andere kant op,' zei ze overredend terwijl ze hem zachtjes de andere kant op duwde. 'En bellen.' Met tegenzin begon hij om het bed heen te lopen. Hij voelde zich net een weerspannige puber die werd meegetrokken in de horlepiep.

'Laat verwondering, compassie, geduld en plezier deze cirkel beheersen,' zong Tanya.

Rich rinkelde met het belletje. Hij voelde zich idioot en verwachtte elk moment door een bliksemflits te worden getroffen.

Toen ze drie keer om het bed heen hadden gelopen, trok Tanya hem naar het centrum en Rich struikelde over het verkreukelde laken en liet zijn belletje vallen. Het leek Tanya niet te kunnen schelen. Ze zette de trommel neer bij het altaartje en pakte de bel op. Ze nam Rich bij de hand en leidde hem rond zodat hij met zijn gezicht naar de deur kwam te staan. Het belletje rinkelde in haar hand.

'We roepen de wind en de lucht op om ons te zegenen met helderheid en visie. Leer ons de lichtheid van het bestaan.'

Rich schudde zijn hoofd en maakte een grimas. Ze kneep in zijn hand en draaide zich om naar de andere kant van de kamer, sloot haar ogen en haalde diep adem. Rich zag haar borsten op en neer gaan en wist niet of hij moest weglopen of haar naar het matras moest sleuren.

'U, teder zuiden, roepen we op om het water en de zee ons hart te laten openen voor speelsheid en vreugde en ons moed te geven om onze gevoelens vrijelijk te laten stromen.'

Ze rinkelde met de bel en keek Rich aan, haar huid schoon en haar ogen glanzend. 'Het westen,' zei ze.

'Goed,' zei Rich. Hij draaide zich om naar het altaar en sloot zijn ogen, maar Tanya wendde zich tot de andere kant. De kluts geheel kwijt draaide Rich zich weer om terwijl zij belde. 'Moeder Aarde, geef ons kracht en gezondheid en vul ons wezen met seksuele vitaliteit.'

'Mijn idee,' zei hij, maar hij had onmiddellijk spijt van zijn spottende commentaar toen Tanya zich omdraaide naar het altaartje. 'We roepen de bewakers van het oosten op om ons de vlammen van het leven en de lust te brengen zodat onze geest helder zal branden. Leer ons gepassioneerd te zijn.'

Ze zette het belletje weer op het altaar. 'Doe niet zo sceptisch. Wat kan het nou voor kwaad?'

Rich wist dat niet precies; hij wist alleen dat Tanya dicht bij hem was en dat hij, alsof haar betovering was aangeslagen, zich overweldigd voelde door sensualiteit. Hij reikte haar zijn hand, nam haar in zijn armen en omhelsde haar innig. Ze leek in hem te smelten en hij zuchtte toen ze op het matras neerzonken. Hij streelde haar gezicht, liet zijn vinger over de lijn van haar fijne wenkbrauwen gaan en voelde haar haren tussen zijn vingers.

'Het kan me niet schelen welke toverformules je toepast, je bent gewoon mooi,' fluisterde hij.

Ze drukte haar lippen op de zijne en Rich voelde elektrische schokjes van verlangen door hem heen tintelen terwijl zijn tong de hare vond.

Tanya begon hem langzaam uit te kleden en hij kreunde bij de streling van haar vingertoppen, begroef zijn neus in haar hals en rook de zoete geur van haar huid. Hij voelde zijn erectie tegen haar huid, maar Tanya duwde hem zachtjes van zich af.

'Laat het me zien. Laat me zien hoe ik je kan laten genieten,' fluisterde Rich en ze glimlachte naar hem.

'Dat zal ik doen,' fluisterde ze terwijl ze haar blouse van haar schouders liet vallen. Ademloos keek Rich naar de volheid van haar naar hem uitgestoken borsten. Hij wilde haar opgerichte tepels in zijn mond voelen, maar Tanya had andere plannen.

Ze had hem in één nacht meer over seks geleerd dan hij in zijn hele leven had opgedaan. Betoverd door haar bezwering had hij al zijn verlegenheid overboord gezet terwijl hij zich tegenover haar had blootgegeven. Ze had hem gestreeld en gelikt, hem gekieteld, geplaagd, en hem erogene zones leren kennen waarvan hij het bestaan nooit had gekend. Op haar beurt had ze zichzelf voor hem uitgespreid en hem een erotische, sensuele geografieles gegeven van de vrouwelijke anatomie.

Gefascineerd had Rich haar geëxploreerd toen ze hem binnenvoerde tot in het hart van haar genot. Ze had hem gevraagd achterover in de kussens te gaan liggen en telkens opnieuw had ze hem kwellend dicht bij het orgasme gebracht zonder dat ze hem liet klaarkomen.

'Diep dooradem,' instrueerde ze terwijl zijn lichaam zich ontspande. In het begin was Rich gefrustreerd en te gretig geweest, maar elke keer dat Tanya haar strelingen hervatte, was zijn genot intenser geworden. 'Je moet je seksuele energie door je chakra's laten verhogen,' legde ze uit.

Rich keek haar verward aan en ze nestelde zich in zijn omarming.

'Als je nu klaarkomt, zal dat zijn terwijl de energie nog steeds hierin opgesloten zit,' zei ze terwijl ze met haar handen een kommetje om zijn ballen maakte. 'Je moet het door je heen laten stromen tot hier.' Ze trok een lijn naar boven over zijn lichaam en drukte haar handen op zijn borst. 'Uiteindelijk reist de energie naar je zevende chakra in de kroon van je hoofd en als je klaarkomt, kun je je droombeeld loslaten op het universum.'

'Gossie,' zei Rich.

Tanya glimlachte en kuste hem. 'Als je dat wilt, kun je je leven veranderen door seks. Je kunt je kracht gebruiken om het universum te veranderen.'

'Ik ben al aardig veranderd,' zei Rich terwijl hij zijn mond omlaag bracht en aan haar tepels begon te zuigen.

Eindelijk was hij in haar gekomen. Ze ademden en bewogen samen in de stilte van de nacht en Rich was vergeten wie en wat hij was, terwijl zijn hele lichaam zich vulde met verlangen en zijn hart zwol van vreugde. Uiteindelijk had Tanya, hem vasthoudend, haar lenige lichaam gekromd en tegen hem aan gespannen en zijn naam gefluisterd en Rich voelde hoe zijn hoofd gevuld raakte met wit licht terwijl allerlei sensaties zijn lichaam overspoelde en zijn zenuwuiteinden in golf na golf van kloppende extase baadden. Hij hield Tanya dicht tegen zich aan, hun harten klopten in harmonie na hun beider orgasmes.

Rich ging zitten en rekte zich uit terwijl hij zijn maag voelde samenknijpen bij de herinnering. Hij voelde zich licht en opgewonden. Uiteindelijk was, zoals Tanya had gezegd, de afgelopen nacht nog maar het begin. Hij keek naar het Indiase beeldje op het geïmproviseerde altaartje. 'Ik weet hoe je je voelt, vriend,' zei hij.

Kate had zojuist Sadie aan de telefoon gehad. Ze legde de hoorn op de haak, stak haar haar op en zette het vast met haar afgekloven potlood. Eindelijk begon ze vorderingen te maken.

'Hoe heb jij het gehad?' vroeg ze toen Dillon in de deur verscheen. Hij hield de hiel van een van zijn laarzen op de grond met de teen van zijn andere en haalde zijn voet uit het dure leer.

'Ons mysterie is opgelost, schat.' Hij sprong op de ene voet terwijl hij zich uit de andere laars wurmde. 'Ik heb het kaartje gevonden dat de drukker me had gegeven en heb hem een bezoekje gebracht. Hij heeft een of ander duister drukkerijtje in Zuid-Londen. In elk geval, ik heb een praatje met hem gemaakt en het blijkt dat hij is omgekocht om niets te zeggen, maar een of ander onderdeurtje heeft hem opgezocht en hem de kaartjes op de pers laten verwisselen, nadat Charlie er haar goedkeuring aan had gegeven.'

'O, mijn god! Wist hij wie het was?'

'Nee, maar hij was diezelfde dag nog met Charlie mee geweest, dus het moet een van haar collega's zijn geweest.'

'Ja, maar hoe kunnen we het bewijzen? Heeft hij de drukker met geld omgekocht?'

'Hij heeft hem deze aansteker gegeven. Hier.' Dillon dook in de zak van zijn schapenwollen jas en haalde de zilveren promotie-aansteker tevoorschijn, die hij Kate toewierp. Ze ving hem op en draaide hem om en om in haar hand. 'Hij is er erg trots op. Ik voel me nogal schuldig omdat hij hem heeft laten vallen en ik heb hem opgeraapt. Ik stond op het punt hem terug te geven toen ik me realiseerde dat het bewijsmateriaal was.'

Kate glimlachte. 'Sherlock Holmes.'

'Ik zou inderdaad een goede privé-detective zijn,' zei Dillon instemmend terwijl hij haar op de neus kuste.

'Wat denk je?'

Dillon haalde zijn schouders op. 'Het enige wat ik weet is dat er een of andere samenzwering gaande was om op slinkse wijze van de kaartjes af te komen. Er is iets raars aan de gang.'

Kate draafde de keuken rond in haar geruite pyjama en hield de aansteker vast. 'Charlie is er dus ingeluisd! Ik wou dat ik wist waar ze was. Ze moet zich verschrikkelijk voelen.'

'Heb je het al bij haar ouders geprobeerd?'

'Hazel en Donald zijn in Australië en ik kan Rich niet bereiken.'

'Maak je geen zorgen, ze komt wel weer opdagen en zodra ze boven water komt, kunnen wij haar het goede nieuws vertellen, nietwaar?' Hij liet zijn handen rondgaan onder haar pyjama.

'Je hebt koude handen,' gilde ze lachend terwijl ze zich onder zijn greep probeerde uit te worstelen.

'Nou en? Ik heb de juiste plek gevonden om ze aan te warmen, nietwaar?' bromde Dillon. Hij vatte Kates borsten in zijn koude handen, en zij glimlachte en kronkelde zich tegen hem aan.

De regen kletterde neer op het dak van de auto toen Mary Rose voor de plaatselijke kroeg stopte.

'Ga maar, hij zit te wachten,' zei ze.

'Ik wil niet.' Charlie keek in het spiegeltje dat in het zonne-scherm boven haar stoel was aangebracht, maar het zilver over-heerste over haar spiegelbeeld. 'Ik zie er verschrikkelijk uit en ik heb niets te zeggen.'

'Tut-tut-tut,' zei Mary Rose. 'Ga nou maar en vermaak je een beetje.'

'Dat kan ik niet. Ik ben vergeten hoe ik me moet vermaken.'

Haar peetmoeder boog zich over haar heen en opende het portier. 'Dan wordt het tijd dat je je dat weer gaat herinneren.'

Charlie trok een gezicht tegen haar en sprintte toen naar de oude eiken deur.

In de Haystack, de plaatselijke kroeg, brandde een loeiend open-haardvuur en aan het balkenplafond boven de bar hingen matzilveren drinkbekers. Nergens was een jukebox of een speelautomaat te zien, al wat je hoorde was het ontspannende geroezemoes van de gesprekken en het geknetter van de open haard. Aan de bar zat Libby, de oude waardin, te praten met een paar mannen die aan de bar hingen. Aan haar voeten lag een enorme labrador te snurken.

De conversatie stokte toen Charlie de deur in stormde en Libby's ingetrokken wenkbrauwen schoten naar haar paarse spoeling toen Hamish vanuit het hoektafeltje naar haar zwaaide. Hij was halverwege een pint bier. Ernaast stonden twee glazen whisky, en hij rolde met zijn ogen toen Charlie op hem toe kwam lopen. Een van de dorpelingen zat hem aan zijn kop te zeuren.

'Ken je Charlie, Jack?' vroeg Hamish.

'Ik dacht het niet,' zei Jack zuur. De paar tanden die hij nog over had, waren bruin van ouderdom en nicotine. Hij tikte aan de klep van zijn versleten tweedpet toen Charlie naar hem glimlachte.

'Ik zal je niet langer ophouden,' zei hij verlegen voor hij naar de bar toe schuifelde om zich bij zijn zwijgende maat te voegen, die achterdochtig naar Charlie keek toen ze tegenover Hamish ging zitten.

'Dat is Jack,' zei hij terwijl hij een slokje bier nam. 'Onze plaatselijke stroper en frettenhouder. Telkens als ik hem zie, moet ik een paar borrels van hem nemen.'

'Wat is het?' vroeg Charlie terwijl ze een van de glazen pakte en aan de donkere vloeistof rook.

'Het plaatselijke gif. Het is fataal, maar het smaakt vrij goed. Neem maar een van deze glazen als je durft.'

'Bedankt.'

'Weet je hoe ze dit in Glasgow noemen?'

Charlie schudde haar hoofd. 'Elektrische soep,' zei Hamish terwijl ze een slok nam en haar ogen begonnen te tranen van de walm. Ze sloeg op haar borst en hapte naar lucht omdat de whisky een laag van haar keel leek weg te branden.

Hamish lachte. 'Jullie stadsmensen toch,' zei hij plagend.

Maar toen Charlie er eenmaal aan gewend was geraakt, bleek de plaatselijke whisky vrij drinkbaar en na nog twee glazen werden haar wangen rozig in de warme gloed van het vuur. Hamish onderhield haar met verhalen over verschillende van zijn patiënten en, belangrijker nog, hun eigenaars – verhalen waar James Herriot nog een puntje aan kon zuigen.

'Als ik het zo hoor, heb je het erg naar je zin met je werk.'

'Het is ook heel leuk, tenminste als je van het platteland en van een simpele leefwijze houdt.'

Ze nam een slokje whisky en merkte dat Hamish haar zat aan te kijken. Verlegen begon ze aan de zoom van haar rokje te trekken. Ze wou dat Mary Rose haar maar niet had overgehaald haar spijkerbroek te verruilen voor iets anders.

'Wanneer ga je nou trouwen met die Hollywood-mogol van je?' vroeg Hamish.

'Is er hier dan niets heilig?'

'Niets. In deze contreien kun je geen geheimen hebben. De bomen hebben oren, weet je.'

'Het is een grapje van Mary Rose. Ze vond dat ze een list moest verzinnen om te zorgen dat ik niet naar Valeries oud en nieuwfeestje hoefde.'

'Aardig bedacht, maar je komt er toch niet onderuit. Als ik het goed heb begrepen, wil Valerie geen kwaad woord over je horen en ze kan haast niet wachten om je aan Gerald voor te stellen.'

Charlie trok haar wenkbrauwen op. 'Ik kwam hier om niet langer het onderwerp van roddel te zijn. Heeft iedereen over me lopen praten?'

'Natuurlijk! Je bent het spannendste wat hier is gebeurd sinds Gerald voor zijn geaardheid is uitgekomen.'

'Gerald, de zoon van Valerie? Is hij homo?'

Hamish lachte. 'Absoluut. Hij is de plaatselijke nicht, maar daar wil Valerie niets over horen. Ze lopen hier erg achter.'

Charlie keek Hamish aan. 'Ik kan me voorstellen dat Valerie in alle staten is.'

'Nou en of. Ze moet er erg aan wennen. Er zijn er nogal wat die het met de eigen sekse aanleggen als er niemand kijkt.' Hamish knipoogde. 'Er zijn er ook heel wat die het met beide seksen aanleggen, als het erop aankomt.'

Charlie leegde haar glas. 'Vertel mij wat.'

'Zo, dat klinkt onheilspellend.'

'Dat is het ook. Nou ja, eigenlijk niet meer.' Ze zweeg en keek naar het brede, aardige roodharige gezicht van Hamish, en gesterkt door de alcohol vertelde ze hem het verhaal van haar vernedering. Het was voor het eerst dat ze de feiten op een rijtje zette zonder dat ze ging huilen.

Tot haar verbazing begon Hamish hartelijk te lachen en bette hij de tranen uit haar ooghoeken met zijn grote knokkels.

'Het is niet grappig,' zei ze. Maar ondanks zichzelf moest ze toch glimlachen.

'Het is om je dood te lachen. Wat zeiden je vrienden?'

Charlie keek hem ernstig aan. 'Dat weet ik niet. Ik heb hen allemaal van me afgestoten omdat die verliefdheid op Daniel me blind maakte. Mijn beste vriendin Kate zal me waarschijnlijk nooit vergeven na wat er is gebeurd. En Rich...' Charlies stem stierf weg, verbijsterd over de pijnlijke prop die in haar keel bleef steken.

'Onzin. Maak je om Kate maar geen zorgen,' zei Hamish terwijl hij haar op haar hand klopte. 'Als er één ding is wat ik over vrouwen heb geleerd, is het wel dat ze het heerlijk vinden een vriendin in nood te helpen.'

Charlie vroeg zich af wat Hamish nog meer over vrouwen wist.

'Als ik jou was, zou ik haar bellen en haar vertellen wat er is gebeurd. Ga je gang, doe het maar meteen.'

Charlie zuchtte. 'Dat kan ik niet.'

'Het doet je verdriet, dat zie ik. Het leven is te kort om je ellendig te voelen over onenigheid. Hier, bel haar maar, je knapt er vast van op.' Hij stopte wat wisselgeld in haar hand en wees haar naar het ouderwetse telefoonhokje van de kroeg.

Charlie keek Hamish door het glas aan terwijl ze de ouderwetse hoorn van de haak nam. Hij knikte enthousiast en zwaaide haar toe. Het geld viel in het versleten apparaat en ze draaide het nummer van Kate terwijl ze zich verwoed begon af te vragen wat ze moest zeggen. Aan de andere kant klikte het antwoordapparaat aan en ze voelde een steek van teleurstelling, maar het horen van Kates stem deed haar goed. Ze slikte een onverwachte snik weg en haalde diep adem.

'Ik ben het,' zei ze. Ze zweeg bij de herinnering aan hoe het was om te worden omringd door een groep mensen die vertrouwd waren met haar stem, wist wat ze deed en hoe ze zich voelde. Wat kon ze zeggen nu ze die warme plek had verlaten en zichzelf naar het platteland had verbannen? Hoe kon ze Kate in godsnaam duidelijk maken hoe zwaar haar hart was?

'Ik mis je,' zei ze verstikt terwijl ze de hoorn dicht tegen haar oor hield, haar ogen sloot en haar hoofd boog terwijl de piepjes aankondigden dat de verbinding werd verbroken.

Sadie nam een slokje van haar koffie verkeerd in de Dôme. 'Philippa is een vreselijke trut,' zei ze. 'Maar dat zou ik natuurlijk niet moeten zeggen.' Ze haalde luidruchtig haar neus op. Ze was het laatste slachtoffer van het griepvirus dat het merendeel van het Bistram Huff-personeel had geveld.

'Nee. Maar het geeft niet. Ik zal niets zeggen.' Kate vulde haar wijnglas bij. 'Kun je me nog eens vertellen wat er gebeurde toen die actie een puinhoop bleek te zijn?'

Ze luisterde hoe het verhaal zich ontvouwde, en toen ze de overdreven versie van de confrontatie met Daniel en Charlies ontslag hoorde, raakte ze overweldigd door schuldgevoelens en bezorgdheid.

Kate schudde haar hoofd. 'Wat een verhaal! Arme, arme Charlie.'

'Ze was echt gek op Daniel.'

'Ja, maar ze hadden slechts één ding gemeen,' zei Kate.

'Wat dan wel?'

'Ze waren allebei verliefd op hem.'

Sadie lachte. 'Daar kon je wel eens gelijk in hebben. Weet je hoe het met haar gaat?'

'Ik heb eindelijk bericht van haar gekregen. God mag weten waar ze vandaan belde. Ze klonk wat teut, maar ze leeft nog.'

Sadie knikte en tikte een pakje Silk Cut open. 'Ik moet eigenlijk stoppen,' zei ze terwijl ze een sigaret tussen haar lippen stopte.

Kate haalde de aansteker tevoorschijn en gaf haar een vuurtje.

'Hé, hoe kom je daaraan?' Sadie pakte de aansteker uit Kates hand en onderzocht hem. 'Heb je die van Charlie gekregen?'

'Nee. Hoezo?'

'Wij hebben die aanstekers laten maken voor een actie.'

Kate boog zich naar haar toe, haar ogen groot van verwachting. 'Ga door.'

'Ik ben alleen heel verbaasd dat je er eentje hebt. Ze zijn heel exclusief en we hebben er maar een paar van weggegeven.'

'Had Charlie iets met die actie van doen?' vroeg Kate.

'Een beetje. Nee. Het was Bandit die het allemaal heeft bedacht.'

'Wie is Bandit?'

'David Delancey. Hij zat in het team van Charlie. Ze konden het heel goed met elkaar vinden. Alleen, als je het mij vraagt had hij iets raars over zich.'

'Hoezo?'

'Nou, sinds zij vertrokken is, heeft die aanstekercampagne het helemaal gemaakt en is hij dikke maatjes met Philippa geworden. Ze hebben hem in Charlies plaats aangesteld tot account director.'

Kate boog zich voorover in haar stoel. 'Hoe ziet Bandit eruit, Sadie?'

'Gemillimeterd haar, flitsend, een onderdeurtje maar tamelijk aantrekkelijk.'

'Is hij met Charlie mee geweest naar de drukker om de kraskaarten goed te keuren?'

'Ja, dat klopt. Hoe wist je dat?'

'O, mijn god, we hebben onze hoofdverdachte!' zei Kate ademloos. Ze legde uit hoe de drukker zich van de kraskaartjes had ontdaan. 'Maar hoe kunnen we het bewijzen? Wie behalve de drukker kan ervan hebben geweten?' vroeg ze.

'Bob, misschien?'

'Zou Charlie overal aantekeningen van hebben gemaakt?'

'Ik denk het wel. Het staat waarschijnlijk nog allemaal in haar computer.'

'Kom mee,' zei Kate terwijl ze opstond. 'Het is tijd om aan het werk te gaan. We gaan die klootzakken door de mangel halen.' Ze grijnsde van opwinding. Dit was het, ze had het verhaal gevonden waarop ze had gewacht om zich op het terrein van de serieuze journalistiek te begeven. Als ze alle feiten kon uitzoeken en Teddy Longfellow van de *Reporter* te pakken kon krijgen, kon ze nog lachen. Nu ze een primeur in handen had, zou men haar serieus gaan nemen en hoefde ze niet langer over de Spice Girls te schrijven.

Charlie doorzocht haar toilettas en haalde haar foundation

tevoorschijn. Ze staarde ernaar alsof het uit een ander tijdperk kwam en bestudeerde zichzelf toen in de ingelijste spiegel op de mahoniehouten ladekast. Haar gezicht was bleek met twee rode vlekken waar de wind striemen op haar teint had gemaakt, haar lippen waren gebarsten. Ze bekeek zichzelf wat nauwkeuriger en vroeg zich af hoe ze haar uiterlijk zo drastisch had kunnen laten verslonzen. Haar wenkbrauwen waren niet geëpileerd en borstelig, haar haar onverzorgd en pluizig en het vergelende blond stak opzichtig af tegen de donkere wortels.

Ze had haar herinnering en alle gedachten aan ijdelheid uit haar hoofd gezet in de weken die ze nu op Hill Farm zat. Ze was vastbesloten geweest de kost te verdienen en Mary Rose te helpen, zelfs als dat ten koste van haar krachten ging. En toch had Mary Rose gelijk gehad. Telkens als Charlie iets moedigs deed, bijvoorbeeld in haar eentje het donkere land opgaan, had ze het gevoel of ze punten voor zichzelf scoorde. Of haar hart genas en ze zich klaarstoomde om weer in de aanval te gaan.

En nu zat ze zich hier zorgen te maken over de vraag of ze wel mooi genoeg was voor Hamish. Ze dacht aan zijn gezicht en aan hoe hij was begonnen langer oogcontact te houden dan noodzakelijk was en ze voelde zich ontwaken in het licht van zijn aandacht. Ze verlangde erg naar zijn goedkeuring en elke keer dat ze hem zijn honden zag aaien of met een teder gebaar de kat zag optillen, verlangde ze ernaar dat hij haar in zijn armen zou nemen en dat soort aandacht ook aan haar zou besteden.

Ze keek de kamer rond. Mary Rose moest een goede invloed op haar hebben. Ze was van haar leven nog niet zo netjes geweest. Haar truien lagen keurig opgevouwen in de kast en ze had zelfs elke dag het bed opgemaakt. Ze dacht aan haar zilveren heupbroeken die in haar flat op hun cliphangertjes hingen en ze voelde een scheut van heimwee. Hoe kon je leven zo compleet veranderen, dacht ze terwijl ze haar lievelingstrui aantrok.

Het was er een die Rich in februari voor haar had gekocht. Terwijl het lamswol haar wang streelde, ademde ze de geur ervan in, in de hoop zich de tijd te herinneren voor haar leven een rampzalige puinhoop was geworden. Rich had erop gestaan de trui te kopen, omdat hij dezelfde kleur had als haar ogen.

'Het is kooptherapie,' zei hij terwijl hij zijn Visa-card tevoorschijn had gehaald.

'Die therapie was voor jou bedoeld, niet voor mij.'

'Wat maakt het uit. Trouwens, ik hou van impulsaankopen.'

'Ik ook. Zolang jij betaalt!' Het was in een winkel in Covent Garden geweest en ze had het zachte breisel gestreeld om hem vervolgens op haar tenen een zoen op zijn wang te geven.

Hij had gebloosd voor het oog van de verkoper. 'Dit is het bewijs! De liefde van een vrouw gaat door een Visa-card!'

Charlie herinnerde zich hoe ze het touw van het papieren tasje over haar schouder had geslingerd en de deur van de winkel voor Rich had geopend. 'Heb ik je vandaag al verteld dat je geweldig bent?'

Rich had op de drempel gestaan en over zijn kaak gewreven. 'Eens even denken.'

Charlie had gegiecheld, had haar arm door de zijne gehaakt en samen waren ze de straat op gehuppeld. 'Oké, je bent geweldig.'

Ze waren het hoofdplein op gekuierd en hadden naar een clown gekeken die in het laatste daglicht optrad. Terwijl hij stond te wiebelen op zijn eenwieler kwam de muziek uit zijn apparaat in botsing met de twee violisten die onder aan de trap Bach stonden te spelen.

'Wat nu? Zullen we iets voor jou kopen?'

Rich had gekreund. 'Ik ben afgepeigerd. Kunnen we niet naar huis gaan en een video huren?'

'Ja, maar alleen als ik hem mag uitkiezen.'

'Nee. Ik wil niet van dat dweperige meidenspul. Ik wil een mannenfilm. Actie. Vrijpartijen met waardeloze hoeren, dat soort dingen.' Rich had zijn borst leeggeblazen.

'Zo'n lekkere oude tranentrekker als *Ghost* mag dus niet?'

Rich was abrupt stil blijven staan. 'Nee. Niet die scène aan het eind wanneer hij zegt: "Ditto" en dan naar de hemel gaat?' Hij had zijn knokkels in zijn mond gestopt en gespeeld gejankt. 'Ik ben dol op dat stukje.'

'Kom mee, ouwe softie,' had Charlie gelachen terwijl ze hem de Panda in had gepropt.

Ze klemde de trui dicht tegen zich aan. Hoe had ze zo blind en stom kunnen zijn? Ze had de enige die altijd voor haar in de bres sprong, laten vallen. Ze was zo kwaad op Rich geweest toen ze verliefd was geworden op Daniel, en dat terwijl hij haar al die tijd alleen maar tegen hem in bescherming had willen nemen. En toen had ze hem voor gek gezet, zijn zorg en bezorgdheid weggewuifd en hem het gevoel gegeven alsof hij degene was die fout zat.

Nu ze erover nadacht, moest hij het ontstellend hebben gevonden om zomaar te zijn vertrokken en alleen maar een briefje te hebben achtergelaten. Het lag absoluut niet in zijn lijn. Ze keek naar de maan die door de scheur in de geruite gordijnen scheen en haar hart deed pijn toen ze zich afvroeg of Rich zich veilig onder dezelfde maan bevond en of hun vriendschap nog ooit zou worden hersteld.

Kate trok de bank dichterbij en leunde over de dikke tafel in All Bars One naar Pete en Bob, die pinda's in zijn handen liet rollen.

'Ik kan het nog steeds niet geloven. Weet je zeker dat Bandit haar in de val heeft gelokt?' vroeg Pete.

Kate knikte en gooide haar haar over haar schouder. 'Hij heeft inderdaad de kaarten op de pers omgewisseld. Nu is het alleen nog maar de vraag hoe we het moeten bewijzen.'

'Die stiekeme klootzak. Ik dacht dat hij een vriend van Charlie was.'

'Lui als Bandit hebben zulke grote ego's dat ze geen vrienden nodig hebben.'

'Waarom heeft hij het gedaan, denk je?'

'Uit jaloezie, waarschijnlijk.'

Pete zuchtte. 'Je zou wel eens gelijk kunnen hebben. Hij kon niet wachten om die promotie tot account director te krijgen, en sinds Charlie weg is, loopt hij door het kantoor alsof hij zelf de eigenaar is.'

'Het is een goor zwijn geweest,' onderbrak Sadie.

'En hij heeft jou ook met een hoop werk opgezadeld, hè?' Pete knikte naar Bob, die schaapachtig op zijn stoel begon te schuiven.

Bandit had nog wel iets meer gedaan dan Bob met werk opzadelen. Hij had Bob zodanig gechanteerd met het dreigement dat hij Amanda, zijn vrouw, over zijn ontrouw zou inlichten, dat Bob gedwongen was geweest zijn drukmarges drastisch te verlagen om hem tevreden te houden, en feitelijk werkte hij dag en nacht voor vrijwel niets. Bistram Huff was hem volledig aan het leegzuigen, maar hij zag geen enkele uitweg.

Kate bestudeerde hem nauwkeurig toen hij knikte. 'Je wist dat Bandit die kaartjes op de pers had verwisseld, hè Bob?'

'Ja, wacht eens even,' begon hij, maar Kate keek hem met een scheef hoofd aan, verbaasd over zijn reactie, en zijn protest stierf weg. Hij bloosde.

'Je moet het hebben geweten,' zei Sadie triomfantelijk terwijl ze Kate zelfvoldaan aankeek. 'Je werkt al jaren met Jack Marsden.' Ze leek het leuk te vinden de assistent-detective uit te hangen.

Pete keek naar Kate en toen naar Bob, die steeds roder werd. 'Bob? Wat is er aan de hand?'

Kate wist dat ze op het juiste spoor zat. 'Je hebt Bandit gedekt, nietwaar?'

'Chantage!' zei Sadie en Kate stak haar hand uit om haar rustig te houden.

Bob zuchtte eens diep en keek Pete en Sadie verontschuldigend aan. 'Ik kon niets zeggen. Ik wilde wel, maar hij had me bij de kladden.'

'O, Bob.' Kate gaf hem over de brede tafel heen een kneepje. 'Luister. Ik weet niet waarmee hij je in zijn macht heeft, maar je mag dit niet laten gebeuren. Charlie is ontslagen en haar carrière is naar de knoppen, maar dit gaat veel verder. Deze hele bedrijfstak wordt bezoedeld door bedrijven als Bistram Huff. Ik ben vastbesloten het naar buiten te brengen, maar daar heb ik jouw hulp bij nodig.'

'Het spijt me heel erg voor Charlie, maar ik kan niets doen,' zei Bob.

Pete en Kate keken elkaar aan.

'Waarom vertel je niet wat Bandit heeft uitgespookt?' vroeg Pete. 'Misschien kunnen we je helpen.'

Bob schudde zijn hoofd. Ondanks het feit dat Carolines zwangerschap een misselijke grap bleek te zijn, voelde hij zich nog steeds verschrikkelijk. 'Hij weet iets. Iets dat me mijn huwelijk zou kunnen kosten. O, god, het is allemaal zo vuil.' Hij wreef over zijn voorhoofd.

Pete was verbijsterd. 'Denk je echt dat Bandit jou en Amanda uit elkaar kan drijven?'

'Als hij haar vertelt wat hij weet wel,' zei Bob.

'En zal Amanda hem geloven, als we voor het oog van de hele wereld bewijzen dat hij een leugenaar en een bedrieger is?' Kate trok haar wenkbrauwen tegen hem op. 'Ik denk dat Amanda geen woord van wat hij zegt zou geloven. Van wie houdt ze uiteindelijk?'

Bob zuchtte. 'Van mij.'

'Nou dan. Als we David Delancey eens en voor altijd te grazen nemen, hoef jij je nergens zorgen om te maken.'

'Misschien kun je Bandit te pakken nemen, maar Bistram Huff is andere koek. Philippa heeft al haar geld in het bedrijf gestopt en ze zal het nooit te gronde laten gaan.'

'Dan kent ze mij nog niet,' grijnsde Kate.

'En onze banen dan?' vroeg Pete.

Kate knikte en keek hem ernstig aan. 'Maak je geen zorgen, ik bedenk wel iets.'

'Dan kun je op me rekenen,' zei Pete.

'Mij ook,' zei Bob, zichtbaar opgelucht. 'Maar hoe gaan we het aanpakken?'

Kate keek Sadie aan en glimlachte. 'Ik heb een plan.'

Rich zat aan de rand van Chapura Fort, onder de vervallen vuurtoren. Hij bungelde met zijn benen over de verweerde stenen en keek uit over het panorama dat zich voor hem ontrolde. Hij kon mijlenver zien in de middagnevel: beneden hem lag Vagatour en verder naar boven op het schiereiland het witte zand van Anjuna. Achter hem in de schaduw van het oude fort lag een nieuw wit hotelcomplex. Rich keek tussen de nieuw geplante palmbomen door en zag het lege zwembad glinsteren, afgesloten van de armoede.

Terwijl hij zijn ogen tot spleetjes kneep tegen de warme föhn die hem recht in het gezicht blies, komend van uitgestrekte kilometers blauwe Indische Oceaan, begon hij te begrijpen waarom mensen wilden vliegen. Als hij vleugels had, zou hij zichzelf meteen van de muur van het fort af storten en als een meeuw over de verbrokkelde, steile afgrond scheren naar de golven die stuksloegen op het strand.

Hij ademde in. Hij voelde zich kalm en vrij. Hij had een faxapparaat gevonden achter in een van de plaatselijke kiosks en hij had een brief naar zijn werk gefaxt waarin hij zei niet meer terug te keren. Hij zwaaide met zijn voeten en schopte met zijn sandalen tegen de verweerde stenen. Hij voelde zich net een stout schooljongetje. Op dit moment had hij al op zijn werk moeten zitten. Er ging een rilling door hem heen toen hij zich zijn jaloerse en ongeïnteresseerde collega's voor de geest haalde, die kortaf vroegen waar hij geweest was om hem vervolgens op de hoogte te brengen van de kleinzielige kantooraangelegenheden. Hij dacht aan zijn brievenbakje en terwijl de zon naar de horizon zakte, glimlachte hij in de wetenschap dat het niet langer zijn probleem was.

Hij was in de zevende hemel. Zijn ogen keken ontspannen naar het weidse uitzicht, zijn huid was gebruind, zijn spieren soepel en zijn ego opgepept. Het kon hem niet schelen wat zijn bazen van zijn fax zouden vinden. Hij voelde zich roekeloos en vrij en terwijl hij over de glinsterende oceaan uitkeek, vroeg hij zich af waarom het zo lang had geduurd voor hij had beseft dat hij geen commercieel advocaat wilde zijn. Hij kon eigenlijk niets bedenken wat zinlozer was dan dat.

Toen hij stemmen achter zich hoorde, keek hij om en zag dat twee jongemannen en een slank meisje op het muurtje in zijn buurt gingen zitten en een joint opstaken. Rich glimlachte en zei hen gedag.

'Het is hier prachtig,' zei de jongen met het donkere haar tegen Rich, met een gebaar op het uitzicht.

Rich knikte. Ze leken allemaal te jong, en zo bleekjes! 'Het is heerlijk,' zei hij instemmend terwijl hij zijn voeten op het muurtje zette en zich naar hen omdraaide, zijn lunghi wapperend in de wind.

'Je kunt beter hier zijn dan in Engeland. Het weer is daar naadje,' zei het meisje terwijl ze een hijs van de joint nam en Rich flirterig opnam.

'Dat dacht ik nou ook juist,' zei Rich. 'Zijn jullie op vakantie?'

'Ja. We reizen een beetje rond,' zei de eerste jongen. 'Maar we hebben maar twee weken, dus we blijven voornamelijk hier. Het nachtleven is hier goed, en de rest ook. Iedereen is zo ontspannen.'

'Heb jij ook vakantie?' vroeg zijn vriend terwijl hij beschermend zijn arm om het meisje heen sloeg. Kennelijk had hij gevoeld hoe ze zich aangetrokken voelde tot Rich.

'Iets dergelijks,' zei Rich.

'Kom je ook uit Engeland?'

'Ja, uit Londen.'

'Wat doe je voor werk?' vroeg het meisje terwijl ze hem de joint aangaf. Hij schudde zijn hoofd en ze gaf hem door aan haar vriend.

'Ik ben...' Rich weerhield zichzelf ervan verder te spreken en voelde een scheut van opwinding door zich heen gaan. 'Ik werkte in het centrum, maar ik vond het verschrikkelijk, dus ben ik ermee gestopt. Ik ben nog aan het nadenken over wat ik hierna zal gaan doen.'

'Goed van je,' zei de eerste jongen. 'Gaaf. Ik wou dat ik met mijn werk kon ophouden. Ik haat het.'

'Ben je hier met Kerstmis nog? We hebben gehoord dat het hier dan erg geinig is,' zei de vriend van het meisje.

'Ik denk van wel.'

'Als ik jou was, zou ik niet teruggaan naar Engeland. Dan zou ik hier gewoon blijven.'

Er viel een stilte over hen terwijl de zon naar de horizon zakte. Rich had het gevoel of hij het uitzicht absorbeerde. Hij herinnerde zich zijn gesprek met Tanya. 'Blijf stilstaan. Laat het leven naar je toe komen. Absorbeer het. Jaag het niet na, want dan rent het alleen maar harder bij je weg,' had ze gewaarschuwd. Nu wist hij wat ze bedoelde. Tot dit moment had hij nog niet gezien hoe mooi de wereld was. Zijn keuzemogelijkheden waren onbeperkt en alles wat er overbleef was het volgen van zijn instincten naar de toekomst. Hij klom van het muurtje af.

'Ik ga maar weer terug naar Baga voor het donker wordt. Misschien zie ik jullie nog. Veel plezier,' zei hij terwijl hij in het gras sprong.

Hij knoopte zijn lunghi opnieuw vast en kuierde weg. De wind blies het gesprek van het muurtje achter hem in zijn richting.

'Te gekke gozer.'

'Ik vond het een stuk,' zei het meisje, maar de rest van hun gesprek vond buiten gehoorsafstand plaats omdat Rich door het gras en het puin liep waar eens de banketzaal van het garnizoen was geweest.

Hij glimlachte in zichzelf. Ooit zou hij in extase, overweldigd zijn geweest als een knap jong meisje hem een stuk had genoemd en de jongens hem te gek hadden gevonden. Nu voelde hij zich weliswaar gevleid, maar hij wist ook dat het waar was. Hij voelde zich fantastisch en dat moest voor iedereen om hem heen te zien zijn. Terwijl hij 'Dream Lover' startte en over de hobbelige slingerweg snelde, flitsten de koele schaduwen van de bomen over zijn pad.

Hij voerde het toerental op en vloog over de weg vol kuilen terwijl de plastic 'Jezus Loves You'-sticker glansde in het schemerlicht. Hij schudde zijn hoofd. De warme wind blies door zijn haar. Toen hij een koe op het midden van de weg zag staan, minderde hij vaart en toen hij er langzaam omheen reed, had Rich kunnen zweren dat hij glimlachte. Hij lachte en slaakte een gilletje van vreugde en terwijl hij de zwoele, geurige lucht inademde, beloofde hij zichzelf dat hij zich dit moment zijn leven lang zou blijven herinneren.

'Wakker worden!' Het bezorgde gezicht van Mary Rose verscheen vaag in Charlies blikveld toen ze haar ogen op een kiertje opende. Ze ging rechtop in bed zitten, haar hoofd nog nevelig van de slaap, maar in paniek gebracht door de toon die doorklonk in de stem van Mary Rose.

'Wat is er aan de hand?'

Mary Rose gooide maillots, een broek, sokken en truien óp het bed. 'Het weer is omgeslagen. We moeten de ooien redden.'

Charlie trok het gordijn open, maar het schuin aflopende raam werd verduisterd door een dikke laag sneeuw. Ze trok haar kleren onder de dekens aan, met klapperende tanden.

'Kom op. We hebben maar weinig tijd,' zei Mary Rose. Haar kleine gezicht was samengetrokken van bezorgdheid.

Charlie greep haar sjaal, die over de radiator te drogen hing, en stopte hem lekker warm rond haar hals en nek, voor ze haar laarzen aantrok in de hal. Mary Rose haalde nog een gevoerde regenjas van een haak.

'Trek deze aan. Je zult hem nodig hebben,' zei ze.

Charlie hield haar adem in toen Mary Rose de achterdeur openrukte. Buiten was het pikkedonker en de sneeuw viel horizontaal in de gierende wind. Charlie gilde en viel achterover terwijl de ijskoude wind haar in het gezicht sloeg.

'We kunnen toch niet naar buiten met dit weer? Moet je zien! Die ooien zullen het toch wel uithouden tot morgenochtend?' schreeuwde ze. De angst greep haar bij haar keel terwijl ze in de duisternis haar ogen half dichtkneep.

Mary Rose pakte een schop en duwde die haar in handen. 'Er is geen tijd,' riep ze grimmig. 'Als ze vast komen te zitten, zijn we ze kwijt. We nemen de tractor.' Ze stapte naar buiten, de storm in.

De wind prikte in Charlies gezicht en ze had al haar kracht nodig om Mary Rose door de sneeuw heen naar de tractor te volgen. Dit moest een nachtmerrie zijn. Zelfs de tractor kwam nauwelijks vooruit in de storm. De ruitenwissers maakten overuren omdat ze de ijzige sneeuwspatten moesten wegvegen.

Boven aan het eerste veld stopte Mary Rose, maar ze liet de lichten aan. Het hek lag verborgen in een hoop sneeuw, dus het zou moeilijk zijn erdoorheen te komen.

'Moet je zien!' riep Charlie. 'We moeten omdraaien.'

'Het lukt wel. Laten we even boven gaan kijken. Op het bovenste veld is de wind misschien niet zo fel.'

Charlies tanden leken te bevriezen terwijl ze de zaklamp overnam van Mary Rose, haar vingers al gevoelloos onder haar wollen handschoenen. Ze duwde met alle kracht die ze in zich had het portier van de tractor open en sprong in de sneeuw die boven haar rubberlaarzen uit kwam.

De bundel licht die uit de tractorlampen kwam, maakte een tunnel in de duisternis terwijl Mary Rose haar over het hek heen hielp. Haar jas wapperde om haar heen toen de wind nieuwe sneeuwhopen op het veld jakkerde. Charlie liep in de diepe voetafdrukken die Mary Rose achterliet en de sneeuw sloeg tegen haar aan, trok haar naar beneden. De tractorlichten waren nu vager en als onversaagde ontdekkingsreizigers staken ze hun zaklampen aan.

'Zie je iets?' schreeuwde Charlie.

Mary Rose was niets meer dan een donkere schaduw. 'Het is hierboven veel erger dan ik dacht. We moeten hulp gaan halen. Ik weet zeker dat de meisjes bovenaan staan, maar we moeten ze uitgraven en we hebben licht nodig. Als het zulk weer blijft, is het morgenochtend te laat.'

'Wat moet ik doen?'

'Er is niet zoveel tijd. Ik loop door. Jij gaat terug naar huis en belt Hamish. Hij weet wie hij moet bellen. Blijf in huis tot er hulp komt.'

'Ik kan je toch niet zo achterlaten,' schreeuwde Charlie.

'Doe niet zo raar. Ik heb dit eerder gedaan en als ik eenmaal boven ben, bieden de bomen meer beschutting.'

'Weet je het zeker?'

'Ja. Ga nu maar, en wees voorzichtig.'

Charlies hart bonkte van angst toen ze door de sneeuw terugploeterde. Zou Mary Rose het redden? Ze keek om zich heen en knipperde met haar ogen. De ijzige wind joeg de sneeuw om haar heen omhoog zodat ze niet zag welke kant ze opging. Ze concentreerde zich op het lopen in de sneeuw, die nu zo diep was dat ze nauwelijks vooruitkwam. De volgende keer dat ze opkeek, besefte ze dat ze de tractorlichten niet meer zag en dat het spoor van voetafdrukken dat ze had gevolgd was verdwenen.

Ze hield haar muts op haar hoofd vast en kroop tegen de kracht van de storm in, toen de paniek haar te pakken kreeg. Ze keek om zich heen, maar ze zag slechts duisternis en sneeuw. Ze voelde het vibreren van haar stem in haar borst, maar ze hoorde niets. Ze was verdwaald in een tunnel van warrelende sneeuw en ze herinnerde zich opeens de ingang van de dansvloer in Orgasm. Hoe was ze daarvandaan hierin terechtgekomen? Wat voor verschrikkelijks had ze gedaan dat het lot haar helemaal alleen op een berghelling in een sneeuwstorm had doen belanden?

Haar knieën klapperden nu en ze sloeg haar armen om haar lichaam terwijl de kou in haar beet. Ze was altijd bang in het donker geweest, en terwijl de zwarte duisternis haar omringde, stelde ze zich voor dat er opeens iets tevoorschijn zou springen en haar zou grijpen, maar ze was helemaal alleen, een gevangene van de elementen.

Ze sprak hardop tegen zichzelf en probeerde wanhopig een plan te bedenken. Ze moest het huis zien te bereiken; ze kon niet stil blijven staan, dan zou ze doodvriezen. 'Alsjeblieft, alsjeblieft, laat iemand me helpen,' huilde ze terwijl ze in de duisternis doorploeterde en het licht van de zaklamp slechts haar volgende stap verlichtte.

Ze raakte bevangen door angst, buiten adem, verblind door de kou en de sneeuw. 'Doorlopen,' schreeuwde ze tegen zichzelf en gedachten aan doodgaan, aan doodgevroren gevonden worden in de sneeuw vergiftigden haar geest. Toen struikelde ze over een hoop poedersneeuw en stuitte haar hand op iets hards. Ze voelde een bord. Goddank, het moest het hek van het benedenveld zijn. Blindelings klom ze eroverheen en viel omlaag in de dijbeenhoge sneeuw aan de andere kant, huilend van de kou.

De sneeuw had zijn weg tussen haar kleren gevonden en ze huiverde. Het leek of ze in ijskoud water zwom. 'Niet blijven staan,' zei ze, haar stem opgeslokt door de duisternis, en het zwakke schijnsel van haar zaklamp flikkerde terwijl ze blindelings de richting van het hek zocht, maar de sneeuw was te diep. Ze was hopeloos verdwaald en ze draaide zich om en dwong haar ogen wat lichten te zien in de sneeuwstorm, maar nergens was licht.

Ze rilde, haar lippen werden blauw, ze schreeuwde om hulp.

Ze verlangde naar Londen, naar een stad, een comfortabele flat, weg van de verwoestende natuurelementen. De sneeuw hoopte zich op tegen haar knieën terwijl ze maar doorworstelde, wetend dat het zinloos was om te blijven staan, maar zonder ook maar enig idee te hebben waar ze naartoe ging.

Juist toen ze het wilde opgeven, raakte haar voet iets wat bewoog, en ze scheen met de zaklamp op de hoop sneeuw. Het bewoog weer en ze klemde de zaklamp tussen haar tanden terwijl ze met haar handen begon te graven. Het was Daniel, de ram.

Opgelucht zakte ze op haar knieën en nu ze niet meer alleen was, kon ze zich opeens weer concentreren. Ze moest hem redden en het zag ernaar uit dat ze net op tijd was.

'Ik krijg je er wel uit,' mompelde ze terwijl ze Daniels kop bevrijdde en zijn neusgaten afveegde, die vol aangekoekte sneeuw zaten. Hij kon nog maar nauwelijks ademen en ze groef de sneeuw weg om zijn enorme lijf en wierp zich op hem, wreef hem uit alle macht over zijn flanken en klemde zich aan hem vast om hun beider warmte met elkaar te delen.

'Kom op! Je redt het wel! Alsjeblieft, kom op!' smeekte ze terwijl ze hem overal begon te wrijven om hem tot leven te brengen.

Eindelijk begon Daniel zielig te blaten. Charlie lachte. Buiten adem van inspanning zakte ze achterover in de sneeuw terwijl Daniel zich uitschudde. Pas toen zag ze dat het was opgehouden met sneeuwen en dat het eerste licht over de horizon kroop. Ze knipperde verwoed met haar ogen, in de wetenschap dat ze in een van de zijvelden moest zijn als ze Daniel had gevonden. De boerderij kon nu niet ver weg meer zijn.

Ze maakte de sjaal om haar hals los, waardoor de sneeuw van haar haren over haar rug viel en ze begon te gillen. Ze zweette van inspanning, haar ledematen waren nog steeds stijf van de kou, maar ze moest terug naar de boerderij. Ze bond de sjaal om Daniels nek, trok hem door de sneeuw en struikelde toen ze een pad door het veld voor hen groef.

Terwijl het zwakke licht haar bewustzijn binnenfilterde, begon het weer zachtjes te sneeuwen en ze hief haar gezicht op naar de sneeuwvlokken, ving ze op haar tong op terwijl de gebouwen van de boerderij in zicht kwamen. Ze liet Daniel in het bijveld staan, waar de sneeuw niet diep was, en spurtte naar het hek beseffend dat ze helemaal niet zo ver van de tractor verwijderd was geweest.

Finlay Macintosh, de buurman van Mary Rose, reed juist zijn

enorme JCB het erf op toen Charlie eindelijk op de boerderij aankwam.

Mary Rose kwam op haar toe hollen, huilend van opluchting. 'Ik dacht dat we je kwijt waren.'

Charlie omhelsde haar. 'Ik heb Daniel gevonden,' bracht ze uit.

'Waar wil je me naartoe hebben?' vroeg Finlay die knorrig op hen af kwam stampen.

Mary Rose klemde zich aan zijn arm vast. 'Hartelijk dank, Finlay. Maar alles is nu in orde.'

'Weet je het zeker? Ik kan naar boven gaan, als je dat wilt.'

'Nee. Ze zijn allemaal in veiligheid.'

Finlay bromde. 'Nou, dan ga ik maar. Zalig kerstfeest,' zei hij.

Charlie had zich nog nooit zo gelukkig gevoeld als toen ze in de keuken zat met haar voeten in warm water, een kopje soep in haar handen en een dekbed om haar schouders.

'Ik kan het mezelf maar niet vergeven dat ik je zomaar heb laten gaan,' zei Mary Rose terwijl ze om haar heen redderde.

'Ik heb me om jou juist zorgen gemaakt. Heb je de ooien gevonden?'

'Ja. Ze zijn niet zo stom als ze eruitzien. Ze stonden allemaal lekker warm bij elkaar tussen de bomen. Die meiden hebben een uitstekend overlevingsinstinct.'

Charlie moest hard niezen. 'Dat hebben alle meiden,' zei ze.

De 'Oscar'-uitreiking voor de sales-promotionbranche werd ieder jaar gehouden in het Hyde Park Hotel. In de balzaal stonden enorme kerstbomen, beladen met duizenden zilveren ballen en andere snuisterijen waarin zich de gebogen vloer weerspiegelde die vol stond met rijkelijk opgetaste tafels. Boven de door blaasinstrumenten gefloten kerstliedjes uit hoorde je het geluid van ontkurkte champagneflessen en het geroezemoes van stemmen. Er hing een sfeer als op eindexamenfeestjes: iedereen was vrolijk. Dit was de laatste grote gebeurtenis voor Kerstmis en de kater van de champagne die er die avond werd geschonken zou naar verwachting nog tot in het nieuwe jaar blijven hangen.

In het midden van de zaal, aan de tafel van Bistram Huff, depte Si het zweet van zijn voorhoofd met een linnen tafelservet en fluisterde tegen een ober dat hij een fles champagne moest brengen naar de prestigieuze klant aan de BKF-tafel. Philippa, elegant gekleed in een witte jurk die de rug vrijliet, overzag de ruimte met haviksogen en knikte tegen verscheidene kennissen.

'Ik moet me even excuseren. Ik ga even naar het toilet,' zei Daniel terwijl hij het pakje cocaïne in de zak van zijn smokingjasje bevoelde.

'Blijf niet te lang weg,' zei Bandit. 'De uitreiking gaat zo beginnen.'

Philippa glimlachte tegen hem. 'Je lijkt je er erg op te verheugen,' zei ze.

'Je weet nooit wat er gaat gebeuren,' zei Bandit. Hij haalde zijn schouders op en zoog vol zelfvertrouwen zijn wangen in.

'O, dat weet je best,' zei Philippa terwijl ze haar wenkbrauwen optrok. Toen wendde ze zich tot de marketing director die achter haar zat.

De zaal werd stil toen de lichten uitgingen en de directeur van het Instituut naar het podium liep en onzeker op de microfoon begon te tikken. 'Test, test, een, twee, drie.' Iedereen begon te klappen en te juichen.

In de toiletten sneed Daniel cocaïne op de porseleinen stortbak en inhaleerde het fijne poeder. Toen streek hij voor de spiegel zijn haar glad en glimlachte tegen zichzelf.

Buiten wrong Kate zich met Bob uit de taxi.

Hij bleef drentelen bij de deur. 'Ik kan het niet,' zei hij.

Kate greep hem bij de arm, trok hem de trap op en toen langs de portiers met grijze hoge hoeden. 'We hebben dit al honderd keer gerepeteerd. Je hoeft niets te zeggen. Je hoeft er alleen maar te zijn.'

In de grote zaal liep Daniel langs de fonkelende tafelkaarsen terug naar zijn plaats. Hij liep enigszins wankelend en moest zichzelf hier en daar aan vasthouden.

Kate glipte achter de buffettafels achter in de zaal en instrueerde Bob achter haar aan te lopen, terwijl hij de videocamera op zijn schouder nam. Toen ze de zaal met honderden mensen in avondkleding in keek, begon ze zich wat ongerust te voelen. Haar oog viel meteen op Daniel en alsof hij haar nervositeit bespeurde draaide hij zich om en keek haar kant op, maar zijn pupillen waren zo vergroot dat hij, als hij haar al zag, haar niet herkende. Kate maakte zich los van zijn blik en knikte discreet naar Sadie, die zich gedeisd hield en op haar lippen beet.

De introductie van de beste promotie duurde een eeuwigheid.

Er werden dia's van allerlei werk getoond, maar het was de aanstekeractie van Bandit die won. Kate slaakte een zucht van verlichting. Als Bistram Huff niet uitverkoren was geweest, zou haar plan in duigen zijn gevallen, hoewel Pete haar had verteld dat het hele gedoe doorgestoken kaart was en dat Si kapitalen had gespendeerd om er zeker van te zijn dat Bistram Huff een prijs zou winnen om de beschadigde reputatie van het bedrijf te herstellen.

Ze keek toe hoe Bandit en Daniel het podium beklommen om de prijs in ontvangst te nemen, en ze raakte vervuld van walging. Die twee konden nog wat van elkaar leren als het op lage, gemene streken aankwam. Arme Charlie.

'Dit is het moment,' fluisterde ze tegen Bob.

'Doe je best,' zei hij. Kate kwam in actie en begon door de tafels heen naar het podium te lopen. Aanvankelijk werd ze door iedereen genegeerd, maar toen ze de trap op liep, bleef Bandit steken midden in zijn speech. Toen herkende Daniel haar.

Kate pakte Bandit de microfoon af. 'Dames en heren, het spijt me van deze onderbreking,' zei ze. Ze schraapte haar keel en keek de zaal vol nieuwsgierige gezichten in. Dit was moeilijker dan ze had gedacht. 'Ik heb u allemaal een aantal dingen te vertellen die u volgens mij moet weten over Bistram Huff en over de onprofessionele praktijken die de naam van de hele bedrijfstak bezoedelen.'

'Wel verd...' Bandit deed een uitval naar de microfoon, maar ze trok het ding bij hem vandaan en duwde hem met al haar kracht van zich af.

Er viel een verbaasde stilte in de zaal. Dit was de bedrijfstak die dol was op roddels en alle concurrenten van Bistram Huff zaten met gespitste oren te wachten op wat Kate te zeggen had.

Aan de tafel van Bistram Huff keken Si en Philippa elkaar aan terwijl de rustige stem van Kate zich verhief boven de zwijgende gasten en uitvoerig begon te verhalen over Bandits verwisseling van de kraskaartjes en de toedekkingsoperatie van Bistram die erop was gevolgd.

'Ik denk dat u het ermee eens zult zijn dat het een schande is dat dit zomaar heeft kunnen gebeuren en dat dit abominabele bedrijf hier niet voor gestraft is.'

Philippa rees omhoog uit haar stoel terwijl de zaal losbarstte in opgewonden geroezemoes. 'Haal haar daar weg!' schreeuwde ze.

Si probeerde haar tegen te houden, maar ze duwde hem van zich af en beende op het podium af.

'Ah, mevrouw Bistram,' zei Kate kalm terwijl Philippa op haar af kwam stormen.

'Ze heeft geen bewijs,' zei Bandit, woedend en vernederd.

'O, dat heb ik wel,' zei Kate terwijl ze Sadie en Bob wenkte om zich bij haar te voegen.

'Zo is het genoeg!' schreeuwde Philippa die zich op de microfoon stortte.

Een official stapte energiek het podium op, de flappen van zijn smoking als vleugels achter hem aan. 'Dames, dames,' zei hij terwijl hij iedereen uit elkaar probeerde te trekken.

Kate kon zich nauwelijks herinneren wat er de volgende momenten gebeurde. Philippa verloor haar zelfbeheersing en beukte haar vuist in Kates gezicht. Ze wankelde achteruit, recht in de armen van Daniel.

'Zien we elkaar toch nog,' zei hij giechelend. Ze zag dat hij zo stoned was als een garnaal.

Si stond te schreeuwen en alle andere bureaus stonden hevig te roddelen. De official slaagde erin Philippa van het podium af te krijgen door haar aan de rug van haar witte jurk te trekken terwijl zij heftig stond te gesticuleren.

Bandit pakte de microfoon van de vloer. Hij rechtte zijn jasje.

'Het spijt me van deze ongelukkige onderbreking, dames en heren,' zei hij, alsof hij in een klucht zat. 'Zoals ik al zei ben ik zeer vereerd om deze prijs namens Bistram Huff in ontvangst te mogen nemen.' Maar hij kreeg niet de kans zijn zin af te maken, aangezien de presentator hem de prijs uit handen rukte.

Toen begon het: het onafgebroken applaus en het langdurige boe-geroep. Pete en Sadie waren opgestaan en wurmden zich door de menigte heen. Bandit stond hen een poosje aan te staren voor hij het podium af stormde, achter Philippa aan die vloekend de dubbele deuren door werd gesleept. Kate schudde haar bezeerde kaak en kwam wankelend omhoog. Ze stak een hand uit naar Bob, die het hele incident had gefilmd en helemaal uitzinnig was.

'Zet hem nu maar af, Bob,' zei Kate versuft. 'Volgens mij is de strijd gestreden.'

Bob, die door de zoeker had gekeken, kwam weer bij zinnen en legde de camera op de grond, maar vergat hem af te zetten. Hij hielp Kate overeind. 'Je was geweldig. Heb je hun reactie gezien?'

'Zo schuldig als het maar kan,' zei Kate terwijl ze Bob bij de arm pakte, Pete en Sadie in de menigte begon te zoeken en alle vragen begon te beantwoorden.

Alleen Daniel bleef achter op het podium. Hij stond raar te giechelen, als een kind.

'Stomme klootzakken! Jullie zijn allemaal stomme klootzakken,' tierde hij tussen zijn uitzinnige lachstuipen door, als een hysterische dronkelap. Maar er was niemand die ook maar enige aandacht aan hem besteedde, afgezien van de achtergelaten videorecorder.

Rich klopte op de deur van Tanya's hut en bleef aarzelend staan met de bos bloemen die hij op de markt had gekocht in zijn hand. Het was zo'n schitterende bos dat hij ze bijna voor zichzelf wilde houden. Hij had nog nooit bloemen gekocht als kerstcadeautje, maar hij was gedreven geweest door een impuls om zijn geliefde een plezier te doen. Hij duwde voorzichtig de deur open.

Binnen was de lucht heet en zwaar van de stof. Rich keek naar het verkreukelde laken op het bed, dat door de war lag van hun nacht vol passie. Hij zette de bloemen in een vaas en streek de lakens glad. Naast het bed zag hij haar veelkleurige heupriem met het geldbuideltje, en hij legde het recht terwijl hij rondstruinde. Er vielen een paar munten uit die hij oppakte. Hij had zichzelf in Tanya's intiemste delen begraven en toch was haar geldbuidel een privé-aangelegenheid. Maar zijn nieuwsgierigheid nam de overhand. Hij wierp een steelse blik in de rits en zag haar paspoort. Hij knielde op het bed neer, zwetend in de hitte van de kamer.

Ze had zijn leven veranderd en had hem de dingen vanuit een totaal ander perspectief laten zien, en toch wist hij heel weinig over haar. Toen hij haar paspoort tevoorschijn haalde, bedacht hij hoe blij ze mocht zijn nog een oud, zwart Brits paspoort te hebben. Hij bladerde door de broze, gekreukte bladzijden, verwonderd over alle vervaagde stempels en visa, en een straaltje bleek zand viel als een zandloper tussen de bladzijden uit.

Hij ging naar haar pasfoto voorin. Achter het vergelende plastic keek Tanya hem aan met kort, rechtopstaand haar. Hij grinnikte in zichzelf toen hij bedacht hoe anders ze er nu uitzag. Toen las hij de verbleekte details en schrok. Het feit drong als een schok tot hem door, alsof hij inkt proefde. Tanya was vijfenveertig. Hij had met een vrouw van vijfenveertig gevrijd.

Charlie pakte de lucifers van de plank. 'Oké. Daar komt-ie,
Hamish,' zei ze terwijl ze de lucifer in het donker probeerde aan
te strijken.

'En – actie!' Ze bracht de aangestoken lucifer naar de
Christmas pudding, die in blauwe vlammen ontstak. Toen ze het
bord oppakte en naar de tafel droeg, barstten Mary Rose en
Hamish los in een, in canon gezongen 'We Wish You A Merry
Christmas'.

Mary Rose klapte in haar handen terwijl de blauwe vlam doof-
de en Hamish stak de kaarsjes in de engeltjesmobile aan, waardoor de tafel in zacht licht baadde.

'Gelukkig kerstfeest,' zei hij, zijn glas heffend, en Charlie
glimlachte naar hem in de zachte gloed. Het zag er zo knus uit in
de keuken, vooral nadat ze een fles rode wijn had gedronken en
aan de port zat. Hamish pakte de kaart die ze voor hem had
gemaakt van tafel en bestudeerde haar tekening. 'Ik vind mijn
kaart prachtig,' zei hij.

Charlie glimlachte en voelde zich zwellen van trots. Nadat ze
Daniel had gered, had ze een week nodig gehad om te herstellen
van haar verkoudheid, blij dat ze nog leefde en niet naar buiten,
de velden op hoefde. Ze had haar dagen doorgebracht met in het
huis rondscharrelen en het bestuderen van de bladzijden van het
dikke kookboek van Mary Rose tot ze een eetbare hoeveelheid
mince pies had klaargemaakt om indruk te maken op Hamish.

Ze voelde zich schuldig dat ze Mary Rose niet hielp en had
besloten iets heel bijzonders van het kerstfeest te maken: ze had
de boom opgetuigd en kerstkaarten geschilderd terwijl ze naar de
radio luisterde. Ze voelde zich gelukkiger dan ze in maanden had
gedaan, maar toen ze zich voorbereidde op het kerstfeest op de
boerderij, miste ze toch het winkelen met Kate in Harvey
Nichols en het gezwijmel rond de grote boom op Trafalgar
Square.

Hamish had elke dag gebeld, en ze had hem vergast op verhalen over voorbije kerstfeesten en het inpakken van kerstcadeau-
tjes met Rich in de flat en de feestjes in de 51.

Maar nu, terwijl Mary Rose de laatste hapjes pudding naar binnen werkte en haar lepel op het bord liet vallen, keek Charlie naar
haar gezicht en wist dat haar werk niet voor niets was geweest.

'Ik had nooit gedacht dat ik het van een van jouw creaties zou zeggen, maar dat was een heerlijk kerstdiner,' zei ze.

Charlie glimlachte en raakte haar arm aan. 'Gaat het een beetje met je? Je ziet er doodmoe uit.'

Mary Rose geeuwde. 'Dat ben ik ook,' zei ze.

Ze was de hele nacht met de sneeuw in de weer geweest en toen Charlie had gezien hoe uitgeput ze was, had ze aangeboden het kerstdiner klaar te maken, maar het liep al tegen negenen voor ze eindelijk konden eten.

'Vinden jullie het erg als ik naar bed ga?' vroeg Mary Rose terwijl ze haar blik van Hamish naar Charlie liet gaan.

'Absoluut niet,' zei Hamish.

Charlie stond op en omhelsde haar peetmoeder.

'Ontzettend bedankt. Zonder jou was ik die laatste weken niet doorgekomen,' zei Mary Rose. 'Blijf je niet te lang op? Je bent net over je verkoudheid heen.'

Charlie lachte. 'Ik heb meer uithoudingsvermogen dan je denkt.'

'Ik weet het,' zei Mary Rose. 'Welterusten.'

Later, na de afwas, zat Charlie in kleermakerszit op de grond voor de houtkachel en zette twee glazen op het kleed. Ze was opgetogen – eindelijk was ze alleen met Hamish.

'Je hebt dit huis helemaal opgevrolijkt,' zei Hamish en keek naar de kerstboom en de versiering boven de deur. Hij ging naast haar op het kleed zitten, in de warmte van het vuur. 'Je ziet er al een stuk beter uit,' zei hij.

'Ik voel me ook beter. Ik was heel bang. Ik heb zelfs even gedacht dat ik eraan zou gaan. Je krijgt er een heel ander perspectief door.'

Hamish glimlachte en zweeg.

Charlie sprong opeens op. 'Vergeten,' zei ze terwijl ze onder de boom rommelde en een tak mistletoe tevoorschijn haalde. Ze ging weer zitten en hield het boven haar hoofd. Ze grijnsde tegen Hamish, maar hij bewoog zich niet.

Ze keek naar de tak boven haar hoofd. 'Ga je me niet zoenen?' vroeg ze flirterig, maar Hamish keek haar ernstig aan.

'Ik zou niets liever willen dan jou kussen,' zei hij. 'Maar het probleem is...'

'Wat?'

'Dat jij niet echt wilt dat ik je kus.'

Charlie schudde haar hoofd en lachte. 'Natuurlijk wel.'

'Niet echt.'

'Ik zoen heus niet zomaar iedereen in mijn buurt.'

'Daar gaat het niet om.'

Ze legde de mistletoe neer. 'Wat is het dan? Ik zal je niet bijten.'

Hamish zuchtte. 'Sinds ik je voor het eerst zag droom ik er al over je te kussen. Op die vreselijke veiling zag je er al uit als een filmster.' Hij pakte haar hand. 'Maar het is niet wat jij wilt.'

Charlie begon met haar ogen te rollen. Ze weigerde hem serieus te nemen. 'Wat wil ik dan?'

'Rich.'

Ze deinsde achteruit. 'Ben je jaloers op Rich?'

'Ja, om je de waarheid te zeggen wel.'

'Dat is belachelijk.' Charlie stond op en sloeg haar armen over elkaar. Hamish krabbelde op.

'Vind je dat echt zo belachelijk? Besef je dat je voortdurend over hem praat? Je bent ons aldoor aan het vergelijken. Elke keer als ik iets voor je doe, of als ik iets grappigs zeg, vergelijk je me met hem.'

Charlie hapte naar lucht. 'Dat doe ik helemaal niet. Rich is gewoon een vriend, hij...'

'Dat is hij niet.' Hamish legde zijn handen op zijn borst. 'Hij zit hier, je wilt het alleen niet zien.'

Charlie staarde omlaag naar haar handen. 'Je gebruikt Rich gewoon als smoes.'

Hamish pakte haar bij haar schouders en dwong haar hem aan te kijken. 'Snap je dan niet dat ik eerlijk tegen je probeer te zijn? Als ik het gevoel had dat je op het platteland thuishoorde en dat je hart hier was, dan zou ik je niet zoenen onder de mistletoe, dan zou ik je ten huwelijk vragen. Ik wijs je niet af, ik probeer je alleen te laten inzien wat voor ieder ander zo verschrikkelijk duidelijk is en mijn hart heeft gebroken.'

Charlie zag hoe de deur zich achter hem sloot en ze ging bij de houtkachel zitten en huilde onverklaarbare tranen.

Het blonde haar van de stewardess was met haarlak tot een stijf kapsel gespoten. Rich slikte met de walgelijke witte wijn de laatste Temazepam door die hij bij een drogist in Calangute had gekocht en gaf haar zijn dienblad met eten. Hij drukte op de knop op zijn stoelleuning en duwde zijn stoel achteruit. Hij ging een stukje achterover zitten, deed net of hij comfortabel zat en sloot zijn ogen.

Het kerstfeest in Goa was fantastisch geweest. Nadat hij achter Tanya's leeftijd was gekomen, had hij uren op het strand gezeten en geprobeerd wat orde in de chaos te brengen. Kon hij echt doen of haar leeftijd hem niets kon schelen? Of maakte het eigenlijk niets uit? Tanya liep misschien wat jaartjes op hem voor, maar ze was tevreden met wie ze was. Ze hoefde zichzelf niet aan haar leeftijd af te meten, net zoals hij zichzelf niet langer door zijn werk liet afmeten.

Terwijl hij lui in de zee lag te drijven, dacht hij erover na. Hij kon niet kwaad op haar zijn omdat ze over haar leeftijd had gelogen, want dat was niet zo. Hij had haar geaccepteerd zoals ze was en ze had tegenover hem hetzelfde gedaan en hem daarmee de vrijheid gegeven zichzelf te zijn.

Maar het vinden van Tanya's paspoort had hem met een schok teruggebracht in de realiteit en hij wist dat de tijd was aangebroken om besluiten te nemen. Hij kon in Goa blijven of gaan rondreizen, maar hij wist dat dat niet zijn wereld was. Hij hield ervan, maar hij zou pas echt bevrijd zijn als hij zich ook thuis zo zou voelen.

Het kwam er nu op aan actie te ondernemen, dacht hij terwijl hij dobberde op de golven. Hij kon van alles doen. Zijn bonus van het afgelopen jaar zat nog steeds veilig weggestopt in onroerend goed, dus hij had genoeg geld om van te leven. Misschien zou hij samen met Dillon een restaurant kunnen beginnen, misschien zou hij teruggaan naar de universiteit en weer gaan studeren. Het deed er niet toe. Zijn perspectief was tot dat moment zo beperkt geweest, maar nu besefte hij dat er eindeloze mogelijkheden waren, zolang hij maar zijn hart volgde.

Absurd gelukkig sprong hij rond in de golven, en toen kwam het in hem op. Er wás iets wat zijn hartstochtelijke belangstelling had. Iets wat hij nooit was kwijtgeraakt, al die tijd dat hij in Goa had gezeten, en hij weigerde het nog langer te negeren. Hij beende het water uit, voelde zich doelbewuster dan ooit tevoren, en ging rechtstreeks naar het dorp om zijn vlucht naar huis te boeken.

Toen hij Tanya later op de avond had ontmoet voor het feestje op kerstavond, hoefde ze hem maar even aan te kijken om te weten wat hij had gedaan. Ze knikte tegen hem en omhelsde hem stevig. 'Je hebt gelijk, het is tijd.'

Op eerste kerstdag hadden ze in stijl gedineerd in het plaatselijke restaurant, kerstliedjes gezongen in hun badpakken en drinkspelletjes met kokoscocktails gespeeld. Tweede kerstdag had hij het rustig aan gedaan, met Tanya backgammon gespeeld op het strand en zijn gebruine huid nog wat opgehaald. Hij glimlachte toen hij zich het afscheidsfeestje herinnerde dat Tanya voor hem bleek te hebben georganiseerd, haar warme afscheid van hem, maar het slaaptablet vaagde zijn herinneringen uit en tot Gatwick was hij in een diepe slaap verwikkeld.

Het was op de dag voor oud en nieuw dat de vlucht aankwam en met bonkend hart stapte Rich voor de flat uit de taxi. Charlie zou nu wel terug zijn in Londen als ze met de kerst weg was geweest. Nog steeds met zijn geborduurde Indiase pet op ademde hij de drukkende decemberlucht in en keek omhoog naar de ramen van hun flat. De lichten waren uit. Misschien was Charlie in de keuken. Hij stelde zich voor hoe ze thee dronk, haar voeten omhoog op de keukentafel terwijl ze haar teennagels lakte. Hij zou naar binnen lopen en haar confronteren met de feiten. Hij zou eerlijk zijn. Hij zou haar vertellen dat hij verliefd op haar was geweest, nou ja, smoorverliefd eigenlijk, en dat hij besefte dat ze gelijk had, dat hij moest gaan leven, en dat hij dat ter harte had genomen. De rest zou hij dan maar afwachten.

Hij zocht naar zijn sleutels in de zanderige diepten van zijn rugzak. Misschien zou ze opstaan en hem omhelzen. Hij zag haar heldere bruine ogen al voor zich. 'O, Rich, ik heb je gemist,' zou ze zeggen, Kev zou kopjes geven om zijn benen en zij zou het bad laten vollopen. Het zou allemaal heel knus en warm zijn en ze zouden samen oud en nieuw vieren, zoals ze altijd hadden gedaan.

De bedompte lucht die binnen hing bracht Rich met een schok terug in de realiteit. Hij huiverde in de koude gang en ging tegen de deur aanstaan om hem open te duwen tegen de enorme stapel post die op de mat lag. Hij boog zich voorover om de stapels brieven en reclame op te pakken, terwijl hij zijn angstige adem voor zich uit zag dampen.

In de donkere, ranzig ruikende keuken liet hij de dikke banden van zijn rugzak van zijn schouders glijden en met een bonk gleed zijn zware bagage op het linoleum. Het kattenluikje van Kev zat dichtgeplakt, zijn kostbare treurvijg zag eruit of hij zichzelf tot uitroeiing had getreurd en alle stekkers waren uit de keukenapparaten gehaald.

Zijn nekharen stonden al rechtovereind en hij huiverde van het akelige voorgevoel dat hem beving toen hij op het knopje van het antwoordapparaat drukte. Iedere boodschap leek hetzelfde. De laatste was van Daniel.

'Charlie, volgens mij heb jij mijn sleutels nog. Ik zou je heel dankbaar zijn als je ze terug zou willen sturen, liefst aangetekend. Zo spoedig mogelijk.'

Rich kreeg kippenvel van die wrede stem. Wat was er gebeurd? Hij pakte de telefoon en drukte Charlies nummer op haar werk in, verbaasd dat dat nummer nog steeds in het onderbewuste geheugen van zijn vingertoppen zat. De telefoon ging ontelbare keren over. Uiteindelijk klikte het antwoordapparaat aan. Tot zijn verbazing kreeg hij de stem van Si te horen. 'Bedankt dat u Bistram Huff hebt gebeld. Onze persconferentie zal in het nieuwe jaar worden gehouden.'

Persconferentie? Wat was er aan de hand? Rich legde langzaam de hoorn op de haak en liet zijn hand over zijn ontzette gezicht gaan. Iedere keer als hij zich had voorgesteld thuis te komen, had hij altijd verwacht dat Charlie er zou zijn. Het was geen moment in hem opgekomen dat ze misschien wel verdwenen zou zijn. Hij huiverde en nieste. Er was iets heel erg, vreselijk, afgrijselijk mis en Rich voelde de mogelijkheden knagen.

Hij maakte de koelkast open en deinsde achteruit van de stank van beschimmelde olijven en ranzige melk. Bevangen door paniek liet hij de deur op een kier staan en begon de flat te doorzoeken naar aanwijzingen. Pas toen hij verslagen aan de keukentafel ging zitten, viel zijn oog op de cellofanen omslag van *Marketing* tussen de post. Hij trok het tijdschrift uit de stapel en las de kop voor hij het papier eraf scheurde. En daar, op de middenpagina's, stond een uitvergrote foto van Charlie, naast kolommen vol arrogante kopij die het hele trieste verhaal uit de doeken deden.

Mary Rose stond boven aan de ladder en keek in de duisternis van de zolder. 'Kun je het vinden?' vroeg ze.

Charlie haalde de zaklantaarn tussen haar knieën vandaan en legde snel het bundeltje liefdesbrieven terug in de hutkoffer.

'Ik denk het wel,' zei ze. 'Nog even.'

Ze trok de antieke zijden jurk tevoorschijn en hoestte van de stoffige lucht. Ze kon niet wachten om weer terug te keren naar het licht.

Het was het idee van Mary Rose geweest om de jurk te zoeken. Charlie was met het eten bezig geweest toen haar peetmoeder binnenkwam. Ze zag er moe uit. Ze lachte toen Charlie haar begon te bemoederen. 'Nog even en ik raak hieraan gewend. Ik kan me niet herinneren wanneer er voor het laatst iemand voor me gezorgd heeft.'

Charlie sneed het brood op het aanrecht. 'Je hebt het nodig. Iedereen heeft af en toe een beetje aandacht, zorg en liefde nodig, vooral wanneer je het heel druk hebt.'

Mary Rose wreef over haar voorhoofd. 'Ik maak me vreselijk zorgen over Daniel.'

Charlie legde de broodplank op tafel en raakte meelevend de schouder van Mary Rose aan. Hamish had longontsteking vastgesteld sinds de ram was komen vast te zitten in de sneeuw en hij had, net als Mary Rose weinig hoop.

Mary Rose knikte. 'Ik kan hem niet zomaar achterlaten en naar Valerie gaan. Stel dat het gaat sneeuwen? Nee, ik blijf hier. Oud en nieuw stelt trouwens toch weinig voor.'

'Je laat me er toch niet in mijn eentje naartoe gaan, hè?' had Charlie gevraagd.

'Hamish is er toch ook.'

Charlie diende de ovenschotel op. 'Ik weet het.' Ze had Mary Rose niets verteld over haar gesprek met Hamish. Ze had hem al dagen niet gezien en hij hield toezicht op het jachtfeestje van Archie Packenham, dat het landschap vervuilde. 'Maar ik kan niet naar dat feestje. Ik heb niets om aan te trekken.'

Dat was het moment geweest waarop Mary Rose had voorgesteld om op zolder te gaan kijken. Charlie was verbaasd over de hoeveelheid troep die er lag. Er stonden nog een aantal kapotte naaimachines, een oud koperen ledikant, een stuk of wat boekenplanken en twee grote hutkoffers die onder het stof zaten en tot haar grote verbazing vol zaten met memorabilia. Er zaten naaipatronen uit de jaren zestig in, half voltooide breiwerken, boeken, ansichtkaarten en brieven, waarvan de meeste van een zekere Derek waren. Charlie moest lachen toen ze zich Mary Rose voorstelde in een minirok en een jaren zestig zonnebril.

Mary Rose hield de ladder vast terwijl Charlie weer naar beneden kwam, de jurk in een bundeltje in haar hand. Ze sloot het luik en stapte op de overloop, het stof van haar trui kloppend.

'Er ligt daar een schat aan vondsten. Dat ledikant zou in Fulham een fortuin opbrengen.'

Mary Rose streelde zachtjes de stof van de jurk. 'Moet je dit oude ding eens kijken. Ik heb hem nooit kunnen dragen,' zei ze hees.

Charlie bukte zich om haar gezicht te kunnen zien. 'Wat is er gebeurd?' vroeg ze, denkend aan het bundeltje liefdesbrieven.

Mary Rose schudde bedroefd het hoofd. 'Dat weet ik eigenlijk niet precies. Ik zou naar een bal in Londen gaan en ik heb op hem staan wachten, maar hij is nooit gekomen. Dat was ook met oud en nieuw.' Haar stem stierf weg.

'Wie?' Charlie raakte zachtjes haar arm aan, verbaasd dat Mary Rose zo sentimenteel kon zijn.

Mary Rose keek haar aan en glimlachte verdrietig. 'O, gewoon een spook uit mijn verleden. Allemaal verleden tijd.'

'Hield je van hem?'

'Van wie, van Derek? Natuurlijk, maar op dat moment besefte ik het niet. Pas toen hij het wachten beu was en met iemand anders trouwde, drong het tot me door. Sindsdien kan ik mezelf wel voor mijn kop slaan.'

'Is hij nooit teruggekomen?'

Mary Rose schudde haar hoofd. 'Daarom moet je altijd spijt hebben van de dingen die je hebt gedaan en niet van de dingen die je niet hebt gedaan.'

Charlie hield zichzelf de jurk voor. Ze wilde meer weten, maar Mary Rose was weer haar oude drukke zelf geworden en was al op weg naar beneden.

'Kom op. Laten we even kijken hoe hij jou staat. En trouwens, ik heb een spoelinkje voor je gekocht bij de drogist. Volgens mij is het tijd om van die blondering af te komen. Het staat je van geen kant.'

'Aha, de verloren zoon is weer terug!' De stem van Kate kwam als balsem door de telefoon.

Rich glimlachte, opgevrolijkt door de triomfantelijke toon van haar stem. 'Kate, o, Kate, wat is er gebeurd? Waar is Charlie?'

Kate glimlachte. 'Waar ze ook is, ze moet wel heel trots op ons zijn.'

'Hoezo?'

'We hebben Bistram Huff te pakken genomen. Charlie is door die zak van een Bandit in de val gelokt. Hij heeft het zo geregeld dat de Up Beat-actie in de soep liep en zij kreeg de schuld, en nu heb ik een fantastische nieuwe baan bij de *Reporter*.'

Rich ging zitten. 'Ik vat 'm niet helemaal. Begin eens bij het begin.'

Kate vertelde hem vlug wat er was gebeurd en voegde eraan toe dat ze nu, voor Oud en Nieuw, Charlie wilde gaan zoeken om haar het goede nieuws te vertellen en het weer goed te maken met haar, vooral nadat ze had ontdekt wat Daniel had gedaan. Ze vertelde hem over Charlies boodschap. 'Ze zei niet waar ze was. Heb jij enig idee?' vroeg ze.

'Nee. Ik weet dat haar ouders pas in het nieuwe jaar terugkomen, dus daar kan ze niet zijn.'

Rich legde de hoorn op de haak. Wat hij te horen had gekregen, viel hem zwaar. Hij bleef lang zitten en liet het nieuws dat Kate hem had verteld tot zich doordringen, tot hij opeens het geschraap tegen de achterdeur hoorde. Omdat hij de sleutels niet zo snel kon vinden, trok hij het brede plakband van het kattenluikje en daar plofte Kev over de drempel alsof hij een rat was.

Rich pakte hem op, krulde hem om zijn handen heen en kuste hem. 'Ben ik effe blij je te zien, kerel! Waar heb je gezeten?' vroeg hij terwijl hij het doorweekte, stinkende bundeltje begon te kietelen.

Kev worstelde zich los uit zijn omhelzing en liep over de keukenvloer naar de bank, waarbij hij modderige pootafdrukken in zijn kielzog achterliet, en verzonk in een diepe slaap. Maar de terugkeer van Kev bracht slechts een tijdelijke rust bij Rich teweeg. Hij kon nauwelijks slapen. Om vijf uur 's morgens was hij verwoed de flat aan het stofzuigen en tegen negenen had hij boodschappen gedaan en belde hij iedereen die hij maar kon bedenken op om te informeren naar Charlies verblijfplaats.

Toen de bel ging, kreeg Rich het opeens benauwd. Hij rende de trap af en rukte de deur open, zijn gezicht levendig van verwachting.

Op de stoep stond Pix in haar handen te wringen. 'Ik ben Kev kwijt,' zei ze. 'Charlie had hem aan me gegeven om voor hem te zorgen, maar we zijn Vauxhall uitgegooid en toen kon ik nergens slapen...' Haar stem stierf weg toen ze de duidelijk teleurgestelde Rich de trap op volgde.

'Maak je geen zorgen, kijk daar maar eens,' zei hij, knikkend naar het pluizige bolletje Kev die zich had volgepropt met gerookte zalm en met al zijn poten omhoog voor de kachel lag.

'Goddank, zeg! Ik dacht dat hij was overreden.' Pix pakte Kev op en begroef haar gezicht in zijn vacht. Uiteindelijk legde ze het verwende beest weer op zijn warme kussen en ging staan.

'Hoe was je vakantie?' Ze keek Rich van top tot teen aan. 'Je ziet er geweldig uit.'

Rich stopte zijn handen in zijn zakken. 'Het was fantastisch. Precies wat ik nodig had. Alleen merkte ik toen ik gisteren terugkwam dat Charlie verdwenen was.'

Pix warmde haar handen aan de kachel en begon zachtjes met haar koude voeten te stampen. 'Ze is naar Schotland gegaan.'

'Schotland?'

'Ja, naar haar peetmoeder.'

Rich sloeg zich voor zijn hoofd. 'Waarom heb ik niet aan Mary Rose gedacht?'

Hij rende de gang in en kwam terug met zijn elektronische organizer. Hij klikte hem aan en ging het abc na, maar daar stond alleen het adres in. Hij belde koortsachtig met het informatienummer, maar Mary Rose bleek een geheim nummer te hebben.

Pix keek hem duister aan en trok haar wollen muts over haar hoofd. 'Nou, dan ga ik maar weer eens,' zei ze terwijl ze naar de trap schuifelde.

Rich sprong plotseling op en hield haar tegen bij haar arm. 'Nee! Wacht. Ga alsjeblieft nog niet weg.'

Pix zoog haar wangen in en sloeg haar armen over elkaar.

Rich wreef zich over zijn voorhoofd. 'Ik ben zo'n kluns, Pix, ik moet met je praten. Ik voel me verschrikkelijk over wat er is gebeurd. Je had gelijk om het tegen Charlie te vertellen. Als ik in jouw schoenen had gestaan, had ik het ook gedaan, maar ik had nooit zo tegen je mogen uitvallen. Het spijt me zo, zo verschrikkelijk.'

Ze staarde hem met opgetrokken wenkbrauwen aan.

Rich zuchtte om het allemaal uit zijn systeem te krijgen. 'Je verdiende het niet om gekwetst te worden en ik hoop dat je het me wilt vergeven, Pix, want je bent een prachtmeid en ik zou het heel prettig vinden als we vrienden konden zijn...'

'O.'

Rich legde zijn handen op haar schouder. 'O, Pix, ik ben zo stom geweest. Kun je het me ooit vergeven?'

Ze haalde haar schouders op. 'Je hebt me pijn gedaan.'

'Dat weet ik. Het spijt me. Ik was zelf zo gekwetst dat ik naar de eerste de beste in mijn omgeving heb uitgehaald, en dat was jij.'

Pix zette haar handen op haar heupen en keek hem aan. 'En wat voel je nog voor Charlie?'

Rich glimlachte tegen haar. Zijn gebruinde gezicht kreukte zich van genegenheid. 'Maak je geen zorgen, ik ben over mijn obsessie heen. Ik heb zoveel over mezelf geleerd toen ik weg was,' zei hij rustig. 'Ik weet alleen dat ik haar terug moet zien te krijgen. Het leven voelt niet prettig zonder haar.' Hij zuchtte. Het was een geweldig gevoel om eindelijk tegen Pix te kunnen vertellen wat hij voelde.

Pix raakte zijn wang aan. 'Wat sta je hier dan nog langer?'

Rich hield haar koude hand tegen zijn gezicht en even stonden ze naar elkaar te glimlachen. Toen legde ze haar hand op zijn borst. 'Leuk je eindelijk weer te zien,' zei ze.

De Panda liep op zijn laatste benen toen hij de oprijlaan van Hill Farm op ratelde. Hij piepte en kraakte toen Rich het contactsleuteltje omdraaide.

'Bedankt,' zei hij tegen de auto terwijl hij vol genegenheid op het dashboard klopte.

Zijn knieën knikten toen hij uit de auto tuimelde en in zijn vermoeide ogen wreef. Het was gekkenwerk geweest om naar Schotland te rijden, en hij had er meer dan acht uur over gedaan. En toch had hij er nauwelijks op gelet hoe laat het was of hoe hongerig hij was; er was slechts één gedachte in zijn hoofd geweest: hij moest voor middernacht Charlie zien te bereiken.

Hij keek om zich heen. De geur van de lucht deed de sfeer van zijn kindertijd ontwaken en voor het eerst voelde hij zich zenuwachtig. Wat zou Charlie zeggen? Zou ze blij zijn hem te zien? En als ze nu eens iemand anders had gevonden? Nu hij met de realiteit van de situatie werd geconfronteerd terwijl hij op de deur klopte, zou hij het liefst willen vluchten. Maar hij moest het weten. Hij moest haar gezicht weer zien om te weten of hij gek was of niet.

Het licht in de keuken was aan, maar er leek niemand thuis te zijn en hij klopte op het raam. Hij keek op zijn horloge. Het was al over elven. Zijn kansen waren verkeken. Ze waren waarschijnlijk uit.

'Shit!' zei hij terwijl hij zijn overjas om zich heen trok en om Mary Rose begon te roepen.

Toen zag hij haar bij de deur van de schuur. Hij holde naar haar toe, verwoed zwaaiend. Hij bleef staan en de glimlach verdween van zijn gezicht toen hij zag hoe grimmig Mary Rose keek.

'Je bent er,' zei ze.

'Wat is er aan de hand?'

'Daniel. Hij heeft zo'n pijn.'

Rich voelde zijn hart opspringen van paniek. Was Daniel hier, na alles wat hij Charlie had aangedaan? Hij kreeg het te kwaad. Nu zou Charlie hem helemaal niet meer willen. Hij schermde zijn ogen af tegen de koplampen van de auto van Hamish, die naast hen stopte.

'Wat is er aan de hand?' vroeg Rich.

'Het is te laat,' zei Mary Rose bedroefd, maar Rich had zich al van haar losgerukt. Zijn hart bonkte toen hij de schuur in holde. 'Charlie?' riep hij.

Maar de schuur was leeg, afgezien van de trillende ram die op zijn zij in een hoop stro lag en hem met uitgeputte ogen aankeek.

Mary Rose kwam binnen met Hamish. 'Hier is hij,' zei ze, wijzend op de ram.

'Is dat Daniel?' riep Rich uit opgelucht.

Hamish knielde neer in zijn Schotse rok. In zijn groene wollen sok puilde een degen terwijl hij zachtjes Daniels hartslag opnam. 'Ik zal hem een spuitje van iets sterkers moeten geven. Ik ben bang dat het zijn einde zal betekenen.'

Mary Rose knikte triest.

'Ik ga mijn tas halen, dan kan jij nog even afscheid van hem nemen.'

Hij trok Rich met zich mee.

'Kan ik iets doen om te helpen?' vroeg Rich, bezorgd over het verdriet van Mary Rose. Hamish schudde bedroefd zijn hoofd en Rich volgde hem naar buiten naar de bemodderde Range Rover. 'Ik ben Rich, Charlies vriend,' zei hij.

Hamish bleef staan en keek hem lang aan. Toen knikte hij langzaam. 'Ik weet het,' zei hij ten slotte.

De manier waarop hij keek verwarde Rich. 'Heb je haar gezien?'

Hamish knikte. 'Ze is op het bal. Kijk, daar, bij die lichten. Het is het herenhuis aan de andere kant van het dal. Maar als ik jou was zou ik opschieten, want het is bijna middernacht.'

'Ik weet niet of de auto het haalt.'

'Neem deze maar. De sleuteltjes zitten er nog in,' zei Hamish.

'Het spijt me van Daniel,' zei Rich terwijl hij het portier aan de bestuurderskant opende. Arme Hamish, hij leek erg van streek te zijn.

Charlie hoorde Valerie gillen van het lachen terwijl Archie de conga van stommelende, struikelende gasten voorging, erg uit de maat. Zijn smokingjasje had hij uitgedaan, zijn das zat scheef terwijl hij half dansend, half schoppend door het ene stel dubbele deuren naar de patio en terug door de andere deuren weer de kamer in danste met zijn oranje papieren hoedje scheef op het hoofd en een klodder pudding op zijn rooddooraderde neus.

Charlie pulkte aan de vingers van de plaatselijke boer, die haar zo stijf om haar middel hield dat ze nauwelijks adem kon halen, en ze trok zich terug uit de polonaise om even opzij te gaan staan voor ze weer de balzaal werd ingetrokken.

'Kom erbij, Charlie,' riep Valerie, die er lichtelijk gehavend uitzag terwijl ze zich in de rij voegde.

Charlie probeerde zo zielig mogelijk te kijken en zwaaide met haar hand voor haar gezicht. 'Ik moet even wat lucht hebben,' zei ze. 'Ik loop even heen en weer naar de folly.'

Valerie huppelde langs haar. 'Zorg je wel dat je om twaalf uur terug bent?'

Charlie glimlachte. 'Natuurlijk.'

Ze huiverde in de koude lucht en terwijl de congaslang weer de balzaal in kronkelde, keek ze om zich heen naar iets waarmee ze zich kon bedekken. Ze haalde een schapenwollen jas van de muur en drapeerde hem over haar schouders. Ze kon er best een paar minuten tussenuit.

Maar toen ze over de patio naar het knisperende, bevroren grasveld liep, wist ze dat ze niet van plan was naar het feestje terug te keren. Ze keek achterom naar het herenhuis, waar de verlichte ramen fel afstaken tegen de met klimop begroeide muren. In de balzaal kondigde de heikneuterstem van de zanger van de band

'De vogeltjesdans' aan, zijn lippen tegen de microfoon gedrukt terwijl hij het percussie-instrument harder zette, en Charlie zag dat zowel volwassenen als kinderen met hun billen begonnen te draaien. Een plastic spandoek waarop in felgekleurde hoofdletters 'Happy New Year' stond, was losgeraakt van de hertengeweien boven de enorme schoorsteenmantel en had zich boven de loeiende open haard gedrapeerd.

Charlie moest lachen. Het was me wel een knalfuif, haar oud- en nieuwfeestje. Ze keek omhoog naar het speldenkussen van sterren en zag haar adem opstijgen. Ze moest alleen zijn als het nieuwe jaar werd ingeluid, zelfs als Hamish terugkwam van waar hij ook in allerijl naartoe was gesneld. Hoezeer ze het ook waardeerde dat ze de belle van het bal was in haar jurk, ze vond het minder om in een cirkel van om elkaar heen geslagen armen te staan met de dorpsbewoners en de deftige vrienden van Valerie, terwijl ze net deed of ze de woorden van 'Auld Lang Syne' kende en de doedelzakspeler iedereen overstemde.

Ze nam de zijden rok van de jurk op en holde over het golvende gazon. De rauwe geluiden van het feestje vervaagden en ze voelde een golf van opwinding door zich heen gaan toen ze werd omringd door de zware stilte van de nacht. De donkere coniferen hadden een zilveren waas en op de spiegel van het meer gleed een zwaan in het maanlicht.

Toen ze de folly naderde, vlogen er vogels uit de toppen van de bomen die de geur van de nacht in haar richting klepperden. Ergens in de buurt klonk de roep van een uil. Charlie draaide het antieke metalen handvat om en duwde de krakende deur open.

In de folly was het donker, afgezien van smalle streepjes zilverachtig licht die op het stof en de spinnenwebben werden geworpen. Even dreigde haar oude angst voor het donker haar weer bij de keel te grijpen, maar Mary Rose had gelijk. Ze had niets te vrezen dan de vrees zelf en ze merkte dat ze hijgde van opwinding toen ze de stenen trap naar het terras beklom.

Ze haalde diep adem, ging dicht tegen de koude stenen aan staan en keek omhoog naar de wolkensliertjes die langs de maan gleden. Met het hoofd achterover liet ze haar ogen verdrinken in de sterren.

Ze dacht aan Daniel, aan hoe ze sinds Bistram Huff was veranderd, en ze dacht aan Kate. Dillon zou op dit moment waarschijnlijk een feestje geven in de 51. Ze stelde zich voor hoe Rich en Kate de champagnekurken lieten knallen en ze verlangde ernaar bij hen te zijn.

Ze trok de schapenwollen jas dicht om zich heen. Er gloorde een nieuw jaar en terwijl ze naar de hemel staarde, wist ze dat de tijd was gekomen om haar leven weer terug te winnen.

Het geknerp van de Range Rover op de oprijlaan en het schijnsel van de koplampen bracht haar weer bij haar positieven. Dat moest Hamish zijn. Hij zou haar hier aantreffen en ze kon zijn gekwetste blik niet verdragen.

Ze wilde deze momenten alleen doorbrengen, ze wilde genieten van haar herinneringen en van de mogelijkheden die de toekomst bracht. Ze hurkte in de kristalliserende sneeuw en durfde nauwelijks adem te halen.

'Charlie?'

De roep van Rich vloog door het maanlicht naar haar hart en even dacht ze dat ze droomde. Toen ze opnieuw haar naam hoorde roepen, sprong ze op. Rich stond bij de openslaande deuren en keek de duisternis in. Even kon ze niet geloven dat hij het was, maar toen hij haar nogmaals riep, gooide ze haar armen in de lucht.

Rich zag het bleke, verlichte gezicht op het terras van de folly toen ze zich over de ruwe stenen heen boog, en hij holde naar haar toe. Binnen was de muziek gestopt en Charlie hoorde Archie door een antieke megafoon aftellen naar het nieuwe jaar.

'Wat doe jij hier in godsnaam?' vroeg ze terwijl ze omlaag keek naar Rich.

'Ik heb een tic. Ik red graag prinsessen, al vriezen mijn ballen eraf,' zei Rich terwijl hij zijn vuisten in zijn oksels klemde.

Charlie lachte. Het aftellen was al begonnen en Rich keek achterom naar het feestje. 'Blijf daar, ik kom naar je toe.'

Charlie drukte haar hand tegen haar mond. De schapenwollen jas gleed van haar schouders toen Rich de trap op kwam rennen en in het luik verscheen.

Binnen begon het gejuich voor het nieuwe jaar en ze stonden tegenover elkaar in de nacht terwijl het geluid van knalbonbons en gejuich de verlegen stilte tussen hen verbrak.

Hij schudde zijn hoofd en staarde haar aan.

Haar oogleden begonnen te prikken van de tranen. 'Je ziet er fantastisch uit,' zei ze.

'Jij ook. Niet blond meer, zie ik.'

Charlie beet op haar lip. Haar ogen glansden. 'We maken alle-maal fouten.'

'Het geeft niet,' zei Rich zachtjes terwijl hij haar handen pakte en erin kneep.

'Het spijt me zo. Ik ben zo'n uilskuiken geweest,' begon ze, maar Rich legde zijn vingers op haar lippen om haar het zwijgen op te leggen. 'Het geeft niet. Het enige wat telt is nu. Dit moment.' Hij streek teder een haarlok achter haar oor.

'O, Rich, Rich, ik heb je zo gemist.'

In het huis begonnen de gasten in koor 'Auld Lang Syne' te zingen.

'Kom hier.' Rich trok haar naar zich toe en ze viel in zijn armen. Hij sloot zijn ogen en ademde haar parfum in. Hij kuste haar op haar hoofd en legde zijn wang ertegenaan. 'Zal ik je mee naar huis nemen?' fluisterde hij.

Charlie legde haar hoofd op zijn borst en nam hem, degene van wie ze meer hield dan van wie ook ter wereld, in haar armen. Toen daagde het haar. 'Ik ben al thuis,' mompelde ze.